La Grèce ancienne

2. L'espace et le temps

Jean-Pierre Vernant
et Pierre Vidal-Naquet

La Grèce ancienne

2. L'espace et le temps

Éditions du Seuil

EN COUVERTURE :
Apollon jouant de la cithare.
Détail d'un vase antique. Musée national d'archéologie.
Naples. Archives Dagli Orti.

ISBN : 2-02-013138-2

Avertissement de l'éditeur

Dans cette série d'ouvrages consacrés à la *Grèce ancienne*, nous proposons au lecteur un regroupement thématique des textes classiques de Jean-Pierre Vernant et de Pierre Vidal-Naquet.

Le présent volume opère une coupe transversale à travers l'ouvrage de Jean-Pierre Vernant, *Mythe et Pensée chez les Grecs* (Paris, Maspero, 1965, 1971, et La Découverte, 1985, 1990), et celui de Pierre Vidal-Naquet, *Le Chasseur noir* (Paris, Maspero, 1981, et La Découverte, 1983, 1991).

Une note, placée en ouverture de chacun de ces textes, en précise l'origine et l'historique.

Déjà paru :

1. Du mythe à la raison

A paraître :

3. Rites de passage et Transgressions

Présentation

Le hasard d'une distribution des rôles fait que ce volume où la part de Vernant est beaucoup plus importante que la mienne est préfacé par moi. Bonne occasion de s'expliquer en quelques mots.

Autour de l'espace et du temps on trouvera ici sept textes qui, avant d'être recueillis dans *Mythe et Pensée chez les Grecs* (1965) et *Le Chasseur noir* (1981), ont tous été rédigés et publiés entre la fin des années cinquante (date de rédaction du texte sur « Le fleuve *Amélès* et la *mélétè thanatou* ») et la fin des années soixante (l'essai sur l'*Odyssée* a été présenté pour la première fois lors d'un colloque organisé à Royaumont par M.I. Finley en 1969). Ce fut à tous égards sans doute pour les deux auteurs de ce livre une époque de trouble et de remue-ménage : rupture caractéristique des années soixante avec les dogmes politiques et intellectuels — qui ne nous avaient jamais vraiment accablés —, recherches de perspectives nouvelles, voire révolutionnaires, espoirs de libération dont « mai 68 » demeure le symbole.

Il n'était pas écrit dans les astres que nous nous rencontrerions, Jean-Pierre Vernant et moi, et qu'une part de notre œuvre deviendrait commune. Nous ne venions nullement des mêmes terreaux intellectuels. Jean-Pierre Vernant était un philosophe, devenu psychologue, et qui avait rencontré la Grèce en la personne de Louis Gernet et la psychologie historique en celle d'Ignace Meyerson [1]. J'étais moi-même un historien, disciple d'Henri Marrou, et, après 1955, d'André

1. Sur ce courant d'histoire intellectuelle, cf. Riccardo di Donato, *Per una antropologia storica del mondo antico*, Florence, 1990.

Aymard. Pour que la rencontre se fasse — elle se fit très progressivement à partir de 1957, et surtout après 1960 lorsqu'une bienheureuse suspension, pour des raisons politiques, de ma fonction d'assistant, m'eut permis d'assister le lundi après-midi, et, mieux, de participer en compagnie de Marcel Detienne et de quelques autres au séminaire de Vernant —, il fallait que le philosophe rompe avec l'idée qu'il existe des catégories abstraites : l'espace, le temps, et découvre que le temps des sectes n'est pas celui de la Cité, il fallait que l'historien recherche les chemins d'une autonomie de l'histoire intellectuelle. Mon texte sur le temps, écrit à la demande de Marrou, et qui devait paraître dans le même numéro de la *Revue de l'histoire des religions* qui recueillit « Le mythe hésiodique des races », surprit les historiens auxquels je l'adressai. Il suscita de la part de Jean-Pierre Vernant discussions et objections. Ainsi commença véritablement un dialogue qui n'a pas cessé, et dont ce livre porte témoignage : mon étude sur l'*Odyssée* est née pour une part des travaux hésiodiques de Vernant, et l'essai de celui-ci sur « Espace et organisation politique en Grèce ancienne » est d'abord un compte rendu critique du livre que Pierre Lévêque et moi avions publié en 1964 : *Clisthène l'Athénien*.

Où se situait exactement le terrain de rencontre ? Très précisément, je crois, au niveau du politique. Il s'agissait pour Vernant de montrer que la science grecque — l'astronomie par exemple — était comme la raison grecque dans son ensemble « fille de la Cité » et non par exemple de la monnaie ou de l'esclavage. Il s'agissait pour moi de prouver que la Grèce n'avait pas été enfermée, comme les sociétés dites primitives décrites par Mircea Eliade, dans l'« éternel retour » d'un cycle [2]. Un temps linéaire, « progressif » si l'on veut, avait existé, au ve siècle singulièrement. Il exprimait l'affranchissement de la Cité par rapport à la nature, par rapport aux dieux et aux rois de l'Orient.

Engagés l'un et l'autre dans une activité anticolonialiste, aussi étrangers qu'il est possible à la notion de « miracle grec » telle que l'avaient façonnée depuis Winckelmann des géné-

2. M. Eliade, *Le Mythe de l'éternel retour*, Paris, Gallimard, 1949.

rations de philosophes, de philologues et d'esthètes, nous ne croyions pas contraire à la vérité — et, en dépit de tentatives multiples pour promouvoir le contraire, nous ne le croyons toujours pas — de dire que le surgissement de la cité grecque représente effectivement une révolution : l'instauration du politique comme activité autonome. Cela ne signifiait pas que nous étions étrangers aux grandes transformations qui renouvelaient des disciplines voisines. Lecteurs de toujours de Georges Dumézil, voici que nous découvrions aussi, grâce à Claude Lévi-Strauss, l'analyse structurale des mythes : faut-il le rappeler, *Tristes Tropiques* date de 1955 et le premier volume des *Mythologiques*, *Le Cru et le Cuit*, de 1964 [3]. Auditeur de Vernant, pendant que celui-ci préparait « Hestia-Hermès » que devait publier *L'Homme*, revue que dirigeait Claude Lévi-Strauss, en 1963, j'ai eu ainsi le privilège d'assister à la première tentative d'analyse structurale appliquée au domaine grec. D'autres ont depuis raffiné la méthode — notamment Marcel Detienne et Luc Brisson. Il était beau de la voir naître. C'est cette même méthode qui est appliquée dans l'essai sur l'*Odyssée* que j'eus aussi l'honneur de présenter au séminaire de Claude Lévi-Strauss.

Ces remarques en doivent entraîner une autre. On parlait à l'époque du structuralisme comme d'une philosophie, d'une philosophie où « ça » parle plutôt que ne parlent les hommes. Cette philosophie avait pour éponymes un monstre à quatre têtes : Louis Althusser, Michel Foucault, Jacques Lacan, Claude Lévi-Strauss. Il suffit aujourd'hui de rapprocher ces quatre noms pour voir ce qui différencie ces quatre œuvres, mais ces vérités n'étaient pas évidentes au milieu des années soixante. Face au « structuralisme » nous nous sentions rationalistes, même si la raison avait pour nous une histoire. La revue *Raison présente*, fondée en 1967 par Victor Leduc, et à laquelle nous collaborions l'un et l'autre, était l'expression de cette volonté de rationalité !

Bien entendu, un texte ne se confond pas avec sa propre histoire. Peut-être n'était-il cependant pas inutile, au seuil

3. Tous deux publiés chez Plon.

de cette lecture nouvelle, de fixer le cadre ancien qui fut celui de ces essais.

P. V.-N.

Une fois de plus nous nous faisons une joie de remercier Nicole Sels qui s'est livrée à un difficile travail de précision en unifiant la présentation matérielle de ces textes.

ABRÉVIATIONS
utilisées dans les notes

Bergk = Theodorus Bergk, *Poetae Lyrici Graeci*, Leipzig, 1878.

Diehl = E. Diehl, *Anthologia Lyrica Graeca*, 1925 ; 2e éd. 1942 ; 3e éd. 1949-1952.

Diels-Kranz = Hermann Diels, *Die Fragmente der Vorsokratiker*, hrsgb. von Walther Kranz, 7e éd., Berlin, 1954 ; 17e éd., Berlin, 1974 (3 vol.).

Dindorf = G.W. Dindorf, *Scholia graeca ex codicibus aucta et emendata*, Oxford, 1851 ; réimpr. Hildesheim, 1962.

Fr. gr. hist. ou Jacoby = *Die Fragmente der griechischen Historiker (F GR HIST)*, von Felix Jacoby, 1re éd. 1923, reprod. en fac-similé de l'éd. de 1957, Leyde, 1968 (15 vol.).

Merkelbach-West = R. Merkelbach et M.L. West, *Fragmenta Hesiodea*, Oxford, 1967.

Mette = H.J. Mette, *Die Fragmente der Tragödien des Aischylos*, Berlin, 1959.

N² ou Nauck² = *Tragicorum Graecorum Fragmenta*, recens. August Nauck, reprod. en fac-similé de la 2e éd. de 1889, Olms, 1964.

RE = A.F. Pauly, G. Wissowa, W. Kroll, *Realencyclopädie der classischen Altertumwissenschaft*, Stuttgart, 1894.

1

Aspects mythiques de la mémoire[1]

Jean-Pierre Vernant

Dans un numéro du *Journal de psychologie* consacré à la construction du temps humain[2], Ignace Meyerson soulignait que la mémoire, en tant qu'elle se distingue de l'habitude, représente une difficile invention, la conquête progressive par l'homme de son passé individuel, comme l'histoire constitue pour le groupe social la conquête de son passé collectif. Les conditions dans lesquelles cette découverte a pu se produire au cours de la protohistoire humaine, les formes qu'a revêtues la mémoire à l'origine, autant de problèmes qui échappent à l'investigation scientifique. Par contre, le psychologue qui s'interroge sur les étapes et la ligne du développement historique de la mémoire dispose de témoignages concernant la place, l'orientation et le rôle de cette fonction dans les sociétés anciennes. Les documents qui servent de base à notre étude portent sur la divinisation de la mémoire et sur l'élaboration d'une vaste mythologie de la réminiscence dans la Grèce archaïque. Il s'agit de représentations religieuses. Elles ne sont pas gratuites. Nous pensons qu'elles concernent directement l'histoire de la mémoire. Aux diverses époques et dans les diverses cultures, il y a solidarité entre les techniques de remémoration pratiquées, l'organisation interne de la fonction,

1. In *Journal de psychologie*, 1959, p. 1-29 ; repris dans *Mythe et Pensée chez les Grecs*, nouvelle éd., Paris, 1990, p. 109-136.
2. Ignace Meyerson, « Le temps, la mémoire, l'histoire », *Journal de psychologie*, 1956, p. 335.

sa place dans le système du moi et l'image que les hommes se font de la mémoire.

Dans le panthéon grec figure une divinité qui porte le nom d'une fonction psychologique : *Mnèmosunè*, Mémoire. L'exemple, sans doute, n'est pas unique. Les Grecs rangent au nombre de leurs dieux des passions et des sentiments, *Érôs*, *Aidôs*, *Phobos*, des attitudes mentales, *Pistis*, des qualités intellectuelles, *Mètis*, des fautes ou des égarements de l'esprit, *Atè*, *Lyssa* [3]. Bien des phénomènes d'ordre, à nos yeux, psychologique peuvent ainsi faire l'objet d'un culte. Dans le cadre d'une pensée religieuse, ils apparaissent sous forme de puissances sacrées, dépassant l'homme et le débordant alors même qu'il en éprouve au-dedans de lui la présence. Le cas cependant de *Mnèmosunè* semble particulier. La mémoire est une fonction très élaborée qui touche à de grandes catégories psychologiques, comme le temps et le moi. Elle met en jeu un ensemble d'opérations mentales complexes, avec ce que cette maîtrise comporte d'effort, d'entraînement et d'exercice. Le pouvoir de remémoration, avons-nous rappelé, est une conquête ; la sacralisation de *Mnèmosunè* marque le prix qui lui est accordé dans une civilisation de tradition purement orale comme le fut, entre le XIIe et le VIIIe siècle, avant la diffusion de l'écriture, celle de la Grèce [4]. Encore faut-il

3. Le culte d'*Érôs* est largement attesté ; pour celui d'*Aidôs*, à Sparte et à Athènes, cf. Pausanias, III, 20, 10 et I, 17, 1 ; Hésiode, *Travaux*, 200 ; de *Phobos*, à Sparte, cf. Plutarque, *Vie de Cléomène*, 8 et 9 ; à Athènes, *Vie de Thésée*, 27 ; de *Pistis*, en Attique, cf. Lewis R. Farnell, *Cults of the Greek States*, V, p. 481, n. 248. Divinisation de *Mètis* dans Hésiode, *Théogonie*, 358 et 886 *sq.* ; d'*Atè*, dans Homère, *Iliade*, IX, 503 *sq.*, X, 391, XIX, 85 *sq.* ; [Apollodore], *Bibliothèque*, III, 12, 3, et chez les Tragiques ; de *Lyssa*, Euripide, *Bacchantes*, 880 *sq.*

4. Comme le note Louis Gernet (« Le temps dans les formes archaïques du droit », *Journal de psychologie*, 1956, n° 3, p. 404), l'institution du *mnèmôn* — personnage qui garde le souvenir du passé en vue d'une décision de justice — repose, tant que n'existe pas encore l'écrit, sur la confiance en la mémoire individuelle d'un « record » vivant. C'est plus tard seulement que le terme pourra désigner des magistrats affectés à la conservation d'écrits. Au reste le rôle du *mnèmôn* n'est pas limité au plan juridique. L. Gernet signale qu'il est transposé d'une pratique religieuse. Dans la légende, le *mnèmôn* figure comme serviteur de héros : à son maître il doit rappeler sans cesse en mémoire une consigne divine dont l'oubli entraîne la mort (Plutarque, *Questions grecques*, 28). Le

préciser ce qu'est cette mémoire dont les Grecs font une divinité. Dans quel domaine, par quelle voie, sous quelle forme s'exerce le pouvoir de remémoration auquel préside *Mnèmosunè*? Quels événements, quelle réalité vise-t-il? Dans quelle mesure s'oriente-t-il vers la connaissance du passé et la construction d'une perspective temporelle? Nous ne disposons d'autres documents que des récits mythiques. Mais, à travers les indications qu'ils nous apportent sur *Mnèmosunè*, les activités qu'elle patronne, ses attributs et ses pouvoirs, nous pouvons espérer atteindre quelques traits de cette mémoire archaïque et reconnaître certains aspects de son fonctionnement.

Déesse titane, sœur de Cronos et d'Océanos, mère des Muses [5] dont elle conduit le chœur et avec lesquelles, parfois, elle se confond, *Mnèmosunè* préside, on le sait, à la fonction poétique. Que cette fonction exige une intervention surnaturelle, cela va de soi pour les Grecs. La poésie constitue une des formes typiques de la possession et du délire divins, l'état d'« enthousiasme » au sens étymologique. Possédé des Muses, le poète est l'interprète de *Mnèmosunè*, comme le prophète, inspiré du dieu, l'est d'Apollon [6]. Au reste, entre la divination et la poésie orale telle qu'elle s'exerce, à l'âge archaïque, dans des confréries d'aèdes, chanteurs et musiciens, il y a des affinités, et même des interférences, qui ont été maintes fois signalées [7]. Aède et devin ont en commun un même don de « voyance », privilège qu'ils ont dû payer au prix de leurs yeux. Aveugles à la lumière, ils voient l'invisible. Le dieu qui les inspire leur découvre, dans

mnèmôn peut avoir aussi bien une fonction technique (*Odyssée*, VIII, 163), politico-religieuse (Plutarque, *Questions grecques*, 4), d'organisation du calendrier religieux (Aristophane, *Nuées*, 615-626). La remarque de L. Gernet apparaît valable sur tous les plans : « On peut se demander si, au stade de l'écrit, la fonction de la mémoire n'est pas quelque peu en régression. »

5. Hésiode, *Théogonie*, 54 *sq.*, 135, 915 *sq.*

6. Cf. Pindare, fr. 32 de l'éd. Puech, IV, p. 213 : Μαντεύεο, Μοῖσα, προφατεύσω δ' ἐγώ, « Rends tes oracles, ô Muse, et je serai ton prophète » ; cf. aussi Platon, *Ion*, 534 e.

7. En particulier, Francis M. Cornford, *Principium Sapientiae. The Origins of Greek Philosophical Thought*, Londres, 1952, p. 89 *sq.*

une sorte de révélation, les réalités qui échappent au regard humain. Cette double vue porte en particulier sur les parties du temps inaccessibles aux créatures mortelles : ce qui a eu lieu autrefois, ce qui n'est pas encore. Le savoir ou la sagesse, la *sophia* [8], que *Mnèmosunè* dispense à ses élus est une « omniscience » de type divinatoire. La même formule qui définit chez Homère l'art du devin Calchas s'applique, chez Hésiode, à *Mnèmosunè* : elle sait — et elle chante — « tout ce qui a été, tout ce qui est, tout ce qui sera [9] ». Mais, contrairement au devin qui doit le plus souvent répondre à des préoccupations concernant l'avenir, l'activité du poète s'oriente presque exclusivement du côté du passé. Non son passé individuel, ni non plus le passé en général comme s'il s'agissait d'un cadre vide indépendant des événements qui s'y déroulent, mais l'« ancien temps », avec son contenu et ses qualités propres : l'âge héroïque ou, au-delà encore, l'âge primordial, le temps originel.

De ces époques révolues le poète a une expérience immédiate. Il connaît le passé parce qu'il a le pouvoir d'être présent au passé. Se souvenir, savoir, voir, autant de termes qui s'équivalent. Un lieu commun de la tradition poétique est d'opposer le type de connaissance qui appartient à l'homme ordinaire — savoir par ouï-dire reposant sur le témoignage d'autrui, sur des propos rapportés — à celui de l'aède en proie à l'inspiration, qui est, comme celui des dieux, une vision personnelle directe [10]. La mémoire transporte le poète au cœur des événements anciens, dans leur temps [11]. L'organisation temporelle de son récit ne fait que reproduire la série des événements, auxquels en quelque sorte il assiste, dans l'ordre même où ils se succèdent à partir de leur origine [12].

8. Sur la poésie comme *sophia*, cf. Jacqueline Duchemin, *Pindare poète et prophète*, Paris, 1955, p. 23 *sq.* Le poète se désigne lui-même sous le nom de σοφὸς ἀνήρ, de σοφιστής (*Isthmiques*, V, 28).

9. *Iliade*, I, 70 ; Hésiode, *Théogonie*, 32 et 38.

10. *Iliade*, II, 484 *sq.* ; *Odyssée*, VIII, 491 ; Pindare, *Péans*, X et VI, 50-58, éd. Puech, IV, p. 133 et 120 ; *Olympiques*, II, 94 *sq.*

11. Platon, *Ion*, 535 bc.

12. Le poète demande aux Muses de prendre le récit à partir d'un moment bien défini pour suivre ensuite aussi fidèlement que possible la succession des événements ; cf. *Iliade*, I, 6 : « Pars du jour où une querelle tout d'abord divisa le fils d'Atrée et le divin Achille. » On notera aussi la formule : « Et maintenant dis-moi, Muse, qui le premier... », *Iliade*, XI, 218, XIV, 508, etc.

Présence directe au passé, révélation immédiate, don divin, tous ces traits qui définissent l'inspiration par les Muses n'excluent nullement pour le poète la nécessité d'une dure préparation et comme d'un apprentissage de son état de voyance. Pas davantage l'improvisation au cours du chant n'exclut-elle le recours fidèle à une tradition poétique conservée de génération en génération. Au contraire, les règles mêmes de la composition orale exigent que le chanteur dispose, non seulement d'un canevas de thèmes et de récits, mais d'une technique de diction formulaire qu'il utilise toute faite et qui comporte l'emploi d'expressions traditionnelles, de combinaisons de mots déjà fixées, de recettes établies de versification [13]. Nous ne savons pas comment l'apprenti chanteur s'initiait, dans les confréries d'aèdes, à la maîtrise de cette langue poétique [14]. On peut penser que le dressage faisait une large place à des exercices mnémotechniques, en particulier à la récitation de très longs morceaux répétés par cœur [15]. On trouve chez Homère une indication dans ce

13. Cf. A. Van Gennep, *La Question d'Homère*, Paris, 1909, p. 50 *sq.* ; Milman Parry, *L'Épithète traditionnelle dans Homère*, et *Les Formules et la Métrique d'Homère*, Paris, 1928; A. Séveryns, *Homère. Le poète et son œuvre*, Bruxelles, 1946.

14. Les faits celtiques sont mieux connus. Le barde gallois, le fili irlandais doivent passer par une série de grades, sanctionnés par des épreuves qui font une place à des pratiques de magie et à des exercices divinatoires. « Les études, écrit Joseph Vendryes, duraient plusieurs années, pendant lesquelles l'apprenti poète était initié à la connaissance des traditions historiques, généalogiques et topographiques du pays, en même temps qu'à la pratique des mètres et de tous les artifices poétiques. » L'enseignement était donné par le maître dans des lieux de retraite et de silence. L'élève était dressé à l'art de la composition dans des chambres basses, sans fenêtres, en pleine obscurité. C'est en raison de cette habitude de composer dans les ténèbres qu'un poète se dépeint lui-même : « Les paupières tirées comme un rideau pour le protéger de la lumière du jour. » J. Vendryes, *Choix d'études linguistiques et celtiques*, Paris, 1952, p. 216 *sq.*

15. Milman Parry écrit : « Pour lui [Homère], comme pour tous les aèdes, versifier était se souvenir. » Et Fernand Robert note : « L'aède est un récitant, et toute sa langue poétique parsemée de formules souvent très anciennes peut être considérée, ainsi que le mètre lui-même, comme une technique de la mémoire » (*Homère*, Paris, 1950, p. 14). Sur les rapports entre récitation et improvisation, cf. Raphael Sealey, « From Phemios to Ion », *Revue des études grecques*, 70, 1957, p. 312-352. On

sens. L'invocation à la Muse ou aux Muses, en dehors des cas où elle se situe, comme il est naturel, à l'ouverture du chant, peut introduire une de ces interminables énumérations de noms d'hommes, de contrées, de peuples, qu'on appelle des Catalogues. Au chant II de l'*Iliade*, le Catalogue des vaisseaux présente ainsi un véritable inventaire de l'armée achéenne : noms des chefs, contingents placés sous leurs ordres, lieux d'origine, nombre de navires dont ils disposent. La liste s'étend sur 265 vers. Elle s'ouvre par l'invocation suivante : « Et maintenant, dites-moi, Muses, habitantes de l'Olympe — car vous êtes, vous, des déesses : partout présentes, vous savez tout ; nous n'entendons qu'un bruit, nous, et ne savons rien — dites-moi quels étaient les guides, les chefs des Danaens [16]. » Au Catalogue des vaisseaux succède immédiatement le Catalogue des meilleurs guerriers et des meilleurs chevaux achéens, qui débute par une nouvelle invocation aux Muses, et que vient suivre presque aussitôt le Catalogue de l'armée troyenne. L'ensemble forme à peu près la moitié du chant II, en tout près de 400 vers, composés presque exclusivement d'une suite de noms propres, ce qui suppose un véritable entraînement de la mémoire.

Ces recueils peuvent paraître fastidieux. La prédilection que leur marquent Homère et, plus encore, Hésiode montre qu'ils jouent dans leur poésie un rôle de première importance. C'est à travers eux que se fixe et se transmet le répertoire des connaissances qui permet au groupe social de déchiffrer son « passé ». Ils constituent comme les archives d'une société sans écriture, archives purement légendaires qui ne répondent ni à des exigences administratives, ni à un dessein de glorification royale, ni à un souci historique [17]. Elles visent à mettre

---

remarquera que, chez Platon (*Ion*, 535 b et 536 c), le rhapsode Ion, pur récitant, n'en est pas moins présenté comme un inspiré, possédé de la *mania* divine. Sur le rôle du rythme comme procédé mnémotechnique dans les milieux de style oral, cf. Marcel Jousse, « Études de psychologie linguistique. Le style oral rythmique et mnémotechnique chez les verbo-moteurs », *Archives de philosophie*, 1924, cahier 4.

16. *Iliade*, II, 484 *sq.*

17. Même si le goût d'Homère pour les inventaires doit être rattaché, comme on l'a suggéré, aux scribes des tablettes mycéniennes, il s'agirait moins d'un prolongement que d'une transposition ; cf. T. B. L. Webster, « Homer and the mycenaean tablets », *Antiquity*, 29, 1955, p. 10-14.

en ordre le monde des héros et des dieux, à en dresser une nomenclature aussi rigoureuse et complète que possible. Dans ces répertoires de noms qui établissent la liste des agents humains et divins, qui précisent leur famille, leur pays, leur descendance, leur hiérarchie, les diverses traditions légendaires sont codifiées, la matière des récits mythiques organisée et classée.

Ce souci de formulation exacte et de dénombrement complet confère à la poésie ancienne — même lorsqu'elle vise d'abord à divertir, comme c'est le cas chez Homère — une rectitude quasi rituelle. Hérodote pourra écrire que la foule des dieux grecs, auparavant anonyme, s'est trouvée, dans les poèmes d'Homère et d'Hésiode, distinguée, définie et nommée [18]. A cette ordonnance du monde religieux est étroitement associé l'effort du poète pour déterminer les « origines ». Chez Homère, il ne s'agit que de fixer les généalogies des hommes et des dieux, de préciser la provenance des peuples, des familles royales, de formuler l'étymologie de certains noms propres et l'*aition* d'épithètes cultuelles [19]. Chez Hésiode, cette recherche des origines prend un sens proprement religieux et confère à l'œuvre du poète le caractère d'un message sacré. Les filles de *Mnèmosunè*, en lui offrant le bâton de sagesse, le *skeptron*, taillé dans un laurier, lui ont enseigné « la vérité » [20]. Elles lui ont appris le « beau chant » dont elles charment elles-mêmes les oreilles de Zeus, et qui dit le commencement de tout. Les Muses chantent en effet, en commençant par le début — ἐξ ἀρχῆς [21] —, l'apparition du monde, la genèse des dieux, la naissance de l'humanité. Le passé ainsi dévoilé est beaucoup plus que l'antécédent du présent : il en est la source. En remontant jusqu'à lui, la remémoration cherche non à situer les événements dans un cadre temporel, mais à atteindre le fond de l'être, à découvrir l'originel, la réalité primordiale dont est issu le cosmos et qui permet de comprendre le devenir dans son ensemble.

18. Hérodote, II, 53.
19. Cf. H. Munro Chadwick et N. Kershaw Chadwick, *The Growth of Literature*, Cambridge, 1932, I, p. 270 *sq*.
20. *Théogonie*, 28.
21. *Ibid.*, 45 et 115.

Cette genèse du monde dont les Muses racontent le cours comporte de l'avant et de l'après, mais elle ne se déroule pas dans une durée homogène, dans un temps unique. Il n'y a pas, rythmant ce passé, *une chronologie*, mais *des généalogies*. Le temps est comme inclus dans les rapports de filiation. Chaque génération, chaque « race », γένος, a son temps propre, son « âge », dont la durée, le flux et même l'orientation peuvent différer du tout au tout [22]. Le passé se stratifie en une succession de « races ». Ces races forment l'« ancien temps [23] », mais elles ne laissent pas d'exister encore et, pour certaines, d'avoir beaucoup plus de réalité que n'en possèdent la vie présente et la race actuelle des humains. Contemporaines du temps originel, les réalités primordiales comme Gaia et Ouranos demeurent l'inébranlable fondement du monde d'aujourd'hui. Les puissances de désordre, les Titans, engendrés par Ouranos, et les monstres vaincus par Zeus continuent à vivre et à s'agiter au-delà de la terre, dans la nuit du monde infernal [24]. Toutes les anciennes races d'hommes qui ont donné leur nom aux temps révolus, à l'âge d'or, sous le règne de Cronos, puis à l'âge d'argent et de bronze, enfin à l'âge héroïque, sont encore présentes, pour qui sait les voir, génies voltigeant à la surface de la terre, démons souterrains, hôtes, aux confins de l'Océan, de l'île des Bienheureux [25]. Toujours présents, toujours vivants aussi, comme leur nom l'indique [26], ceux qui ont succédé à Cronos et établi avec leur règne l'ordre du monde : les Olympiens. Depuis leur naissance ils vivent dans un temps qui ne connaît ni la vieillesse ni la mort. La vitalité de leur race s'étend et s'étendra à travers tous les âges, dans l'élan d'une jeunesse inaltérable.

22. La race d'or vit toujours jeune et meurt subitement ; celle d'argent reste dans l'enfance pendant cent ans et vieillit d'un seul coup, franchi le seuil de l'adolescence ; la race de fer, avant d'être détruite, naîtra vieille, avec les cheveux blancs ; *Travaux*, 109 *sq.* ; cf. *Mythe et Pensée chez les Grecs*, *op. cit.*, p. 41, repris dans *La Grèce ancienne*, 1, *Du mythe à la raison*, Paris, Points-Seuil, 1990, p. 37.
23. Cf. *Théogonie*, 100, l'expression : κλέεα προτέρων ἀνθρώπων.
24. *Ibid.*, 713 *sq.*, 868.
25. *Travaux*, 120 *sq.*, 140 *sq.*, 152 *sq.*, 168 *sq.*
26. Les dieux forment le *genos* de ceux qui sont toujours, αἰὲν ἐόντων.

On ne saurait donc dire que l'évocation du « passé » fait revivre ce qui n'est plus et lui donne, en nous, une illusion d'existence. A aucun moment la remontée le long du temps ne nous fait quitter les réalités actuelles. En nous éloignant du présent c'est seulement par rapport au monde visible que nous prenons de la distance ; nous sortons de notre univers humain, pour découvrir derrière lui d'autres régions de l'être, d'autres niveaux cosmiques, normalement inaccessibles : au-dessous, le monde infernal et tout ce qui le peuple ; au-dessus, le monde des dieux olympiens. Le « passé » est partie intégrante du cosmos ; l'explorer c'est découvrir ce qui se dissimule dans les profondeurs de l'être. L'Histoire que chante *Mnèmosunè* est un déchiffrement de l'invisible, une géographie du surnaturel.

Quelle est alors la fonction de la mémoire ? Elle ne reconstruit pas le temps ; elle ne l'abolit pas non plus. En faisant tomber la barrière qui sépare le présent du passé, elle jette un pont entre le monde des vivants et cet au-delà auquel retourne tout ce qui a quitté la lumière du soleil. Elle réalise pour le passé une « évocation » comparable à celle qu'effectue pour les morts le rituel homérique de l'ἔκκλησις [27] : l'appel chez les vivants et la venue au jour, pour un bref moment, d'un défunt remonté du monde infernal ; comparable aussi au voyage qui se mime dans certaines consultations oraculaires : la descente d'un vivant au pays des morts pour y apprendre — pour y voir — ce qu'il veut connaître. Le privilège que *Mnèmosunè* confère à l'aède est celui d'un contact avec l'autre monde, la possibilité d'y entrer et d'en revenir librement. Le passé apparaît comme une dimension de l'au-delà.

En livrant à Hésiode le secret des origines, les Muses lui révèlent un mystère. L'*anamnèsis*, la réminiscence apparaît, dans une poésie d'inspiration morale et religieuse, déjà comme une sorte d'initiation. L'élu qui en bénéficie s'en trouve lui-même transformé. En même temps que se dévoile à ses yeux la « vérité » du devenir — établissement définitif

27. Homère, *Odyssée*, X, 515 *sq.*, et XI, 23 *sq.*

de l'ordre cosmique et divin, désordre progressif chez les créatures mortelles [28] —, la vision des temps anciens le libère dans une certaine mesure des maux qui accablent l'humanité d'aujourd'hui, la race de fer. La mémoire lui apporte comme une transmutation de son expérience temporelle. Par le contact qu'elle établit avec les premiers âges, l'αἰών divin, le temps primordial, elle permet d'échapper au temps de la cinquième race, fait de fatigue, de misère et d'angoisse [29]. *Mnèmosunè*, celle qui fait se souvenir, est aussi chez Hésiode celle qui fait oublier les maux, la λησμοσύνη κακῶν [30]. La remémoration du passé a comme contrepartie nécessaire l'« oubli » du temps présent.

On ne s'étonnera donc pas de trouver, à l'oracle de Lébadée, où se mimait dans l'antre de Trophonios une descente dans l'Hadès, *Lèthè*, Oubli, associée à *Mnèmosunè* et formant avec elle un couple de puissances religieuses complémentaires [31]. Avant de pénétrer dans la bouche d'enfer, le consultant, déjà soumis à des rites purificatoires, était conduit près de deux sources appelées *Lèthè* et *Mnèmosunè*. Buvant à la première, il oubliait tout de sa vie humaine et, semblable à un mort, entrait dans le domaine de la Nuit. Par l'eau de la seconde, il devait garder la mémoire de tout ce qu'il avait vu et entendu dans l'autre monde. A son retour il ne se limitait plus à la connaissance du moment présent ; le contact avec l'au-delà lui avait apporté la révélation du passé et de l'avenir.

Oubli est donc une eau de mort. Nul ne peut sans y avoir bu, c'est-à-dire sans avoir perdu le souvenir et la conscience, aborder au royaume des ombres. Mémoire apparaît en contraste comme une fontaine d'immortalité, l'ἀθάνατος πηγή dont parlent certaines inscriptions funéraires et qui

28. René Schaerer (« La représentation mythique de la chute et du mal », *Diogène*, 1955, 11, p. 58 *sq.*) a bien vu que, dans la *Théogonie*, si le temps des dieux va dans le sens de l'ordre et aboutit à la stabilité, celui des hommes est orienté en sens inverse et tend finalement à basculer du côté de la mort. Cette disparité constitue un des enseignements du poème.

29. *Travaux*, 176 *sq.*

30. *Théogonie*, 55 et 102 *sq.*

31. Pausanias, IX, 39. Notons qu'à Lébadée le rituel a tous les caractères d'une cérémonie d'initiation. On est à mi-chemin entre la consultation oraculaire et la révélation mystérieuse.

assure au défunt sa survie jusque dans l'au-delà [32]. Précisément parce que la mort se définit comme le domaine de l'oubli, le Λήθης πεδίον [33], celui qui dans l'Hadès garde la mémoire transcende la condition mortelle. Il n'y a plus pour lui d'opposition ni de barrière entre la vie et la mort. D'un monde à l'autre il circule librement. A cet égard, il apparaît semblable à un personnage comme cet Éthalide, fils d'Hermès, auquel son père pour le rendre immortel accorda « une mémoire inaltérable » : « Même lorsqu'il traversa l'Achéron, l'oubli ne submergea pas son âme ; et quoiqu'il habite tantôt le séjour des ombres, tantôt celui de la lumière du soleil, il garde toujours le souvenir de ce qu'il a vu [34]. » Ce privilège de non-mort prendra chez un Éthalide une signification particulière dont nous aurons à préciser le lien avec la croyance à la métempsycose. Mais le même privilège appartient déjà, dans une tradition plus ancienne, à tous ceux dont la mémoire sait discerner, par-delà le présent, ce qui est enfoui au plus profond du passé et mûrit en secret pour les temps à venir. Ainsi des devins comme Tirésias et Amphiaraos [35]. Au milieu des ombres inconsistantes de l'Hadès, ils demeurent animés et lucides, n'ayant là-bas rien oublié de leur séjour terrestre, comme ils ont su ici acquérir la mémoire des temps invisibles qui appartiennent à l'autre monde.

La *Mnèmosunè* du rituel de Lébadée est encore à bien des égards parente de la déesse qui préside, chez Hésiode, à l'inspiration poétique. Comme la mère des Muses, elle a pour fonction de révéler « ce qui a été et ce qui sera ». Mais, associée à *Lèthè*, elle revêt l'aspect d'une puissance infernale, agissant au seuil de l'outre-tombe. L'au-delà dont elle ouvre à l'initié l'accès s'identifie au monde des morts [36].

32. Cf. Erwin Rohde, *Psyché*, trad. fr. par A. Reymond, Paris, 1953, p. 583.
33. Théognis, 1216; Aristophane, *Grenouilles*, 186.
34. Apollonios de Rhodes, *Argonautiques*, I, 643 *sq.*
35. Tirésias : *Odyssée*, X, 493-495 ; Amphiaraos : Sophocle, *Électre*, 841.
36. C'est pourquoi, chez Plutarque, la consultation de Trophonios sera présentée, non comme un oracle ordinaire, mais comme apportant la révélation du destin des âmes après la mort. Dans l'antre, Timarque reçoit, sous forme d'images, l'enseignement des doctrines eschatologiques et des mythes de réincarnation (*Le Démon de Socrate*, 590 *sq.*).

Dans une série de documents, de date, d'origine et de portée très diverses, mais d'orientation également « mystique », nous retrouvons le couple Mémoire-Oubli, au cœur, cette fois, d'une doctrine de réincarnation des âmes. Dans le contexte de ces mythes eschatologiques *Mnèmosunè* s'est transformée. Elle n'est plus celle qui chante le passé primordial et la genèse du cosmos. Puissance dont dépend la destinée des âmes après la mort, elle est liée désormais à l'histoire mythique des individus, aux avatars de leurs incarnations successives. Du même coup ce n'est plus le secret des origines qu'elle apporte aux créatures mortelles, mais le moyen d'atteindre la fin du temps, de mettre un terme au cycle des générations.

Ce changement reflète tout un ordre de préoccupations et d'exigences nouvelles, étrangères à la poésie d'Homère et d'Hésiode. Il répond à une recherche du salut qui va de pair, dans le courant de pensée qui nous intéresse, avec une réflexion, plus ou moins élaborée philosophiquement, sur les problèmes du temps et de l'âme.

La transposition de *Mnèmosunè* du plan de la cosmologie à celui de l'eschatologie modifie tout l'équilibre des mythes de mémoire ; s'ils conservent les thèmes et les symboles anciens, ils en transforment très profondément le sens. Les images qui, dans la description traditionnelle, étaient attachées à l'Hadès : région désolée, séjour glacé, royaume des ombres, monde de l'oubli, s'appliquent maintenant à la vie terrestre conçue comme un lieu d'épreuve et de châtiment [37]. L'exil de l'âme, ce n'est plus quand, quittant l'homme privé de vie, elle volette sous terre, fantôme sans force et sans conscience ; mais au contraire quand elle retourne ici-bas pour se joindre à un corps. L'âme apparaît d'autant plus « lucide », d'autant moins « oublieuse » qu'elle a pu davantage se libérer de cette union [38]. Les eaux du *Lèthè* n'accueillent plus

37. Cf. R. Turcan, « La catabase orphique du papyrus de Bologne », *Revue de l'histoire des religions*, 150, 1956, n° 2, p. 136-173. L'auteur note l'emploi d'un terme comme κρυερός qui s'applique normalement à l'Hadès (*Travaux*, 153) pour désigner le monde terrestre.

38. Cf. Pindare, fr. 131 : l'âme — l'image de notre être, notre « double », αἰῶνος εἴδωλον — dort quand nos membres agissent, mais quand ils dorment elle nous fait voir l'avenir ; et Eschyle, *Euménides*, 104 : dans

au seuil de l'Hadès, ceux qui, passant de la vie à la mort, vont oublier dans le monde infernal la lumière du soleil. Elles effacent, chez ceux qui, en sens inverse, reviennent sur terre pour une nouvelle incarnation, le souvenir du monde et des réalités célestes auxquels l'âme est apparentée. L'eau d'Oubli n'est plus symbole de mort, mais de retour à la vie, à l'existence dans le temps. L'âme qui ne s'est pas gardée d'en boire, « gorgée d'oubli et de méchanceté [39] », est précipitée une fois encore sur cette terre où règne la loi inflexible du devenir. Elle croit commencer à la naissance une vie qu'elle achèvera à la mort. Mais il n'y a, dans le domaine du temps, ni commencement, ni achèvement véritables. L'âme ne fait que recommencer indéfiniment un même cycle d'épreuves dont, oublieuse à chaque fois des phases précédentes, elle ne peut jamais atteindre le terme, le τέλος, mot qui signifie non seulement, dans un sens temporel, la fin d'une période, mais, dans un sens religieux, l'initiation qui consacre, chez celui qui a ainsi « accompli » une phase de sa vie, l'accès à une forme d'existence nouvelle [40].

Emportée dans le cycle du devenir, le κύκλος γενέσεως [41], tournant dans le « cercle de la nécessité [42] », enchaînée à la « roue de la fatalité et de la naissance [43] », la vie

---

le sommeil l'âme est tout éclairée d'yeux, à qui le don de voir est refusé quand vient le jour ; cf. aussi Cicéron, *De divinatione*, I, 63, et *Tusculanes*, I, 29.

39. Platon, *Phèdre*, 248 c.

40. Cf. Gilbert Murray, *Four Stages of Greek Religion*, New York, 1912, p. 45-46 ; Richard B. Onians, *The Origins of European Thought : About the body, the mind, the soul, the world, time and fate*², Cambridge, 1954, p. 427 *sq.*

41. Dans son commentaire à *Platon, Timée*, 42 c, Proclus parle de l'âme « conduite à la vie bienheureuse, cessant ses pérégrinations dans la sphère du devenir... vie qui est délivrance du cycle et repos loin du mal » (Otto Kern, *Orphicorum Fragmenta*², Berlin, 1963, fr. 229).

42. Diogène Laërce, *Vie de Pythagore*, VIII, 14 : « L'âme est dite tourner suivant la roue changeante de la nécessité, κύκλον ἀνάγκης ἀμείβουσαν, tantôt unie à un animal, tantôt à un autre. » Cf. Jane Harrison, *Prolegomena to the Study of Greek Religion*, Cambridge, 1903, p. 589 ; 4ᵉ éd. 1957.

43. Simplicius écrit (*Aristote, De Caelo*, II, 1, 284 a 14) : « L'âme est enchaînée à la roue de la nécessité et de la naissance, ἐν τῷ τῆς εἱμαρμένης τε καὶ γενέσεως τροχῷ, dont il est impossible de s'échapper, selon Orphée, sauf en rendant favorables les dieux à qui Zeus a confié

de ceux dont les âmes passent alternativement d'un corps d'homme à celui d'une bête ou d'une plante réalise ici-bas l'image des traditionnels suppliciés des Enfers : Sisyphe poussant sans fin un rocher qui retombe toujours ; Ocnos tressant une corde de jonc qu'au fur et à mesure une ânesse ronge ; les Danaïdes s'efforçant en vain de remplir un tonneau percé avec l'eau qui s'écoule d'un crible plein de trous — ce crible dont Platon dira qu'il est l'âme de ces malheureuses, incapables, par oubli, de ne pas laisser fuir son contenu [44].

Dans les inscriptions des lamelles d'or portées par les défunts pour les guider à travers les méandres de l'au-delà, *Lèthè* figure, au carrefour des chemins, la source dont il est défendu de s'approcher, sur la route de gauche, si l'on veut définitivement « s'évader du triste cycle de douleurs », échapper aux réincarnations et d'homme se transformer en dieu [45]. Les mêmes thèmes, les mêmes images se retrouvent dans le mythe platonicien de *La République* [46] : les âmes assoiffées doivent éviter de boire dans le fleuve de la plaine du *Lèthè* une eau « qu'aucun récipient ne saurait retenir », et qui leur apportant l'oubli les renvoie à la génération. Chez Platon, cet oubli, qui constitue pour l'âme la faute essentielle, sa maladie propre, n'est rien d'autre que l'ignorance. Dans les eaux du *Lèthè* les âmes perdent le souvenir des vérités éternelles qu'elles ont pu contempler avant de retomber sur terre, et que *l'anamnèsis*, les rendant à leur vraie nature, leur permettra de retrouver.

---

le pouvoir de libérer de ce cycle, κύκλου τ' ἀλλῆξαι, et d'accorder le repos loin du mal » (O. Kern, *op. cit.*, fr. 230). Les textes de Proclus et de Simplicius sont cités et commentés dans R.B. Onians, *op. cit.*, p. 452 et W.K.C. Guthrie, *Orphée et la Religion grecque*, trad. A.-M. Guillemin, Paris, 1956, p. 186.

44. Platon, *Gorgias*, 493 c. On sait que, chez Platon, les malheureux puiseurs d'eau ne sont pas encore assimilés aux « Danaïdes ». Il s'agit, pour lui, de non-initiés, *amuetoi*, d'inaccomplis, *atelestoi*. C'est dans l'*Axiochos* qu'on trouve la formule : Δαναίδων ὑδρεῖαι ἀτελεῖς (371 e).

45. On se reportera au texte des lamelles, publié dans Diels-Kranz, 1 B 17-22, 7e éd., 1956 ; O. Kern, *op. cit.*, fr. 32, p. 104-109 ; cf. aussi G. Murray, « Critical appendix on the orphic tablets, *in* J. Harrison, *op. cit.*, p. 659 *sq.* ; P.-M. Schuhl, *Essai sur la formation de la pensée grecque*, Paris, 1934, p. 239 *sq.* ; 2e éd. 1949 ; W.K.C. Guthrie, *op. cit.*, p. 193 *sq.*

46. Platon, *République*, 613 b *sq.*

Les mythes de mémoire sont ainsi, chez Platon, intégrés à une théorie générale de la connaissance. Mais le lien qu'ils conservent jusque dans sa philosophie avec la croyance aux réincarnations laisse penser qu'ils ont dû, à l'origine, avoir un rapport plus direct avec les avatars de l'âme au cours de ses existences antérieures [47]. Le rapprochement de divers textes qui gardent la trace de ces légendes confirme cette hypothèse.

Dans les lamelles de Pételie et d'Eleutherna, l'âme qui a su éviter le *Lèthè* et prendre, sur sa droite, la bonne route rencontre une source qui vient du lac de *Mnèmosunè*. Proclamant sa pureté et son origine céleste, elle demande aux gardiens à y étancher sa soif : « Donnez-moi vite l'eau fraîche qui s'écoule du lac de Mémoire. — Et d'eux-mêmes ils te donneront à boire de la source sainte et, après cela, parmi les autres héros tu seras le maître. » Dans le texte des lamelles trouvées à Thurium, l'âme qui prend la route de droite et qui s'affirme également pure et de race céleste est saluée comme celle qui « ayant souffert la peine », « ayant payé le prix des actions injustes [48] », s'est évadée du triste cycle de douleurs : « tu seras dieu et non plus mortel [...], — d'homme tu es devenu dieu... ».

Cette idée que l'âme, pour s'élever dans l'échelle des êtres et atteindre finalement à la condition de héros et de dieu [49], doit, au cours de sa vie, se purifier par l'expiation, en payant le prix de ses fautes, nous la retrouvons, sous une forme plus explicite, dans des textes de Pindare et d'Empédocle : il s'agit de « fautes anciennes », du mal que l'âme a pu faire autre-

47. Cf. A. Cameron, *The Pythagorean Background of the Theory of Recollection*, Columbia University, Wisconsin, 1938.

48. On rapprochera cette idée que l'âme a payé le prix de l'injustice — ποινὰν δ'ἀνταπέτεισ (α) (Diels-Kranz, I, p. 16, 23) — de la définition du juste selon les pythagoriciens : τὸ ἀντιπεπονθός, c'est-à-dire : ἅ τις ἐποίησε, ταῦτ' ἀντιπαθεῖν ; Aristote, *Éthique à Nicomaque*, 1132 b 21 *sq.* ; cf. E. Rohde, *op. cit.*, p. 397, n. 5.

49. Cf. Plutarque, *Vie de Romulus*, 28, et *De defectu oraculorum*, 414 bc : les âmes humaines s'élèvent successivement des hommes mortels aux héros, puis des héros aux démons, enfin, quand elles sont parfaitement purifiées et consacrées, des démons aux dieux ; cf. J. Harrison, *op. cit.*, p. 504.

fois, dans ses existences antérieures [50]. Selon Pindare, les âmes de ceux « qui ont acquitté la rançon d'une antique souillure [51] » donnent naissance, pour leur dernière incarnation, soit à des rois, soit à des vainqueurs aux jeux, soit à des « sages » — trois types d'« hommes divins » qui seront après leur mort honorés comme des héros [52]. Pour Empédocle, les âmes qui se sont souillées par le sang ou le parjure « errent en banni(e)s pendant trois fois dix mille saisons loin des Bienheureux et épousent en naissant à travers le cycle des âges toutes les formes de créatures mortelles... [53] ». Au terme de ce périple d'expiation elles s'incarnent dans des hommes dont le savoir et la fonction font des personnages « démoniques » : « Les voici enfin devins, poètes, médecins et conducteurs d'hommes sur la terre. Puis ils renaissent au rang des dieux [...], partagent la demeure des autres immortels, libres des inquiétudes humaines, échappant au destin et à la destruction [54]. » Devin, poète, médecin, conducteur d'hommes, le mage Empédocle l'est tout ensemble. Aussi se présente-t-il lui-même en θεῖος ἀνήρ, déjà libéré de la condition mortelle :

50. La notion de « faute ancienne » peut jouer sur trois plans qu'il n'est pas toujours facile de clairement distinguer : 1) le crime d'un ancêtre qui continue à peser comme une malédiction sur toute une lignée ; 2) le crime commis dans une vie antérieure par un individu ; 3) le crime commis à l'égard des dieux par la race humaine et dont chaque homme doit acquitter la rançon. Ce qui fait l'unité de ces différents cas, c'est le thème central d'une faute sacrilège, conçue comme une puissance contagieuse de souillure, qui se transmet de génération en génération, et dont il faut se libérer soit par des rites purificatoires, soit par l'adoption d'une règle de vie.

51. Le texte : ποινὰν παλαιοῦ πένθεος (littéralement le prix du sang, la rançon rachetant un deuil ancien) semble bien faire allusion au meurtre commis par les Titans sur la personne de Dionysos-Zagreus et dont les humains doivent acquitter le prix à Perséphone, mère de Dionysos. On aurait ainsi le premier témoignage du mythe de Dionysos dépecé par les Titans, ancêtres de la race humaine ; cf. H. J. Rose, « The ancient grief », *Mélanges G. Murray*, p. 79 *sq.* ; « The grief of Persephone », *Harvard Theological Review*, 36, 1943, p. 247 *sq.* ; *contra*, en particulier, I. Linforth, *The Arts of Orpheus*, Berkeley et Los Angeles, 1941, p. 345-350.

52. Ce fragment de Pindare nous est connu par Platon, *Ménon*, 81 b.

53. Empédocle, *Purifications*, fr. 115 ; trad. Battistini, *Trois Contemporains. Héraclite, Parménide, Empédocle*, Paris, 1955.

54. *Ibid.*, fr. 146-147.

« Je suis délivré à jamais de la mort, dieu immortel que tous vénèrent... [55] ». Contrairement à ceux qu'il qualifie « hommes d'un rapide destin [56] », parce que la durée d'une vie bornée entre la naissance et la mort marque pour eux le temps de l'existence humaine, le sage, parvenu à l'intelligence du tout, sait qu'il n'y a en vérité pour les créatures mortelles ni commencement, ni fin, mais seulement des cycles de métamorphoses [57]. Pour sa part Empédocle retient le souvenir de tout ce passé que les autres oublient à chaque renaissance : « Vagabond exilé du divin séjour [...], je fus autrefois déjà un garçon et une fille, un buisson et un oiseau, un muet poisson dans la mer... [58] »

Cette remémoration des vies antérieures, avec leurs fautes et leurs souillures, ne fait pas que justifier les règles de vie ascétique qui assurent, dans la doctrine des « Purifications », le salut de l'âme et son évasion hors du cycle des naissances. L'effort de mémoire est lui-même « purification », discipline d'ascèse. Il constitue un véritable exercice spirituel, dont une indication, dans le poème d'Empédocle, permet d'entrevoir la forme et la portée. Celui qui se proclame un dieu parmi les mortels rend hommage à l'exceptionnelle sagesse d'un de ses devanciers, un homme dont la pensée, au lieu de se limiter à son existence présente, « embrasse facilement les choses qui sont en dix, en vingt vies d'homme [59] ». L'allusion concerne très probablement Pythagore dont la légende racontait la série des vies antérieures [60]. Pythagore, assurait-on, se souvenait d'avoir vécu, pendant la guerre de Troie, sous les traits d'Euphorbe tué par Ménélas. Dans la liste de ses incarnations figurait aussi cet Éthalide dont nous avons parlé, qui conservait à travers la vie et la mort une mémoire inaltérable. On prétendait qu'à partir de cet Éthalide le don

55. *Ibid.*, fr. 112 ; cf. E. Rohde, *op. cit.*, p. 412, n. 4 et P.-M. Schuhl, *op. cit.*, p. 300 *sq.*
56. Empédocle, *De la nature*, fr. 2.
57. *Ibid.*, fr. 8, 9, 15, 17, 29.
58. *Purifications*, fr. 117.
59. *Ibid.*, fr. 129.
60. Cf. E. Rohde, *op. cit.*, p. 415, n. 2, et L. Gernet, « Les origines de la philosophie » (1945), *Anthropologie de la Grèce antique*[2], Paris, 1976, p. 420.

d'*anamnèsis* s'était transmis à tous les membres de la série jusqu'à Pythagore [61]. Ces récits doivent être mis en rapport avec les « exercices de mémoire », de règle dans la vie pythagorique [62]. L'obligation pour les membres de la confrérie de se remémorer chaque soir tous les événements de la journée écoulée n'a pas seulement la valeur morale d'un examen de conscience. L'effort de mémoire, poursuivi à l'exemple du fondateur de la secte jusqu'à embrasser l'histoire de l'âme au long de dix ou vingt vies d'hommes, permettrait d'apprendre qui nous sommes, de connaître notre *psuchè*, ce *daimôn* venu s'incarner en nous [63]. L'*anamnèsis* des vies antérieures constitue, suivant la formule de Proclus, une purification de l'âme [64] : pour ressaisir toute la trame de ses vies passées, il lui faut se libérer du corps qui l'enchaîne à la vie présente. Cette ascèse remémoratrice, Empédocle la décrit comme « une tension de toutes les forces de l'esprit [65] » et Platon, suivant ce qu'il appelle « une tradition de longue date », comme une concentration de l'âme qui, partant de tous les points du corps, vient se ramasser en elle-même et sur elle-même, se recueillir pure et sans mélange, complètement séparée du corps auquel elle était mêlée [66]. La pensée d'Empédocle et celle de Platon ne se situent pas sur le même plan. Mais ce que l'un prolonge directement et que l'autre transpose au niveau de la philosophie, c'est une même et très ancienne tradition de mages, dont le souvenir s'est perpétué à travers le pythagorisme. Comme Louis Gernet l'a fait observer, Empédocle se sert, pour désigner l'« esprit », du vieux terme de πραπίδες, un de ces mots qui désignent à la fois, sans les distinguer nettement, un organe du corps et une activité « psychique » [67] ; πραπίδες, c'est pro-

61. Cf. E. Rohde, *op. cit.*, p. 397 et, en appendice, l'excursus 9 sur les naissances antérieures de Pythagore, p. 617-620.
62. Cf. P.-M. Schuhl, *op. cit.*, p. 251 ; L. Gernet, *loc. cit.*, p. 8.
63. Cf. A. Delatte, *Études sur la littérature pythagoricienne*, Paris, 1915, p. 67 ; P.-M. Schuhl, *op. cit.*, p. 251.
64. Proclus, *ad* Platon, *Timée*, I, 124.4 ; cité dans A. Delatte, *op. cit.*, p. 67.
65. Empédocle, *Purifications*, fr. 129.
66. Platon, *Phédon*, 65 c, 67 c, 70 a ; cf. aussi *République*, IX, 572 a *sq.*
67. L. Gernet, *loc. cit.*, p. 8.

prement le diaphragme, dont la « tension » règle ou même arrête la respiration. On connaît, du reste, les liens qui unissent, dans la pensée grecque archaïque, l'âme et le souffle respiratoire. Les formules de Platon sur l'âme se ramassant en elle-même à partir de tous les points du corps évoquent cette croyance, partagée, selon Aristote, par les Orphiques, que l'âme est dispersée à travers le corps dans lequel elle s'est introduite, portée par les vents, pendant la respiration [68]. Tension des *prapides*, rassemblement du souffle de la *psuchè* : les exercices spirituels de remémoration ont pu être anciennement solidaires de techniques de contrôle du souffle respiratoire qui devaient permettre à l'âme de se concentrer pour se libérer du corps et voyager dans l'au-delà. La légende des mages leur attribue précisément des pouvoirs de cette sorte. Leur âme quitte et réintègre leur corps à volonté, le laissant, parfois pour de longues années, étendu sans souffle et sans vie dans une sorte de sommeil cataleptique [69]. De ces courses dans l'autre monde l'âme revient riche d'un savoir prophétique. Chez un Épiménide cette science divinatoire est tout entière « rétrospective » [70] : elle porte sur les fautes anciennes, demeurées inconnues, qu'elle révèle, et dont elle lave la souillure par des rites appropriés de purification.

Entre l'extase remémoratrice d'Épiménide et l'*anamnèsis*

68. *Ibid.*, p. 8 ; cf. Aristote, *De anima*, A 5, 410 b 28, à rapprocher du *De spiritu*, 482 a 33 *sq.* ; Jamblique, *apud* Stobée, I, XLIX, 32, t. I, p. 366, w. ; Porphyre, *Lettre à Marcella*, 10 ; Diogène Laërce, VIII, 28-32. On notera le parallélisme entre les formules du *Phédon* et celles de Diogène Laërce qui reproduit d'après Alexandre Polyhistor des « Mémoires pythagoriques ». L'auteur, après avoir écrit que les veines, les artères et les nerfs sont les liens de l'âme, ajoute : « Quand l'âme prend force et se repose concentrée en elle-même, ce sont ses discours et ses opérations qui deviennent ses liens. » L'âme est conçue comme un πνεῦμα qui peut circuler dans les tuyaux des artères, des veines et des nerfs. Quand elle se recueille, au lieu d'être unie au corps, elle est enserrée dans ses propres discours, ces λόγοι dont il nous est dit plus haut que ce sont des souffles ἄνεμοι. Cf. A.-J. Festugière, « Les "Mémoires pythagoriques" cités par Alexandre Polyhistor », *Revue des études grecques*, 1945, p. 1-65 ; « L'âme et la musique », *Transactions and Proceedings of the American Philological Association*, 1954, 85, p. 73.

69. Cf. E. Rohde, *op. cit.*, p. 335 *sq.* ; P.-M. Schuhl, *op. cit.*, p. 244 *sq.*

70. Aristote, *Rhétorique*, III, 17, 10.

des vies antérieures du pythagorisme, la parenté paraîtra d'autant plus frappante que déjà le personnage du devin purificateur se singularise dans sa vie personnelle par une discipline d'ascète. Des techniques chamanistiques cultivées par les mages aux exercices spirituels de mémoire, le passage s'opère, dans un milieu de secte préoccupé de salut, lorsque la vieille idée d'une circulation entre les morts et les vivants se précise sous la forme nouvelle d'une théorie de la palingénésie. Cette doctrine, qui centre l'*anamnèsis* sur l'histoire individuelle des âmes, confère à l'effort de remémoration une portée morale et métaphysique qu'il n'avait pas auparavant. En retrouvant le souvenir de toute la série de ses existences antérieures et des fautes qu'il a pu y commettre, l'homme peut réussir à payer entièrement le prix de ses injustices et à boucler par là le cycle de sa destinée individuelle. La vie présente devient alors le dernier maillon qui permet à la chaîne des incarnations de se refermer définitivement sur elle-même. Ayant tout expié, l'âme rendue à sa pureté originelle peut enfin s'évader du cycle des naissances, sortir de la génération et de la mort, pour avoir accès à cette forme d'existence immuable et permanente qui est le propre des dieux.

Dans le pythagorisme l'*anamnèsis* réalise pleinement ce qui, chez Hésiode, était seulement esquissé : l'initiation à un état nouveau, la transformation radicale de l'expérience temporelle. Au temps fugace et insaisissable, fait d'une succession indéfinie de cycles toujours recommencés, la remémoration des vies antérieures apporte enfin son terme, son τέλος. Elle lui substitue un temps reconquis dans sa totalité, un cycle entièrement achevé et accompli. Ainsi s'éclaire l'énigmatique formule du médecin Alcméon de Crotone, proche des pythagoriciens : « Les hommes meurent parce qu'ils ne sont pas capables de joindre le commencement à la fin [71]. » En per-

71. Aristote, *Problemata*, 916 a 33 ; cf. A. Rostagni, *Il verbo di Pitagora*, Turin, 1924, p. 96-99, 132-142, 153 *sq.*, et L. Gernet, *loc. cit.*, p. 8. L. Gernet a attiré notre attention sur une intéressante remarque d'Aristote, *Physique*, V, 218 b 24-26. Aristote explique à sa façon, c'est-à-dire dans une perspective rationaliste, le phénomène d'arrêt ou d'abolition du temps qui se produit, à l'oracle de Sardes, lorsque les consultants s'étendent pour dormir à côté de tombes de héros : il leur semble

mettant à la fin de rejoindre le commencement, l'exercice de mémoire se fait conquête du salut, délivrance à l'égard du devenir et de la mort. En revanche, Oubli est intimement lié au temps humain, ce temps de la condition mortelle dont le flux « qui jamais ne s'arrête » est synonyme d'« inexorable nécessité ». On raconte que le pythagoricien Paron, entendant prononcer à Olympie l'éloge du Temps « en qui on apprend et en qui on se souvient, demanda si ce n'était pas au contraire dans le Temps que se fait l'oubli et proclama le Temps roi de l'ignorance [72] ».

La place centrale accordée à la mémoire dans les mythes eschatologiques traduit ainsi une attitude de refus à l'égard de l'existence temporelle. Si la mémoire est exaltée, c'est en tant que puissance réalisant la sortie du temps et le retour au divin. Une remarque permettra de préciser le lien qui unit la valorisation de l'*anamnèsis* et le développement d'une réflexion critique et négative concernant le temps. C'est dans le même milieu de sectes où prend racine la croyance à la métempsycose qu'apparaît parallèlement à l'intérêt pour la mémoire, au sens d'une remémoration des vies antérieures, tout un travail d'élaboration doctrinale, de forme plus ou moins mythique, ayant pour objet le temps, considéré comme notion cardinale [73]. Chez Phérécyde qui passait pour avoir été le maître de Pythagore, pour avoir le premier affirmé l'immortalité de l'âme et formulé la théorie de la réincarnation, le temps, *Chronos*, est divinisé et placé à l'origine même du cosmos [74]. De sa semence naissent les deux éléments anti-

---

qu'entre le moment où ils s'allongent, pour l'incubation, et celui où ils se réveillent, il n'y a pas eu de temps ; « ils relient, συνάπτουσι, en effet l'instant d'avant à celui d'après et en font un seul, ἓν ποιοῦσιν ». Pour une interprétation purement physiologique du texte d'Alcméon, cf. Ch. Mugler, « Alcméon et les cycles physiologiques de Platon », *Revue des études grecques*, 1958, p. 42-50. La même interprétation avait déjà été proposée par A. Cameron, *op. cit.*, p. 39 et 58. La formule d'Alcméon nous paraît, au contraire, devoir être rapprochée de Platon, *Timée*, 90 bc.

72. Aristote, *Physique*, IV, 13, 222 b 17 ; cf. P.-M. Schuhl, *op. cit.*, p. 251.

73. Nous utilisons très directement ici des indications données par L. Gernet, dans un cours inédit sur l'orphisme, professé aux Hautes Études en février 1957.

74. Diels-Kranz, I, p. 47, 2.

thétiques dont est constitué l'univers. Être vivant et notion abstraite, Chronos joue donc au commencement des choses le rôle d'un principe d'unité transcendant tous les contraires. On retrouve Chronos dans les théogonies orphiques où il assume une fonction analogue [75] : monstre polymorphe, il engendre l'œuf cosmique qui en s'ouvrant en deux donne naissance au ciel et à la terre et fait apparaître *Phanès*, le premier-né des dieux, divinité hermaphrodite en laquelle s'abolit l'opposition du mâle et du femelle [76].

Il ne faut pas se méprendre sur la portée de cette divinisation de Chronos et sur l'importance nouvelle prêtée au temps dans ce type de théogonie. Ce qui est sacralisé, c'est le temps qui ne vieillit pas, le temps immortel et impérissable chanté dans les poèmes orphiques sous le nom de *Chronos agèraos*. Semblable à une autre figure mythique, le fleuve Océanos, qui enserre tout l'univers de son cours infatigable [77], Chronos a l'aspect d'un serpent fermé en cercle sur lui-même, d'un cycle qui, entourant et liant le monde, fait du cosmos, en dépit des apparences de multiplicités et de changement, une sphère unique éternelle [78]. L'image divinisée du temps trahit donc une aspiration vers l'unité et la pérennité du Tout comparable à celle qui s'exprime, sur un autre plan, dans la philosophie de Parménide et dans sa critique du devenir. Sous sa forme divine Chronos apparaît, en tant que principe d'unité et de permanence, comme la négation radicale du temps humain, dont la qualité affective est, au contraire, celle d'une puissance d'instabilité et de destruction présidant, ainsi que le proclamait Paron, à l'oubli et à la mort.

Le développement d'une mythologie de Chronos à côté de

75. Cf. Guthrie, *op. cit.*, p. 94 et 100 *sq.* ; P.-M. Schuhl, *op. cit.*, p. 232 *sq.*

76. Sur l'androgynie comme symbole d'unité primordiale, cf. Marie Delcourt, *Hermaphrodite. Mythes et rites de la bisexualité dans l'antique classique*, Paris, 1958, p. 105 *sq.*

77. Cf. Eschyle, *Prométhée*, 137 *sq.* ; à rapprocher de Hésiode, *Théogonie*, 790 ; Homère, *Iliade*, XIV, 200 ; Porphyre, *Scol. ad. Il.*, XVIII, 490.

78. Ces rapports entre Océanos et Chronos sont bien indiqués dans R.B. Onians, *op. cit.*, p. 250 *sq.* On rapprochera Eschyle, *Prométhée*, 137 *sq.*, d'Euripide, fr. 594, éd. Nauck, et Plutarque, *Quaest. Plat.*, VIII, 4.

celle de *Mnèmosunè* nous semble ainsi correspondre à une période de difficultés et d'inquiétude touchant la représentation du temps. Le temps fait l'objet de préoccupations doctrinales et prend la forme d'un problème lorsqu'un domaine de l'expérience temporelle se révèle incompatible avec la conception ancienne d'un devenir cyclique s'appliquant à l'ensemble de la réalité et réglant tout à la fois les faits saisonniers, la périodicité des fêtes, la succession des générations : le temps cosmique, le temps religieux, le temps des hommes. Cette crise se produit dans le monde grec, vers le VIIe siècle, au moment où s'exprime, avec la naissance de la poésie lyrique, une nouvelle image de l'homme [79]. L'abandon de l'idéal héroïque, l'avènement de valeurs directement liées à la vie affective de l'individu et soumises à toutes les vicissitudes de l'existence humaine : plaisirs, émotions, amour, beauté, jeunesse, ont pour corollaire une expérience du temps qui ne cadre plus avec le modèle d'un devenir circulaire. Dans la conception archaïque, l'accent était mis sur la succession des générations humaines se renouvelant les unes dans les autres par une circulation incessante entre morts et vivants [80] : le temps des hommes paraissait alors s'intégrer dans l'organisation cyclique du cosmos. Lorsque l'individu se tourne vers sa propre vie émotionnelle et que, livré au moment présent, avec ce qu'il apporte en plaisir et en peine, il situe dans le temps qui passe les valeurs auxquelles il est désormais attaché, il se sent lui-même emporté dans un flux mobile, changeant, irréversible. Dominé par la fatalité de la

79. Cf. Bruno Snell, *Die Entdeckung des Geistes. Studien zur Entstehung des europäischen Denkens bei den Griechen*[3], Hambourg, 1955. A propos de la poésie lyrique et de l'image de l'homme qui s'y exprime, l'auteur pense pouvoir parler d'un « surgissement de l'individu » ; cf. aussi P.-M. Schuhl, *op. cit.*, p. 160.

80. Dans le fameux passage d'Homère, *Iliade*, VI, 146 *sq.*, sur la vie humaine, le pessimisme apparaît dans le cadre d'une conception encore cyclique : « Telles les générations des feuilles, telles celles des hommes. Les feuilles, il en est que le vent répand à terre, mais la silve luxuriante en pousse d'autres, et survient la saison du printemps ; de même les générations des hommes : l'une pousse, l'autre s'achève… » Le même thème, repris par les deux Simonide et Mimnerme, revêt chez eux un accent différent parce qu'il est centré, non plus sur la suite des générations, mais sur ce qu'entraîne, pour chaque individu, l'inexorable fuite du temps.

mort qui en oriente tout le cours, le temps dans lequel son existence se déroule lui apparaît comme une puissance de destruction, ruinant irrémédiablement tout ce qui fait à ses yeux le prix de la vie. La prise de conscience plus claire, à travers la poésie lyrique, d'un temps humain fuyant sans retour au long d'une ligne irréversible, met en cause l'idée d'un ordre tout entier cyclique, d'un renouveau périodique et régulier de l'univers [81].

Par contrecoup, dans les sectes philosophico-religieuses, la pensée semble s'infléchir dans une double direction : d'une part une attitude violemment négative à l'égard de ce temps de l'existence humaine, où l'on voit un mal dont il faut se délivrer ; de l'autre, un effort pour purifier l'existence divine de tout ce qui la rattache à une forme quelconque de temporalité, même cyclique. Le « toujours » qui définit la vie des dieux, et qui s'exprime dans la notion de l'αἰών divin, cesse d'évoquer le perpétuel recommencement de ce qui sans cesse se restaure en revenant sur soi, pour signifier la permanence dans une identité éternellement immobile [82]. L'image du cercle, symbole de l'ordre temporel, prend alors une signification ambiguë et peut, suivant les cas, se charger de valeurs affectives directement opposées. En un sens le κύκλος demeure modèle de perfection ; et l'âme qui, par l'*anamnèsis* de ses vies antérieures, a su « joindre la fin au commencement », se rend semblable aux astres que leur cours circulaire, image mobile de l'éternité immobile, préserve à jamais de la destruction. Cependant, en bouclant son cycle, l'âme cherche, non pas à le recommencer sans fin, comme les astres, mais à s'en évader définitivement, à sortir du temps à jamais [83]. Le κύκλος sur lequel se projette la nouvelle image

81. A côté du temps de la poésie lyrique, il faut faire une place aussi au temps tragique. Victor Goldschmidt écrit : « Le temps tragique est linéaire ; tout ce qui s'y passe engage l'avenir, et ce qui s'y achève, en désespoir ou en félicité, usurpe l'éternité... » (« Le problème de la tragédie d'après Platon », *Revue des études grecques*, 1948, p. 58). Sur le problème général des rapports entre image cyclique et image linéaire du temps chez les Grecs, cf. Ch. Mugler, *Deux Thèmes de la cosmologie grecque : Devenir cyclique et pluralité des mondes*, Paris, 1953.

82. Cf. Émile Benveniste, « Expression indo-européenne de l'éternité », *Bulletin de la Société de linguistique*, 38, fasc. 1, p. 103-113.

83. Cf. E. Rohde, *op. cit.*, p. 399, n. 2.

du temps devient le triste cycle de nécessité et de souffrance, la roue cruelle des naissances à laquelle on veut échapper et qui figure, dans les scènes infernales, comme un instrument symbolique de torture et de châtiment [84].

Ces dissonances dans la représentation du temps et l'inquiétude qu'en certains milieux elles suscitent font mieux comprendre la signification et la portée des exercices de mémoire. L'effort de remémoration prôné et exalté dans le mythe ne traduit pas l'éveil d'un intérêt pour le passé ni un essai d'exploration du temps humain. De la succession temporelle, telle que l'individu la saisit dans le déroulement de sa vie affective, telle qu'il l'évoque sur le mode de la nostalgie et du regret, l'*anamnèsis* ne se préoccupe que pour s'en évader. Elle cherche à transformer ce temps de la vie individuelle — temps subi, incohérent, irréversible — en un cycle reconstruit dans sa totalité. Elle tente de réintégrer le temps humain dans la périodicité cosmique et dans l'éternité divine [85].

Une orientation analogue de la mémoire se manifeste dans les rapports de l'*anamnèsis* avec la notion d'âme individuelle. Nous avons vu que dans le pythagorisme la réminiscence des vies antérieures peut apparaître comme un moyen de se connaître soi-même, non dans le sens un peu banal que l'oracle de Delphes prêtait à la formule : ne pas prétendre s'égaler aux dieux, mais en donnant à la maxime une portée nouvelle : savoir quelle est notre âme, reconnaître à travers la multiplicité de ses incarnations successives l'unité et la continuité de son histoire [86]. Cependant cette *psuchè* dont les avatars constituent, pour chaque homme, la trame de sa destinée individuelle, se présente sous la forme d'un *daimôn*, d'un être surnaturel, qui mène, en nous, une existence indé-

84. Cf. J. Harrison, *op. cit.*, p. 599 *sq.* ; Guthrie, *op. cit.*, p. 208 *sq.* ; R.B. Onians, *op. cit.*, p. 452.

85. On rappellera la tradition pythagoricienne suivant laquelle la Monade et la Décade, comme principes d'unité et de totalité présidant à l'organisation du cosmos, étaient identifiées à *Mnèmè* et à *Mnèmosunè*; *Theologumena arithmeticae*, 81, 15 ; Porphyre, *Vie de Pythagore*, 31 ; cf. A. Cameron, *op. cit.*, p. 52 ; F. Cumont, « Un mythe pythagoricien, chez Posidonius et Philon », *Revue de philologie*, 43, 1919, p. 78-85.

86. Cf. L. Delatte, *op. cit.*, p. 69 ; P.-M. Schuhl, *op. cit.*, p. 251.

pendante. Si elle s'oppose désormais à la vie du corps, si elle est d'autant plus pure qu'elle en est plus séparée, la *psuchè* ne se confond pas pour autant avec la vie psychique. Empédocle distingue nettement les sensations, la pensée, la raison même — toutes les formes de la connaissance humaine — du *daimôn* qui réside à l'intérieur de nous [87]. L'individualisation de ce *daimôn*, affecté à un être humain particulier qui découvre en lui son propre destin, ne modifie pas son caractère de puissance mystérieuse, étrangère à l'homme, de réalité présente au sein de toute la nature, dans le vent, dans les animaux, dans les plantes, aussi bien que dans l'homme.

La réminiscence des incarnations qu'a connues autrefois le *daimôn* de notre âme jette ainsi un pont entre notre existence d'homme et le reste de l'univers ; elle confère à l'antique image d'un monde plein d'âmes et de souffles, d'une parenté et d'une circulation incessante entre tous les êtres de la nature, la valeur d'une expérience que l'individu est capable de vivre à son niveau. On voit en quel sens et avec quelles réserves on peut reconnaître dans les exercices de mémoire l'effort de l'individu pour se connaître à travers sa *psuchè*. Il ne s'agit pas pour un sujet de s'appréhender soi-même dans son passé personnel, de se retrouver dans la continuité d'une vie intérieure qui le différencie de toutes les autres créatures ; il s'agit de se situer dans le cadre d'un ordre général, de rétablir sur tous les plans la continuité entre soi et le monde, en reliant systématiquement la vie présente à l'ensemble des temps, l'existence humaine à la nature entière, le destin de l'individu à la totalité de l'être, la partie au tout.

Ce que nous retiendrons de ces témoignages sur la divinisation de la mémoire, c'est que la valeur éminente accordée à cette fonction, l'importance du rôle qui lui est attribué n'ont pas conduit à un effort d'exploration du passé ni à la construction d'une architecture du temps. Là où la mémoire est objet de vénération, on exalte en elle soit la source du savoir en général, de l'omniscience, soit l'instrument d'une libération à l'égard du temps. Nulle part elle n'apparaît liée à l'éla-

87. Cf. E. Rohde, *op. cit.*, p. 413 *sq.* ; A. Rostagni, *op. cit.*, p. 100 *sq.*

boration d'une perspective proprement temporelle. Elle n'est pas non plus en rapport avec la catégorie du moi. Mémoire tout impersonnelle, la *Mnèmosunè* qui préside à l'inspiration poétique ne concerne pas le passé de l'individu ; quant à celle qui, dans les milieux de sectes, répond au besoin nouveau d'un salut individuel, elle n'est pas non plus orientée vers la connaissance de soi, au sens où nous l'entendons, mais vers une ascèse purificatrice qui transfigure l'individu et l'élève au rang des dieux.

Sortie du temps, union avec la divinité : ces deux traits de la mémoire mythique, nous les retrouvons dans la théorie platonicienne de l'*anamnèsis*. Chez Platon, le ressouvenir ne porte plus sur le passé primordial ni sur les vies antérieures ; il a pour objet les vérités dont l'ensemble constitue le réel. *Mnèmosunè*, puissance surnaturelle, s'est intériorisée pour devenir dans l'homme la faculté même de connaître. Autrefois instrument d'ascèse mystique, l'effort de remémoration vient maintenant se confondre avec la recherche du vrai [88]. Cette identification a sa contrepartie : pour Platon, savoir n'est pas autre chose que se souvenir, c'est-à-dire échapper au temps de la vie présente, fuir loin d'ici-bas, faire retour à la patrie divine de notre âme, rejoindre un « monde des Idées » qui s'oppose au monde terrestre comme cet au-delà avec lequel *Mnèmosunè* établissait la communication.

Dans la théorie de Platon, la pensée mythique se perpétue autant qu'elle se transforme. L'*anamnèsis* n'y a pas pour fonction de reconstruire et d'ordonner le passé ; elle ne porte pas sur une chronologie d'événements, elle révèle l'Être immuable et éternel [89]. La mémoire n'est pas « pensée du

88. L. Robin a bien montré que la théorie de l'*anamnèsis* répond, chez Platon, à des problèmes nouveaux, proprement philosophiques ; cf. « Sur la doctrine de la réminiscence », *Revue des études grecques*, 32, 1919, p. 451-461.

89. S'il est bien vrai que l'*anamnèsis* se produit dans le temps (cf. L. Robin, *op. cit.*, p. 259, et *Banquet*, 208 a) elle n'en a pas moins pour objet une réalité d'ordre intemporel, et dont la contemplation a été donnée à l'âme en dehors du temps de la vie humaine (*Ménon*, 86 ab ; *Phédon*, 72 e, 75 b *sq.*, 76 a). De la succession des événements qui constituent notre vie présente, il peut y avoir une *mnèmè*, mais il ne s'agit plus d'une connaissance véritable (*République*, VII, 516 cd ; *Gorgias*, 501 a). Voir cependant *Philèbe*, 34 b, où *mnèmè* et *anamnèsis* paraissent s'opposer plutôt comme le virtuel à l'actuel, et *Lois*, V, 732 b qui donnent à *anamnèsis* une signification plus psychologique qu'ontologique.

temps », elle est évasion hors de lui. Elle ne vise pas à élaborer une histoire individuelle où s'attesterait l'unicité du moi ; elle veut réaliser l'union de l'âme avec le divin.

La persistance, dans le platonisme, de la perspective mythique à l'égard de la mémoire constitue un phénomène d'autant plus saisissant que Platon a très profondément transformé la conception de la *psuchè* humaine et qu'il a rapproché l'âme de l'« homme intérieur » [90]. L'âme ne figure plus en nous un être spirituel étranger, elle est notre être spirituel. L'âme de Socrate, c'est Socrate lui-même, l'individu Socrate dont Platon trace, dans sa singularité, le portrait [91]. Cependant la *psuchè* demeure encore autre chose. D'une part, elle ne se confond pas entièrement avec notre être intérieur, puisque aussi bien elle peut s'incarner dans un autre homme ou dans le corps d'un animal ; d'autre part, elle n'est vraiment elle-même qu'après notre mort, quand nous ne sommes plus, ou dans ces courts moments — avant-goût de la mort — où elle a coupé ses liens avec nos fonctions organiques et sensibles et où elle est devenue pure pensée. Pour reprendre la formule frappante de Maurice Halbwachs, la *psuchè* n'est pas chez Platon la vie ni les fonctions psychiques, elle en est le décalque, comme chez Homère elle était le décalque du corps [92]. Ce « double spirituel » qui se dégage, après sa mort, de l'homme intérieur et lui survit, reste, pour Platon comme pour les pythagoriciens et Empédocle, un *daimôn* [93], un principe divin dont la fonction est de rattacher directement notre destinée individuelle à l'ordre cosmique. Chaque âme immortelle est en effet liée à un astre, auquel le Démiurge l'a attribuée, et vers lequel elle fait retour lorsqu'elle s'est purifiée par la réminiscence [94].

L'âme définit bien, en chaque individu, ce qu'il est véritablement. Mais en même temps le nombre des âmes, égal à

90. *République*, 589 a ; *Alcibiade*, 130 c ; cf. V. Goldschmidt, *La Religion de Platon*, Paris, 1949, p. 68.
91. *Phédon*, 115 c *sq.*
92. Maurice Halbwachs, « La représentation de l'âme chez les Grecs. Le double corporel et le double spirituel », *Revue de métaphysique et de morale*, 1930, p. 493-535.
93. *Timée*, 90 a et 90 c.
94. *Timée*, 41 d-e ; *Phèdre*, 248 a-c et 249 a.

celui des astres, reste toujours le même, sans augmenter ni diminuer jamais, en dépit du renouvellement incessant des générations humaines [95]. Dans un passage du *Phédon*, Platon justifie cette fixité du nombre des âmes par une argumentation qui éclaire, dans son système, l'équilibre entre âme, temps et mémoire [96]. Si chaque individu, en naissant, apportait avec soi une âme nouvelle au lieu de faire renaître, pour un nouveau cycle, l'âme d'un mort, il n'y aurait point d'autre temps, pour les hommes, que ce temps linéaire qui va sans retour de la naissance à la mort et qui, exprimant pour Platon le pur désordre, mène au chaos [97]. Au contraire un nombre fixe d'âmes — comme il y a dans la nature un nombre fixe d'astres, dans la cité un nombre fixe de foyers [98] — implique pour la vie humaine un cours circulaire qui permet de l'intégrer dans l'ordre d'un temps cyclique, couvrant la nature, la société, l'existence individuelle.

La mémoire platonicienne a perdu son aspect mythique : l'*anamnèsis* ne ramène plus de l'au-delà le souvenir des vies antérieures. Mais elle conserve, dans ses rapports avec la catégorie du temps et la notion d'âme, une fonction analogue à celle qui était exaltée dans le mythe. Elle ne cherche pas à faire du passé, en tant que tel, un objet de connaissance. Elle ne vise pas à organiser l'expérience temporelle ; elle veut la dépasser. Elle se fait l'instrument d'une lutte contre le temps humain, qui se découvre comme un pur flux, comme le domaine héraclitéen du πάντα ῥέει. Elle lui oppose la conquête, par l'*anamnèsis*, d'un savoir susceptible de transformer l'existence humaine en la rattachant à l'ordre cosmique et à l'immutabilité divine. Au moment où s'affirme la préoccupation du salut individuel, l'homme en cherche la voie

95. *République*, 611 a ; *Timée*, 41 d.
96. *Phédon*, 72 ab.
97. Les vivants, écrit Platon, ne proviennent pas moins des morts que les morts des vivants. S'il n'y avait pas cette perpétuelle compensation circulaire et « si, au contraire, la génération suivait une droite allant d'un des contraires à celui seulement qui lui fait face [c'est-à-dire allant exclusivement dans le sens de la vie vers la mort] si elle ne se retournait pas ensuite vers l'autre et ne faisait pas le tournant », le monde s'acheminerait vers le chaos et la mort : *Phédon* 72 bc.
98. *Lois*, 737 c *sq.* ; 740 c *sq.* ; cf. V. Goldschmidt, *loc. cit.*, p. 117-118.

dans son intégration au tout. Ce qu'il attend de la mémoire, ce n'est pas la conscience de son passé, mais le moyen d'échapper au temps et de rejoindre la divinité.

De notre analyse des mythes de mémoire et de ce qui en subsiste dans les débuts de la philosophie grecque, une conclusion se dégage : il n'y a pas de lien nécessaire entre le développement de la mémoire et les progrès de la conscience du passé. La mémoire apparaît antérieure à la conscience du passé et à l'intérêt pour le passé, comme tel. On aperçoit à l'aube de la civilisation grecque comme une sorte d'enivrement devant la puissance de la mémoire — mais il s'agit d'une mémoire autrement orientée que la nôtre, et qui répond à d'autres fins.

Cette image de la mémoire que reflètent les mythes, cette fonction qu'ils lui assignent ne sont pas gratuites. Elles sont liées, nous l'avons vu, à des techniques de remémoration très particulières, pratiquées à l'intérieur de groupes fermés pour des fins qui leur sont propres : dans les confréries d'aèdes, elles font partie de l'apprentissage de l'inspiration poétique et de la « voyance » qu'elle procure ; dans les milieux de mages, elles préparent une conquête de l'extase divinatoire ; dans les sectes religieuses ou philosophiques, elles s'insèrent dans des exercices spirituels de purification et de salut. En dehors du cadre institutionnel et du contexte mental dont elles sont solidaires, ces conduites remémoratrices perdent leur signification et deviennent sans objet. Elles n'ont plus place dans notre organisation actuelle de la mémoire, fonction dirigée vers la connaissance du passé individuel de l'homme.

De ces formes archaïques de la mémoire à la mémoire d'aujourd'hui la distance est grande. Pour la parcourir il ne suffit pas que disparaissent les anciennes techniques de remémoration, il faut que s'élaborent les instruments mentaux permettant une connaissance précise du passé, un repérage chronologique strict, une mise en ordre rigoureuse du temps. Faute d'avoir forgé ces nouveaux outils, la civilisation grecque n'accordera plus à la mémoire, dès lors qu'elle l'aura dépouillée de ses vertus mythiques, qu'une place subalterne. Dans la mesure même où se préciseront les rapports de la mémoire avec le temps et le passé, cette fonction perdra le prestige dont elle était à l'origine auréolée [99]. Chez Aristote, par exemple, la mémoire, μνήμη, et la réminiscence, ἀνάμνησις, sont différenciées, la première étant le simple pouvoir de conservation du passé, la seconde son rappel volontaire effectif [100]. Mais l'une et l'autre apparaissent nécessairement liées au passé ; elles sont conditionnées par un laps de temps ; elles impliquent une distance temporelle, la distinction d'un antérieur et d'un postérieur [101]. En conséquence, c'est, selon Aristote, le même organe par lequel nous nous souvenons et par lequel nous percevons le temps [102]. La mémoire n'appartient donc à la faculté de penser que « par accident » ; c'est à la faculté sensible qu'elle se rattache, ce qui explique qu'en dehors de l'homme une foule d'autres animaux possèdent la *mnèmè* [103].

N'ayant plus l'Être pour objet, mais les déterminations du temps, la mémoire se trouve ainsi déchue de la place qu'elle occupait au sommet de la hiérarchie des facultés. Elle n'est

99. Par manque de documents nous ne pouvons que poser le problème de la place de la mnémotechnie dans l'enseignement d'Hippias. On doit cependant reconnaître un lien entre la méthode mnémotechnique du sophiste et son idéal encyclopédique de polymathie, sa prétention au savoir universel (cf. Platon, *Hippias mineur*, 368 b *sq.*). Nous serions dès lors tenté de voir dans la mnémotechnie d'Hippias comme la transposition et la laïcisation du pouvoir d'omniscience traditionnellement rattaché à *Mnèmosunè*. L'omniscience que la divinité apportait à l'aède sous la forme d'une vision inspirée, Hippias se vante de la posséder lui-même et de la procurer à ses élèves, grâce à des techniques de remémoration qui ont désormais un caractère purement positif et qui peuvent être objet d'enseignement (cf. *Hippias majeur*, 285 d). Au reste Hippias ne fait que suivre la voie ouverte, avant lui, par un poète. C'est en effet au poète lyrique Simonide que les Grecs faisaient remonter l'origine de la *technè mnèmonikè* (Souda S.V. : Simonides ; Longin, *Rhet.*, I, 2, 201 ; Cicéron, *De finibus*, II, 32). On notera, chez Simonide, deux traits susceptibles d'éclairer cette laïcisation des techniques de mémoire et le moment où elle se produit : 1) Simonide aurait perfectionné l'alphabet et inventé des lettres nouvelles permettant une meilleure notation écrite ; 2) le premier, il se serait fait payer ses poèmes, pratiquant la poésie comme un métier, pour de l'argent.

100. Aristote, *De la mémoire et de la réminiscence*, 449 b 6 et 451 a 20.

101. *Ibid.*, 449 b 14 ; b 27 ; 450 a 20 ; 451 a 29 ; 452 b 8 *sq.*

102. 449 b 29.

103. 450 a 13 *sq.*

plus qu'un πάθος de l'âme qui, par son union avec le corps, est plongée dans le flux temporel. Entre l'intellection — νόησις — et la perception du temps il y a une incompatibilité radicale qui retranche la mémoire de la partie intellectuelle de l'âme et la ramène au niveau de sa partie sensible.

Chez Aristote plus rien ne rappelle la *Mnèmosunè* mythique ni les exercices de remémoration destinés à libérer du temps et à ouvrir la voie vers l'immortalité. La mémoire apparaît maintenant incluse dans le temps, mais dans un temps qui reste, pour Aristote encore, rebelle à l'intelligibilité. Fonction du temps, la mémoire ne peut plus prétendre révéler l'être et le vrai ; mais elle ne peut non plus assurer, concernant le passé, une véritable connaissance ; elle est moins en nous la source d'un savoir authentique que le signe de notre incomplétude : elle reflète les insuffisances de la condition mortelle, notre incapacité à être intelligence pure.

2

Hestia-Hermès Sur l'expression religieuse de l'espace et du mouvement chez les Grecs[1]

Jean-Pierre Vernant

Sur la base de la grande statue de Zeus, à Olympie, Phidias avait représenté les Douze Dieux. Entre le Soleil (*Hélios*) et la Lune (*Sélénè*) les douze divinités, groupées deux à deux, s'ordonnaient en six couples : un dieu-une déesse. Au centre de la frise, en surnombre, les deux divinités (féminine et masculine) qui président aux unions : Aphrodite et Éros[2]. Dans cette série de huit couples divins, il en est un qui fait problème : Hermès-Hestia. Pourquoi les apparier ? Rien dans leur généalogie ni dans leur légende qui puisse justifier cette association. Ils ne sont pas mari et femme (comme Zeus-Héra, Poséidon-Amphitrite, Héphaïstos-Charis), ni frère et sœur (comme Apollon-Artémis, Hélios-Sélénè), ni mère et fils (comme Aphrodite-Éros), ni protectrice et protégé (comme Athéna-Héraclès). Quel lien unissait donc, dans l'esprit de Phidias, un dieu et une déesse qui semblent étrangers l'un à l'autre ? On ne saurait alléguer une fantaisie personnelle du sculpteur. Quand il exécute une œuvre sacrée, l'artiste ancien est tenu de se conformer à certains modèles : son initiative s'exerce dans le cadre des schèmes imposés par la tradition. Hestia — nom propre d'une déesse mais aussi

1. *In* « L'Homme », *Revue française d'anthropologie*, 1963, 3, p. 12-50, repris dans *Mythe et Pensée chez les Grecs*, *op. cit.*, p. 155-215.
2. Pausanias, V, 11, 8.

nom commun désignant le foyer — se prêtait moins que les autres dieux grecs à la représentation anthropomorphe. On la voit rarement figurée. Quand elle l'est, c'est souvent, comme Phidias l'avait sculptée, faisant couple avec Hermès [3]. De règle dans l'art plastique, l'association Hermès-Hestia revêt donc une signification proprement religieuse. Elle doit exprimer une structure définie du panthéon grec.

Pauvre en images, Hestia est moins riche encore en récits mythiques : une indication sur sa naissance dans Hésiode et Pindare, une allusion à son statut virginal dans l'*Hymne à Aphrodite*; nous ne saurions pratiquement rien d'elle qui puisse nous expliquer ses rapports avec Hermès si ne nous étaient parvenus les quelques vers d'un *Hymne homérique à Hestia*. Le texte associe de la façon la plus étroite nos deux divinités. Il débute par six vers d'invocation à Hestia; puis viennent, sans transition, six vers d'invocation à Hermès dont on demande la protection « en accord avec la déesse vénérée qui lui est liée (φίλη) »; l'hymne se termine par deux vers s'adressant conjointement à la déesse et au dieu. A deux reprises le poète insiste sur les sentiments d'amitié qu'Hermès et Hestia nourrissent l'un pour l'autre. Cette mutuelle *philia* explique que Phidias ait pu les placer, à côté des autres couples, sous le patronage d'Aphrodite et d'Éros. Cependant cette affection réciproque n'est pas fondée sur les liens du sang, ni du mariage, ni de la dépendance personnelle. Elle répond à une affinité de fonction, les deux puissances divines, présentes aux mêmes lieux, y déployant côte à côte des activités complémentaires. Ni parents, ni époux, ni amants, ni vassaux, on pourrait dire d'Hermès et d'Hestia qu'ils sont « voisins ». Ils ont en effet l'un comme l'autre rapport à l'étendue terrestre, à l'habitat d'une humanité sédentaire. « Tous deux, explique l'*Hymne*, vous habitez dans les belles demeures des hommes qui vivent à la

3. Sur le vase de Sosibios, Hermès suit Hestia (cf. P. Raingeard, *Hermès psychagogue. Essai sur les origines du culte d'Hermès*, Paris, 1934, p. 500); piliers bicéphales, à têtes masculine et féminine d'Hermès et d'Hestia (cf. W. Fröhner, *Sculptures du Louvre*, I, p. 220, n°s 198-199); Hermès et Hestia régulièrement associés en couple parmi les douze dieux : cf. Arthur B. Cook, *Zeus. A Study in ancient religion*, III, 2, p. 1057 *sq.*

surface de la terre (ἐπιχθόνιοι), avec des sentiments d'amitié mutuelle [4]. »

Qu'Hestia réside dans la maison, cela va de soi : au milieu du *mégaron* quadrangulaire, le foyer mycénien, de forme ronde, marque le centre de l'habitat humain. A Hestia, dit l'*Hymne à Aphrodite*, « Zeus a accordé, au lieu de noce, de trôner au centre de la maison (μέσῳ οἴκῳ) [5] ». Mais Hestia ne constitue pas seulement le centre de l'espace domestique. Fixé au sol, le foyer circulaire est comme le nombril qui enracine la maison dans la terre. Il est symbole et gage de fixité, d'immutabilité, de permanence. Dans le *Phèdre*, Platon évoque la procession cosmique des Douze Dieux [6]. Dix divinités cheminent à la suite de Zeus qui les mène à travers l'étendue du ciel. Seule Hestia demeure immobile à la maison, sans jamais quitter sa place. Point fixe, centre à partir duquel l'espace humain s'oriente et s'organise, Hestia, pour les poètes et les philosophes, pourra s'identifier avec la terre, immobile au centre du cosmos. « Les Sages, écrit Euripide, appellent la Terre-Mère Hestia parce qu'elle siège immobile au centre de l'Éther [7]. »

Hermès, lui aussi, mais d'une autre façon, est lié à l'habitat des hommes et plus généralement à l'étendue terrestre. Contrairement aux dieux lointains, qui résident dans un au-delà, Hermès est un dieu proche qui hante ce monde-ci. Vivant au milieu des mortels, en familiarité avec eux, c'est au cœur même du monde humain qu'il insère la présence divine. « Hermès, lui dit Zeus dans l'*Iliade*, tu aimes entre

4. *Hymne homérique à Hestia* (1), 11 *sq.* ; cf. aussi, au vers 2 : « les belles demeures des hommes qui marchent sur la terre (χαμαί) ». Dans sa *Clé des songes*, Artémidore range Hestia et Hermès au nombre des divinités « épichthoniennes », par opposition aux dieux célestes et souterrains.

5. *Hymne homérique à Aphrodite*, 30.

6. *Phèdre*, 247 a.

7. Euripide, fr. 944 (A. Nauck, *Tragicorum Graecorum Fragmenta* ³, suppl., p. 665) ; cf. Macrobe, I, 23, 8 : « Si Hestia demeure seule dans la maison des dieux, cela signifie que la terre reste immobile au centre de l'univers. » Cf. aussi la formule de Philolaos : « L'Un qui demeure au milieu de la sphère est appelé Hestia » (Diels-Kranz, I, p. 140, 12). On notera l'expression de l'*Hymne homérique* (vers 3) : Hestia possède dans la maison une assise immuable, ἕδρην ἀΐδιον.

tous servir de compagnon (ἑταιρίσσαι) à un mortel [8]. » Et Aristophane salue en lui, de tous les dieux, le plus « ami des hommes [9] ». Mais s'il se manifeste ainsi à la surface de la terre, s'il habite, avec Hestia, dans les maisons des mortels, Hermès le fait à la façon du messager (Hermès ἄγγελος : c'est sous ce nom qu'il est précisément invoqué dans l'*Hymne à Hestia*), comme un voyageur qui vient de loin et qui déjà s'apprête au départ. Rien en lui de fixé, de stable, de permanent, de circonscrit, ni de fermé. Il représente, dans l'espace et dans le monde humain, le mouvement, le passage, le changement d'état, les transitions, les contacts entre éléments étrangers. A la maison, sa place est à la porte, protégeant le seuil, repoussant les voleurs parce qu'il est lui-même le Voleur (Hermès ληῖστήρ, le Brigand, πυληδόκος, le Rôdeur de portes, νυκτὸς ὀπωπητήρ, le Guetteur nocturne) [10], celui pour qui n'existent ni serrure, ni enclos, ni frontière : le Perce-Muraille que l'*Hymne à Hermès* nous montre « se glissant obliquement à travers la serrure pareil à la brise d'automne, comme un brouillard [11] ». Présent aux portes (Hermès πυλαῖος, θυραῖος, στροφαῖος), il siège aussi à l'entrée des villes, aux frontières des États, aux carrefours (Hermès τρικέφαλος, τετρακέφαλος) [12], au long des pistes, marquant le chemin (Hermès ὅδιος, ἐνόδιος), sur les tombeaux, ces portes qui ouvrent l'accès du monde infernal (Hermès χθόνιος, νύχιος). Dans tous les lieux où les hommes, quittant leur demeure privée, s'assemblent et entrent en contact pour l'échange (qu'il s'agisse de discussion ou de commerce), comme à l'*agora*, et pour la compétition, comme au stade, Hermès est là (Hermès ἀγοραῖος, Hermès ἀγώνιος). Il assiste comme témoin aux accords, aux trêves, aux serments entre partis opposés ; il sert de hérault, de messager, d'ambassadeur à l'étranger (Hermès ἄγγελος, διάκτορος, κηρύκειος). Dieu errant, maître des routes, sur la terre et vers la terre :

8. Homère, *Iliade*, XXIV, 334-335.
9. Aristophane, *La Paix*, 392.
10. *Hymne homérique à Hermès*, 14-15.
11. *Ibid.*, 146-147.
12. Le triple ou quadruple visage du dieu lui permet précisément de contrôler toutes les directions de l'espace à la fois.

il guide, en cette vie, les voyageurs ; il conduit, dans l'autre, les âmes vers l'Hadès et quelquefois les en ramène (Hermès πομπαῖος, καταιβάτης, ψυχοπομπός). Il mène la ronde des Charites, introduit tour à tour les saisons, fait passer de la veille au sommeil, du sommeil à la veille, de la vie à la mort, d'un monde à l'autre. Il est le lien, le médiateur entre les hommes et les dieux, ceux d'en bas comme ceux d'en haut : *cœli terraeque meator*, dit une inscription sur son buste de la villa Albani [13] ; et Électre s'adresse à lui en ces termes : « Puissant héraut (κῆρυξ) de ceux d'en haut et de ceux d'en bas, écoute-moi, Hermès infernal, et charge-toi de mon message : que les dieux souterrains prêtent l'oreille à ma voix [14]. » Présent au milieu des hommes, Hermès est en même temps insaisissable, ubiquitaire. Jamais là où il est, il apparaît soudainement pour disparaître. Quand une conversation tombe tout à coup et qu'un silence s'établit, le Grec dit : « Hermès passe [15]. » Il porte le casque d'Hadès qui rend invisible, les sandales ailées, qui abolissent les distances, et une baguette de magicien qui change tout ce qu'il touche. Il est aussi ce qu'on ne peut ni prévoir, ni retenir, le fortuit, la bonne ou mauvaise chance, la rencontre inopinée ; l'aubaine se dit en grec τὸ ἕρμαιον.

A travers ce foisonnement d'épithètes, cette variété d'attributs, le personnage d'Hermès apparaît singulièrement complexe. On l'a jugé déroutant au point d'imaginer, à l'origine, plusieurs Hermès différents qui auraient, par la suite, fusionné [16]. Cependant les divers traits qui composent la physionomie du dieu semblent mieux s'ordonner lorsqu'on l'envisage dans ses rapports avec Hestia. S'ils font couple, pour la conscience religieuse des Grecs, c'est que les deux divinités se situent sur un même plan, que leur action s'applique au même domaine du réel, qu'ils assument des fonctions connexes. Or, au sujet d'Hestia, pas de doute possible : sa

13. L. R. Farnell, *The Cults of the Greek States*, V, p. 62, n. 2.
14. Eschyle, *Choéphores*, 124 *sq.*
15. Plutarque, *De garrulitate*, 502 F.
16. Cf. encore l'intéressante étude de J. Orgogozo, « L'Hermès des Achéens », *Revue de l'histoire des religions*, 1949, p. 10-30, et 1950, p. 139 *sq.*

signification est transparente, son rôle strictement défini. Parce que son lot est de trôner, à jamais immobile, au centre de l'espace domestique, Hestia implique, en solidarité et contraste avec elle, le dieu véloce qui règne sur l'étendue du voyageur. A Hestia, le dedans, le clos, le fixe, le repli du groupe humain sur lui-même ; à Hermès, le dehors, l'ouverture, la mobilité, le contact avec l'autre que soi. On peut dire que le couple Hermès-Hestia exprime, dans sa polarité, la tension qui se marque dans la représentation archaïque de l'espace : l'espace exige un centre, un point fixe, à valeur privilégiée, à partir duquel on puisse orienter et définir des directions, toutes différentes qualitativement ; mais l'espace se présente en même temps comme lieu du mouvement, ce qui implique une possibilité de transition et de passage de n'importe quel point à un autre.

Bien entendu, en traduisant ainsi en termes de concepts les rapports d'Hermès et d'Hestia, nous les faussons. Les Grecs qui rendaient un culte à ces divinités n'ont jamais vu en elles des symboles de l'espace et du mouvement. La logique qui préside à l'organisation d'un panthéon ne procède pas suivant nos catégories. La pensée religieuse obéit à des règles de classification qui lui sont propres. Elle découpe et ordonne les phénomènes en distinguant différents types d'agents, en comparant et opposant des formes d'activité. Dans ce système, l'espace et le mouvement ne sont pas encore dégagés en tant que notions abstraites. Ils restent implicites parce qu'ils font corps avec d'autres aspects, plus concrets et plus dynamiques, du réel. Si Hestia apparaît susceptible de « centrer » l'espace, si Hermès peut le « mobiliser », c'est qu'ils patronnent, comme puissances divines, un ensemble d'activités qui concernent certes l'aménagement du sol et l'organisation de l'étendue, qui même, en tant que praxis, ont constitué le cadre dans lequel s'est élaborée, en Grèce archaïque, l'expérience de la spatialité, mais qui cependant débordent très largement le champ de ce que nous appelons aujourd'hui espace et mouvement.

Les rapports de l'Hestia grecque et de la Vesta romaine

ont prêté à bien des controverses [17]. On sait qu'il n'y a rien, en Grèce, de comparable, comme personnage et comme fonction, aux Vestales. Il est difficile cependant de ne pas croire qu'à l'origine l'entretien du foyer mycénien, en particulier du foyer royal, relevait d'un sacerdoce féminin et que l'office en incombait plus précisément à la fille de la maison, avant son mariage [18]. Louis Deroy a pu soutenir que le mot παρθένος, vierge, est une dénomination fonctionnelle désignant celle qui s'occupe du feu [19]. Quoi qu'il en soit, si le feu comme tel (aussi bien le feu du sacrifice que celui de la forge ou le feu qui cuit) est rapporté à Héphaïstos, dieu masculin, l'autel rond du foyer domestique est assimilé au contraire à une divinité féminine, et à une divinité vierge. L'explication ordinaire par la pureté du feu n'est pas satisfaisante. D'une part Hestia n'est pas le feu mais l'autel-foyer ; d'autre part Héphaïstos, qui incarne précisément cette puissance du feu, est rien moins que « pur » [20]. Il vaut donc mieux s'en remettre, pour interpréter ces faits, au texte de l'*Hymne homérique à Aphrodite* dans le bref passage qui concerne Hestia et qui est au reste suffisamment explicite [21]. L'*Hymne* célèbre la suprématie d'Aphrodite : rien ne lui résiste, ni bêtes, ni hommes, ni dieux. La déesse n'a pas pour apanage la domination violente, la contrainte physique propres aux divinités guerrières. Ses armes, autrement efficaces, sont celles de la douceur et de la séduction. Pas une créature, dans le ciel, la terre et la mer, qui puisse se soustraire

17. Références dans L. Deroy, « Le culte du foyer dans la Grèce mycénienne », *Revue de l'histoire des religions*, 1950, p. 32 n. 1.

18. Cf. L. Gernet, « Sur le symbolisme politique en Grèce ancienne : le Foyer commun » (1951), *Anthropologie de la Grèce antique*², Paris, 1976, p. 389. Dans la *Vie de Numa*, 9-11, Plutarque observe que la tradition s'est maintenue, en Grèce, d'un sacerdoce féminin de l'entretien des feux sacrés. La charge en revient, non à des vierges comme à Rome, mais à des femmes s'abstenant de tout rapport sexuel. A l'époque de la Cité, le sacerdoce du Foyer commun a pris le caractère d'une fonction essentiellement politique ; il est, par là même, réservé aux hommes. On doit noter, que, chez Homère déjà, la religion de la Hestia domestique est reléguée au second plan.

19. L. Deroy, *loc. cit.*, p. 26-43.

20. Sur le feu « géniteur », cf. Plutarque, *Vie de Camille*, XX, 4 ; *Quaestiones convivales*, VII, 4, 3.

21. *Hymne homérique à Aphrodite*, 20-30.

à la puissance magique des forces qu'elle mobilise à son service : *Peithô*, la persuasion, *Apatè*, la séduction trompeuse, *Philotès*, le lien amoureux. Il n'est dans tout l'univers que trois déesses capables de désarmer ces sortilèges : Athéna, Artémis, Hestia. Inébranlables dans leur détermination de demeurer vierges, elles opposent à Cythérée un cœur si ferme, une volonté si constante que ni les ruses de *Peithô*, ni les séductions d'*Apatè* ne réussissent à modifier leur sentiment et à les faire changer d'état. Cette volonté de permanence, ce refus obstiné du changement se trouvent spécialement soulignés par l'*Hymne* dans le cas d'Hestia. Courtisée par Poséidon et Apollon qui tous deux la convoitent, Hestia rejette cette union fermement (στερεῶς), et, pour donner à son refus un caractère irrévocable, elle se voue à jamais à la virginité en prononçant le Grand Serment des dieux, « celui qui ne se peut défaire ». Qu'il y ait un rapport entre la fonction d'Hestia, comme déesse du foyer, et sa fixation définitive dans un statut virginal, on ne saurait en douter : le texte précise que Zeus lui accorde de s'installer au centre de la maison *en contrepartie* des noces auxquelles elle a pour toujours renoncé (ἀντὶ γάμοιο). L'union conjugale représenterait en effet, pour Hestia, la négation des valeurs que sa présence incarne au cœur de la maison (la maison, οἶκος, désignant à la fois l'habitat et le groupe humain qui y réside) : la fixité, la permanence, le cloisonnement. Le mariage n'implique-t-il pas pour la jeune fille une double transformation : de son être personnel, de son statut social ? Il constitue d'une part une initiation à travers laquelle la fille accède à un état nouveau, à un monde de réalités humaines et religieuses différentes [22]. Il l'arrache d'autre part à l'espace domestique auquel elle était rattachée ; la fixant au foyer de l'époux, il l'intègre

22. Sur les rites qui marquent, à la veille du mariage, la renonciation à l'état antérieur, cf. Euripide, *Iphigénie en Tauride*, 372-375, et les remarques de Louis Séchan, « La légende d'Hippolyte dans l'Antiquité », *Revue des études grecques*, 1911, p. 115 *sq.* Sur le rite des cheveux coupés, pour le mariage comme en cas de deuil d'un parent, cf. *Anthologie palatine*, VI, 276, 277, 280, 281. A Sparte, la jeune épousée avait le crâne entièrement rasé, Plutarque, *Vie de Lycurgue*, XV, 5.

à une autre maison [23]. Plus généralement, l'union sexuelle est un commerce et même, de tous les commerces, celui qui met en contact les natures les plus opposées : la masculine et la féminine. A cet égard il faut souligner un des aspects essentiels de la *Charis* grecque : puissance divine qui se manifeste dans toutes les formes du don et de l'échange (le circuit des libéralités généreuses, des cadeaux gracieux tissant, entre groupes humains, entre hommes et dieux, entre les hommes et la nature, en dépit de tous les cloisonnements, un réseau d'obligations réciproques [24]), la *Charis* désigne, dans un de ses emplois les plus anciens, le don que la femme fait d'elle-même à l'homme [25]. On ne s'étonnera donc pas qu'Hermès, étroitement associé aux Charites (Hermès χαριδότης), joue aussi son rôle dans l'union des sexes et apparaisse, à côté d'Aphrodite, comme le véritable maître de la *Peithô*, de cette Persuasion susceptible de mouvoir les résolutions les plus fermes, de transformer les opinions les plus assurées [26].

Mais on peut pousser l'analyse plus loin. L'espace domestique, espace fermé, pourvu d'un toit (protégé), est, pour le Grec, à connotation féminine. L'espace du dehors, du grand air, à connotation masculine. La femme est dans son domaine

23. Sur les καταχύσματα, rites d'intégration de la femme au foyer de son mari, cf. Ernst Samter, *Familienfeste der Griechen und Römer*, Berlin, 1901, p. 159. L'épousée était conduite près du foyer, peut-être même assise à côté du foyer (dans la position accroupie du suppliant) ; on répandait sur sa tête des τραγήματα, des friandises, spécialement des fruits secs : dattes, noix, figues. Le même rituel était appliqué au nouvel esclave, à sa première entrée dans la maison dont il allait faire partie. C'était alors la maîtresse de maison (δέσποινα) qui officiait comme représentante du foyer.

24. Sur la *charis*, présidant au commerce gracieux, à l'échange généreux, cf. Aristote, *Éthique à Nicomaque*, 1133 a 2. Dans leur commentaire à l'*Éthique à Nicomaque* (II, Louvain-Paris, 1959, p. 375), R.A. Gauthier et J.-Y. Jolif ne paraissent pas avoir saisi la portée de ce passage.

25. Plutarque, *Eroticos*, 751 d.

26. Hermès, associé à Aphrodite en tant que la déesse est *Peithô* : inscription de Mytilène à Aphrodite Peithô et, entre autres, Hermès, *Inscriptiones grecae* XII, 2, 73 ; Plutarque, *Conjugalia Praecepta* 138 c. Associé à Aphrodite en tant qu'elle est « ourdisseuse de ruses », Μαχανῖτις, Pausanias, VIII, 31, 6 ; en tant qu'elle est ψίθυρος : « au gazouillis séducteur », cf. Harpocration, *s. v.* ψιθυριστής : les Athéniens rendent un culte sous ce nom à Hermès, associé à Aphrodite et à Éros. Sur Hermès Πεισίνους, à Cnide, cf. L. R. Farnell, *op. cit.*, V, p. 70, n. 43.

à la maison. C'est là qu'est sa place ; en principe elle n'en doit pas sortir [27]. L'homme représente au contraire, dans l'*oikos*, l'élément centrifuge : c'est à lui de quitter l'enclos rassurant du foyer pour affronter les fatigues, les dangers, les imprévus de l'extérieur, à lui d'établir les contacts avec le dehors, d'entrer en commerce avec l'étranger. Qu'il s'agisse du travail, de la guerre, du négoce, des relations d'amitié, de la vie publique, qu'il soit aux champs, à l'*agora*, sur la mer ou par route, les activités de l'homme sont orientées vers le dehors. Xénophon ne fait qu'exprimer le sentiment commun quand, après avoir opposé l'espèce humaine au bétail comme ce qui a besoin d'un toit pour s'abriter à ce qui vit en plein air, ἐν ὑπαίθρῳ, il ajoute que la divinité a doté l'homme et la femme de natures contraires. Corps et âme, l'homme est fait pour les ἔργα ὑπαιθρία, τά ἔξω ἔργα, les activités de plein air, les occupations au-dehors, la femme pour τὰ ἔνδον, celles du dedans. Aussi est-il « plus convenable pour la femme de rester à la maison que de sortir au-dehors, plus honteux pour l'homme de demeurer au-dedans que de s'occuper à l'extérieur [28] ».

Il est pourtant un cas où cette orientation de l'homme vers le dehors, de la femme vers le dedans, se trouve inversée : dans le mariage, contrairement à toutes les autres activités sociales, la femme constitue l'élément mobile dont la circulation fait le lien entre groupes familiaux différents, l'homme restant au contraire fixé à son propre foyer domestique. L'ambiguïté du statut féminin consiste donc en ceci que la fille de la maison — plus liée que le garçon, par sa nature

27. « Une honnête femme doit rester chez elle ; la rue est pour la femme de rien » (Ménandre, fr. 546, Edmonds).

28. Xénophon, *Économique*, VII, 30 ; cf. Hiéroclès, *in* Stobée, IV, 1, p. 502, H. « A l'homme de s'occuper des champs, de l'*agora*, des courses à la ville ; à la femme, le travail de la laine, le pain, les travaux de la maison. » Dans le *Contre Nééra*, 122, Démosthène, définissant l'état de mariage (τὸ συνοικεῖν), marque bien, en contraste avec les fonctions de la courtisane et de la concubine, la vocation domestique de l'épouse, comme gardienne du foyer de son mari : « Les courtisanes, nous les avons pour le plaisir ; les concubines, pour les soins quotidiens qu'elles nous prodiguent ; les épouses pour avoir des enfants légitimes et une gardienne fidèle des choses de l'intérieur de la maison, τῶν ἔνδον φύλακα πιστήν ».

féminine, à l'espace domestique — ne peut pourtant s'accomplir en femme par le mariage sans renoncer à ce foyer dont elle a la charge. La contradiction se trouve résolue, sur le plan de la représentation religieuse, par l'image d'une divinité qui incarne, dans la nature féminine, les aspects de permanence tout en demeurant étrangère, par son statut virginal, à l'aspect de mobilité. Cette « permanence » d'Hestia n'est pas d'ordre seulement spatial. Comme elle confère à la maison le centre qui la fixe dans l'étendue, Hestia assure au groupe domestique sa pérennité dans le temps : c'est par Hestia que la lignée familiale se perpétue et se maintient semblable à elle-même, comme si, à chaque génération nouvelle, c'était directement « du foyer » que naissaient les enfants légitimes de la maison. Chez la déesse du foyer, la fonction de fécondité, dissociée des relations sexuelles — lesquelles supposent, dans un système exogamique, des relations entre familles différentes —, peut se présenter comme la prolongation indéfinie, à travers la fille, de la lignée paternelle, sans qu'il soit besoin, pour la procréation, d'une femme « étrangère ».

Ce rêve d'une hérédité purement paternelle n'a jamais cessé de hanter l'imagination grecque. Il s'exprime ouvertement dans la tragédie par la bouche d'Apollon proclamant, dans les *Euménides*, que le sang maternel ne saurait couler dans les veines du fils puisque « ce n'est pas la mère qui enfante l'être qu'on appelle son enfant [...] celui qui enfante, c'est l'homme qui féconde ; la mère, comme une étrangère un étranger (ξένῳ ξένη), sauvegarde le jeune plant [29] ». C'est le même rêve qui se déguise en théorie scientifique chez les médecins et les philosophes quand ils soutiennent, ainsi que le fait par exemple Aristote, que dans la génération la femelle n'émet pas de semence, que son rôle est tout passif, la fonction active et motrice appartenant exclusivement au mâle [30]. C'est lui encore qui transparaît dans les mythes royaux identifiant

29. Eschyle, *Euménides*, 658-661 ; cf. aussi Euripide, *Oreste*, 552-555, et *Hippolyte*, 616 *sq*.

30. Aristote, *Génération des animaux*, I, 20, 729 a. « Une théorie de ce genre, privée de tout contact avec l'objet, est un mythe pur », observe Marie Delcourt, *Oreste et Alcméon. Étude sur la projection légendaire du matricide en Grèce*, Paris, 1959, p. 85.

l'enfant nouveau-né à un tison du foyer paternel. L'histoire de Méléagre, celle de Démophon [31] doivent être rapprochées des légendes italiques — très probablement grecques d'origine —, qui font naître le fils du roi d'un tison ou d'une étincelle sautant dans le giron de la jeune vierge qui prend soin du foyer [32]. La dénomination rituelle d'« enfant du Foyer » (qui désigne à l'âge historique le représentant de la cité auprès des divinités d'Éleusis) a bien la signification et la portée que Louis Gernet leur a reconnues, quand il soulignait précisément l'étroite relation qui unit en Grèce l'image du Foyer et celle de l'enfant : le Παῖς ἀφ' ἑστίας représente, au sens propre, l'enfant « issu du Foyer » [33]. C'est dans ce contexte, nous le verrons, qu'on peut comprendre le rituel des Amphidromies qui, sept jours après sa naissance, rattache le nouveau-né au foyer de son père.

Hestia traduit donc, en la poussant à la limite, la tendance de l'*oikos* à s'isoler, à se refermer, comme si l'idéal, pour la famille, devait être une entière suffisance à soi-même : autarcie complète sur le plan économique [34], stricte endogamie sur celui du mariage. Cet idéal n'est pas conforme à la réalité grecque. Il n'en est pas moins présent dans les institutions familiales et dans les représentations qui en assurent le jeu, comme un des pôles autour duquel s'oriente la vie domestique en Grèce ancienne.

Un exemple, que nous fournit l'*Électre* de Sophocle, permet de mesurer l'ampleur et les limites de cette tendance à l'introversion de l'*oikos*. Il s'agit du songe qui révèle à

31. Sur Méléagre, cf. Apollodore, I, 8, 2 ; Eschyle, *Choéphores*, 607 *sq.* Le tison (δαλός) du foyer est comme le « double » ou l'âme extérieure de Méléagre. L'enfant mourra quand le tison — déposé par sa mère dans un coffret (λάρναξ) — sera consumé dans le feu. Ainsi en ont décidé les *Moirai*, sept jours après sa naissance — date qui correspond, nous le verrons, à la célébration des Amphidromies, rite d'intégration du nouveau-né au foyer de son père. Sur Démophon, cf. *Hymne homérique à Déméter*, 239 *sq.* La déesse, nourrice de l'enfant royal, le cache dans le feu, comme un tison (δαλός).

32. Légendes de Caeculus et de Servius Tullius. Le rapprochement est fait par L. Gernet, *loc. cit.*, p. 27.

33. *Ibid.*, p. 27.

34. Cf. A. Aymard, « L'idée de travail dans la Grèce archaïque », *Journal de psychologie*, 1948, p. 29-50.

Clytemnestre le prochain retour d'Oreste, ce fils qu'elle a tenté de faire disparaître, après le meurtre de son mari Agamemnon, assassiné avec l'aide de son amant Égisthe. Le roi légitime tué, Égisthe partage désormais avec la reine un trône auquel il accède par mariage, à travers sa femme [35]. C'est de son épouse qu'il a reçu le sceptre qu'Agamemnon tenait de ses pères ; et les libations que le nouveau roi répand pour Hestia, dans la salle du palais, s'adressent en fait à un foyer étranger [36]. Égisthe se trouve donc par rapport au foyer royal de Mycènes dans la situation qui est normalement celle de la femme dans l'*oikos* de son mari. A cette inversion du statut social des époux répond, dans la tragédie, une inversion parallèle de leurs relations et de leur nature psychologiques. Dans le couple Égisthe-Clytemnestre, c'est Clytemnestre l'homme, Égisthe la femme [37]. Tous les Tragiques s'accordent à peindre Égisthe comme un efféminé, un lâche, un voluptueux, un homme à femmes, arrivant par les femmes, et qui ne connaît, en fait d'armes et de combats, que ceux d'Aphrodite [38]. Clytemnestre au contraire prétend assumer les vertus et les risques d'une nature pleinement virile [39]. Réfléchie, autoritaire et audacieuse, faite pour commander, elle rejette avec hauteur toutes les faiblesses de son sexe ; elle ne se retrouve femme, nous laisse-t-on clairement comprendre, que dans le lit. Dans sa décision de tuer Agamemnon, les griefs qu'elle a pu légitimement invoquer contre son époux ont pesé moins que son refus de la domination masculine, sa volonté de prendre la place de l'homme à la maison [40]. Or voici

35. Cf. dans l'*Électre* d'Euripide, 1088 *sq.* : Clytemnestre a apporté à Égisthe le palais d'Agamemnon, pour acheter à ce prix son nouveau mariage.

36. Eschyle, *Agamemnon*, 1587 et 1435.

37. Il faut ici renvoyer à l'étude, rigoureuse et fine, de R. P. Winnington-Ingram, « Clytemnestra and the vote of Athena », *Journal of Hellenic Studies*, 1948, p. 130-147.

38. Donnons quelques références, à titre d'indication, chez les trois Tragiques qui ont traité le même thème : Eschyle, *Agamemnon*, 1224, 1259, 1625 *sq.*, 1635, 1665, 1671 ; *Choéphores*, 304 ; Sophocle, *Électre*, 299-302 ; Euripide, *Électre*, 917, 930 *sq.*, 950.

39. Eschyle, *Agamemnon*, 10-11, 258, 1251, 1258, 1377 *sq.* (cf. aussi l'ironie de 483 et 592 *sq.*) ; *Choéphores*, 664 *sq.* ; Sophocle, *Électre*, 650 *sq.*, 1243 ; Euripide, *Électre*, 930 *sq.*

40. R. P. Winnington-Ingram, *loc. cit.*

le rêve que la reine a fait : « Elle a vu Agamemnon remonter à la lumière et venir de nouveau à elle : il a pris et fiché dans le foyer le sceptre qu'il portait naguère en mains et que tient maintenant Égisthe ; de ce sceptre poussa un vigoureux rameau qui couvrit de son ombre toute la terre de Mycènes [41]. »

Le symbolisme sexuel (Agamemnon qui plante dans le sein d'Hestia la jeune pousse qui va y germer) n'est pas ici séparable du symbolisme social. Le σκῆπτρον est comme l'image mobile de la souveraineté. Zeus l'a transmis, par Hermès, aux Atrides. Le roi le confie lui-même à son héraut, à ses ambassadeurs. Quand se tient l'assemblée des Anciens, il circule de mains en mains conférant à chaque orateur, à tour de rôle, l'autorité et le respect dont il a besoin pour parler. Cette vertu royale du sceptre ne saurait se maintenir intacte à travers les délégations et transmissions si, dans le même temps, il n'apparaissait fermement enraciné dans le foyer. Au bâton (le ῥάβδος, le κηρύκειον) qu'Hermès brandit ou agite répond celui que les figurations placent dans la main d'Hestia, comme son attribut rituel et qui est le σκῆπτρον au sens propre [42]. Or Égisthe n'a pas reçu le sceptre ἀφ' Ἑστίας ; il lui a été transmis par le biais d'une femme, elle-même étrangère au foyer des Atrides, et qui plus est, à la façon d'une femme : dans et par le lit. En le fixant à nouveau au foyer, Agamemnon l'arrache aux usurpateurs ; il le rend à sa propre lignée, la seule qui soit réellement implantée dans la terre mycénienne. Analogue au tison des légendes italiques, le bâton fixé dans le foyer symbolise l'enfant royal, le rejeton, le germe, σπέρμα, naguère déposé par

41. Sophocle, *Électre*, 416 *sq.*

42. Sur les rapports et les différences entre le ῥάβδος, bâton magique d'Hermès, et le σκῆπτρον, avec lequel le ῥάβδος finit par se confondre, cf. J. Harrison, *Prolegomena to the Study of Greek Religion*, Cambridge, 1903, rééd. New York, 1957, p. 44 *sq.* Le ῥάβδος est une badine tenue en l'air ; avec elle on frappe (*Odyssée*, X, 236) ; on l'agite (*ibid.*, XXIV, 1-9) ; on ne la laisse pas en repos (Pindare, *Olympiques*, IX, 33). Au contraire, on s'appuie normalement sur le σκῆπτρον qui est comme un bâton de marche (βάκτρον), tenu vertical et dont une extrémité repose sur le sol. Aussi jeter le σκῆπτρον à terre, au cours d'une réunion de l'Assemblée, comme le fait Achille (*Iliade*, I, 245) prend-il le sens d'un rejet de l'autorité royale, d'une rupture de solidarité avec le groupe.

Agamemnon dans le sein de Clytemnestre, et qui y a poussé [43] : il est Oreste, le fils devenu grand, haï et redouté par sa mère parce qu'en lui le père trouve son continuateur et son vengeur. Le rêve ne saurait plus clairement signifier que, par-delà la personne de Clytemnestre, c'est en réalité dans son foyer qu'Agamemnon a engendré Oreste, dans ce foyer qui lui-même enracine la maison royale dans la terre de Mycènes. Comme elle aurait dû en tant qu'épouse s'effacer toujours devant son mari [44], Clytemnestre devait, en tant que mère, s'effacer au profit d'Hestia, son rôle se bornant à prendre soin, comme une étrangère, de la plante humaine que son époux lui a confiée en dépôt. Au contraire, dans l'affirmation de sa volonté virile, la reine prétend se substituer au mâle sur tous les plans ; elle revendique la fonction active dans le gouvernement de l'État, dans le mariage, dans la procréation, dans la filiation, comme elle l'assume, glaive en main, dans l'exécution d'un crime dont elle laisse à son comparse la part féminine : l'instigation, la complicité et la ruse [45]. Clytemnestre s'est installée à la place d'Agamemnon sur le trône [46] ; elle a pris en main le sceptre et le pouvoir ; elle a appelé au foyer des Atrides, qu'elle proclame désormais le sien [47], le compagnon de lit [48] dont elle a décidé de faire un époux ; elle affirme que, dans l'engendrement, la part de la femme l'emporte sur celle de l'homme [49] ; elle renie ceux de ses enfants qu'elle a eus d'Agamemnon et qui se rattachent à la lignée paternelle ; quant à ceux qu'elle a eus d'Égisthe — cet ὀικουρός [50], cet « homme d'intérieur » qui

43. Eschyle, *Agamemnon*, 966-970 ; *Choéphores*, 204, 236, 503 : Oreste est la racine, ῥίζα, la semence, σπέρμα, de la maison des Atrides ; même image dans Sophocle, *Électre*, 764-765.
44. Euripide, *Électre*, 1052-1054.
45. Eschyle, *Agamemnon*, 1251-1252, 1604-1610, 1633, 1643 ; Sophocle, *Électre*, 561. En Grèce, comme chez les Germains, la femme ne peut, en raison de son sexe, se faire elle-même exécutrice de la vengeance sanglante : σιδηροφορεῖν est l'apanage exclusif du mâle ; cf. Gustave Glotz, *La Solidarité de la famille dans le droit criminel en Grèce*, Paris, 1904, p. 82.
46. Eschyle, *Agamemnon*, 1379, 1672-1673 ; Sophocle, *Électre*, 651.
47. Eschyle, *Agamemnon*, 1435.
48. Sophocle, *Électre*, 97 et 587 ; Euripide, *Électre*, 1035 *sq.*
49. Sophocle, *Électre*, 533.
50. Eschyle, *Agamemnon*, 1225.

a préféré rester avec les femmes à la maison plutôt que de partir comme les hommes à la guerre —, Clytemnestre les veut, elle les fait si pleinement siens qu'on leur donne le nom de leur mère au lieu de celui de leur père. Écoutons l'Électre d'Euripide dénoncer devant le cadavre d'Égisthe le ménage « inverti » des meurtriers d'Agamemnon : « Tous les Argiens donnaient à l'homme le nom de la femme, et non pas à la femme le nom du mari. C'est pourtant une honte que la femme soit maîtresse à la maison, non l'homme. J'ai en horreur ces enfants qu'on désigne dans la cité, non pas du nom de leur père viril, mais du nom de leur mère [51]. »

Par la bouche d'Électre, c'est Hestia qui s'exprime. La fille d'Agamemnon incarne le foyer paternel dont on l'a, comme son frère, écartée et qu'elle veut avec lui restaurer en en chassant l'intruse qui s'y est établie. Mais dans ses rapports avec Oreste, Électre n'est pas seulement la sœur si étroitement liée au frère que leurs deux vies se fondent en une âme unique [52], elle est aussi une mère — au vrai, la seule mère d'Oreste. Enfant elle l'a choyé, protégé, sauvé : « Jadis ce n'était pas de ta mère que tu étais l'amour, c'était de moi ; je te nourrissais, moi, ta sœur, dont tu appelais sans cesse le nom [53]. » Adulte, elle l'exhorte à la vengeance, elle le soutient et le guide dans l'exécution du double meurtre qui doit faire d'eux « les sauveurs du foyer paternel [54] ». Occupant près de son jeune frère la place de cette mère dont elle a hérité la nature virile et dominatrice [55], Électre, « double » de Clytemnestre, est en même temps son opposé. Vierge ('Ηλέκτρα a pu être rapprochée d'ἄλεκτρα, sans hymen [56], et l'Électre d'Euripide demeure pure jusque dans le mariage), elle se veut d'autant plus chaste qu'elle imagine sa mère plus sensuelle et déver-

51. Euripide, *Électre*, 930 *sq.* ; Sophocle, *Électre*, 365.
52. Euripide, *Oreste*, 1045-1148.
53. Sophocle, *Électre*, 1145-1148.
54. Eschyle, *Choéphores*, 264.
55. Nature virile d'Électre : Sophocle, *Électre*, 351, 397, 401, 983, 997 et 1019-1020 où s'accuse le parallélisme avec Clytemnestre ; Euripide, *Électre*, 982 ; *Oreste*, 1204. Électre, autoritaire et emportée, comme sa mère ; Sophocle, *Électre*, 605 *sq.*, 621.
56. Sophocle, *Électre*, 962.

gondée [57]. Elle aime son père aussi passionnément que Clytemnestre hait son époux [58]. De ces deux femmes également masculines, l'une a fait sienne la formule d'Athéna, déesse vouée, comme Hestia, à la virginité : « De tout son cœur et toujours elle est acquise à l'homme, en tout — sauf pour le lit [59]. » L'autre au contraire, la « femme polyandre [60] », la « femelle tueuse de mâles [61] », est dans tous les domaines contre l'homme ; elle ne le veut que pour le lit. Toutes deux, pour des raisons inverses, sont extérieures au domaine du mariage ; l'une reste en deçà, l'autre va au-delà. Si la première s'affirme sans réserve pour le père, c'est dans la mesure même où, fixée à son foyer, elle refuse l'union conjugale et ne se connaît d'autre progéniture que le frère en qui se perpétue la race paternelle et qui lui tient lieu tout à la fois de fils, de père et d'époux. Si la seconde se déclare sans réserve pour la mère, c'est dans la mesure où elle rejette le statut d'épouse. Elle renie les enfants qui lui rappellent le foyer du conjoint et la soumission de la femme au mari. Comme les Érinyes, qui représentent sa cause au niveau des puissances divines, elle fait fi des liens conjugaux [62] ; dans les liens du sang, qu'elle leur oppose et leur préfère, elle veut seulement retenir ceux qui unissent l'enfant au ventre qui l'a porté, au sein qui l'a nourri ; pour elle, l'homme, dans le couple, se trouve réduit au rôle d'un partenaire du commerce sexuel ; il n'est plus l'époux qui conduit la femme à son autel domestique ni le progéniteur qui lui donne des enfants. Auprès de sa femme il joue le rôle qui incombe normalement à la concubine auprès de l'homme : un compagnon de lit [63].

57. Électre « vierge » : Eschyle, *Choéphores*, 140, 486 ; Sophocle, *Électre*, 1644, 1183 ; Euripide, *Électre*, 23, 43, 98, 255, 270, 311, 945 ; *Oreste*, 26, 72, 206, 251.
58. Sophocle, *Électre*, 341 *sq.*, 365 ; Euripide, *Électre*, 1102-1104.
59. Eschyle, *Euménides*, 736 *sq.*
60. Eschyle, *Agamemnon*, 62.
61. *Ibid.*, 1231.
62. Eschyle, *Euménides*, 213 *sq.*
63. Sophocle, *Électre*, 97 ; Euripide, *Électre*, 1035 : en prenant Égisthe pour amant, Clytemnestre n'a fait que suivre l'exemple d'Agamemnon ramenant Cassandre comme concubine.

Il est devenu banal d'observer que l'histoire d'Oreste, dans le théâtre grec, exprime en termes de tragédie les conflits qui déchirent l'institution familiale, spécialement ceux qui dressent l'un contre l'autre, à l'intérieur d'une même maison, l'homme et la femme : conflit du mari et de l'épouse, du fils et de la mère, de la lignée paternelle et de la lignée maternelle. En mettant si fortement l'accent sur l'antagonisme d'Électre et de Clytemnestre, à tant d'égards semblables, la tragédie souligne aussi les contradictions qui divisent la femme contre elle-même, les oppositions à l'intérieur de son statut social et psychologique. Parce qu'elles sont des divinités, Hestia, Aphrodite ou Héra peuvent bien incarner une face de la réalité féminine, à l'exclusion des autres. Cette « pureté » est inaccessible aux humains. Chaque créature mortelle doit assumer la condition féminine dans son entier, avec ses tensions, ses ambiguïtés et ses conflits. A se vouloir entièrement du côté d'Hestia, ou entièrement contre elle, Électre et Clytemnestre présentent de la femme une image dédoublée, mutilée, contradictoire. Elles se détruisent dans leur être féminin et apparaissent l'une et l'autre également viriles. En s'attachant au foyer qui l'a vu naître, Électre finit par s'identifier aux hommes de sa lignée paternelle. En confisquant le foyer de son mari pour y fonder sa propre lignée maternelle, Clytemnestre se fait homme. Contre Électre, elle a raison d'accepter l'union sexuelle (complémentarité de la femme et de l'homme), de quitter la maison de son père pour venir à celle de l'époux (fonction mobile de la femme) ; mais contre elle, Électre a raison de centrer toute la vie du couple autour du foyer du mari (caractère patrilocal du mariage, soumission de l'épouse à l'époux, vocation domestique de la femme). Électre n'a pas tort quand elle rattache l'enfant à la lignée du père (priorité de la filiation masculine) ; Clytemnestre dit vrai en proclamant qu'il est du même sang que la mère (règles de prohibition de l'inceste plus strictes du côté maternel) [64].

64. Le mariage du frère et de la sœur *de même père* n'est pas absolument interdit ; celui du frère et de la sœur *de même mère* est rigoureusement prohibé. Rappelons que le terme ἀδελφός, frère, se rapporte originairement à la filiation utérine : il désigne ceux qui sont issus du même ventre.

Elles se trompent toutes deux en récusant un des côtés de la filiation (caractère bilatéral de la parenté chez les Grecs).

Dans une civilisation masculine comme celle de Grèce, la femme est normalement envisagée du point de vue de l'homme. A cet égard, elle remplit à travers le mariage deux fonctions sociales majeures entre lesquelles il y a divergence, sinon même polarité. Dans sa forme la plus ancienne (et dans un milieu de noblesse que la poésie épique nous fait atteindre), le mariage est un fait de commerce contractuel entre groupes familiaux ; la femme est un élément de ce commerce. Son rôle est de sceller une alliance entre groupes antagonistes. Au même titre qu'une rançon elle peut servir à clore une vendetta [65]. Parmi les présents dont l'échange, consacrant le nouvel accord, accompagne normalement le mariage, il y a une prestation qui a valeur spéciale parce qu'elle a lieu, de façon expresse, en contrepartie de la femme dont elle constitue le prix : ce sont les ἕδνα. Il s'agit de biens précieux meubles, d'un type bien défini : bêtes de troupeaux, spécialement des bovins, qui ont une signification de prestige, et qu'on se représente volontiers comme innombrables, infinis. Par la pratique du mariage par achat la femme apparaît équivalente à des valeurs de circulation. Mobile comme eux, elle fait comme eux l'objet de cadeaux, d'échanges et de rapts [66]. L'homme, au contraire, qui accueille l'épouse en sa maison (c'est le fait de συνοικεῖν, d'habiter avec son mari, qui définit pour la femme l'état de mariage) représente le bien-fonds de l'*oikos*, ces πατρῷα, en principe inaliénables, qui maintiennent, à travers le flux des générations humaines, le lien d'une lignée avec le terroir où elle est établie. Cette idée d'une symbiose — mieux vaudrait dire d'une communication — entre une terre et le groupe humain qui la cultive n'est pas seulement présente dans la pensée religieuse où elle s'exprime dans les mythes d'autochtonie (les hommes s'affirmant « nés

65. Sur la femme offerte en mariage comme ποινή de la vendetta, cf. G. Glotz, *op. cit.*, p. 130.

66. La persistance de cette valeur de rapt dans le mariage est attestée dans le rituel ; cf. Plutarque, *Vie de Lycurgue*, XV, 5 ; *Questions romaines*, 271 d 29.

de la terre» où ils sont installés) et dans les rites de labourage sacré, sur lesquels nous aurons l'occasion de revenir. Elle se manifeste aussi avec une remarquable persistance dans les institutions de la cité : le terme *oikos* ayant à la fois une signification familiale et territoriale, on comprend les réticences qui font obstacle, en pleine économie mercantile, aux opérations de vente et d'achat quand il s'agit d'un bienfonds familial (κλῆρος) ; on comprend aussi le refus d'accorder à un étranger le droit de posséder une terre dite « de cité » parce qu'elle doit rester le privilège et comme la marque du citoyen « autochtone ».

Mais le mariage n'a pas seulement cette fonction de commerce entre familles différentes. Il permet aussi aux hommes d'une lignée de faire souche d'une progéniture et d'assurer ainsi la survie de leur maison. Sous cet aspect nouveau le mariage apparaît aux yeux des Grecs comme un labour (ἄροτος) dont la femme est le sillon (ἄρουρα), l'homme le laboureur (ἀροτήρ). L'image, dont l'emploi est quasi obligé chez les Tragiques [67], mais qu'on trouve aussi chez les prosateurs [68], est tout autre chose qu'un artifice littéraire. Elle correspond à la formule d'accordailles, de style stéréotypé, que nous connaissons par la comédie. Le père ou, à son défaut, le κύριος qui a autorité pour marier la fille, prononce comme engagement d'épousailles (ἐγγύη) les paroles suivantes : je te donne cette fille en vue d'un labour producteur d'enfants légitimes [69]. Plutarque mentionnant l'existence, à Athènes, de trois cérémonies de labour sacré (ἱεροὶ ἄροτοι) ajoute : « Mais le plus sacré de tous est l'ensemencement et le labour conjugal (γαμήλιος ἄροτος) qui a en vue la procréation des enfants [70].»

Assimilée tout à l'heure, comme élément de commerce, à

67. Eschyle, *Les Sept contre Thèbes*, 754 ; Sophocle, *Œdipe-Roi*, 1257 ; *Antigone*, 569 ; Euripide, *Oreste*, 553 ; *Médée*, 1281 ; *Ion*, 1095. Cf. Albrecht Dieterich, *Mutter Erde*, 1905, p. 47.

68. Platon, *Cratyle*, 406 b ; *Lois*, 839 a.

69. Ménandre, *Perikeiroménè*, 435-436 et fr. 720, Edmonds : Ταυτὴν γνησίων παίδων ἐπ' ἀρότῳ σοι δίδωμι. Cf. Émile Benveniste, « Liber et Liberi », *Revue des études latines*, XIV, 1936, p. 51-58.

70. Plutarque, *Conjugalia Preacepta*, 144 b.

la richesse meuble des troupeaux, la femme s'identifie maintenant, dans sa fonction procréatrice, à un champ. Le paradoxe est qu'elle doit incarner, non pas sa terre, mais celle de son mari. Il faut bien que ce soit la terre du mari sinon les fils, issus du sillon ainsi labouré, n'auraient pas qualité religieuse pour occuper le domaine paternel et pour en faire fructifier le sol. C'est la terre de Mycènes qui, à travers Clytemnestre mais aussi contre Clytemnestre l'« étrangère », fait germer et grandir l'arbre dont l'ombre, en s'allongeant, délimite en son entier le territoire rattaché à la maison des Atrides. Cette ombre (σκιά) que projette le rejeton royal, né du foyer, enraciné au centre du domaine, possède des vertus bénéfiques : elle protège la terre de Mycènes ; elle en fait comme un enclos domestique, un espace de sécurité où chacun se sent chez soi, à l'abri du besoin, dans un climat familial d'amitié [71]. Transmis de père en fils, les *sacra*, privilège des maisons royales ou de certains *génè* nobiliaires, assurent à la fois la défense du territoire contre les dangers du dehors, la paix intérieure dans la justice, la fécondité du sol et des troupeaux. Qu'un prince soit indigne ou illégitime, la stérilité frappe la terre, les bêtes, les femmes, en même temps que sévissent la discorde et la guerre. Mais si le roi légitime agit suivant l'ordre sans s'écarter de la justice, alors tout s'épanouit pour son peuple en prospérités sans fin : « La terre lui offre une vie abondante ; le chêne, en son sommet, porte des glands ; en son milieu, des abeilles ; ses brebis laineuses sont alourdies par leur toison ; ses femmes lui enfantent des fils semblables au père [72]. » On est en droit de penser que les labours sacrés dont l'usage se maintient en pleine époque historique et qui sont accomplis, dans le cadre de la cité, par des familles sacerdotales comme les *Bouzugai* prolongent d'anciens rites royaux qui avaient non seulement pour rôle d'inaugurer et de rythmer le calendrier agricole, mais aussi de réaliser, à travers le labour, le mariage du roi et de sa terre, comme Jasion s'était jadis uni à Déméter sur une jachère trois fois retournée [73].

71. Sophocle, *Électre*, 421-423 ; Eschyle, *Agamemnon*, 966.
72. Hésiode, *Travaux*, 232 *sq*.
73. Hésiode, *Théogonie*, 969-971.

La nécessité qui s'impose à l'époux d'appeler à son foyer, pour y figurer la terre familiale où germeront ses enfants, une femme étrangère apparaît moins paradoxale si l'on tient compte d'un autre aspect d'Hestia. « Sans Hestia, dit l'*Hymne homérique*, il n'est point de festin chez les mortels ; il n'en est point qu'on ne commence sans offrir à Hestia une libation — la première et la dernière à la fois — de vin doux comme miel [74]. » Hestia a donc pour prérogative (τιμή) de présider au repas qui, s'ouvrant et se terminant par une invocation à la déesse, constitue un cycle fermé dans le temps, comme l'*oikos* forme un cercle clos dans l'espace. Cuites sur l'autel du foyer domestique, les nourritures réalisent entre convives une solidarité religieuse ; elles créent entre eux comme une identité d'être. Nous savons par Aristote le nom qu'Épiménide de Crète donnait aux membres de l'*oikos* ; il les appelait ὁμόκαποι [75], c'est-à-dire qui mangent à la même table, ou peut-être, suivant une autre lecture, ὁμόκαπνοι, ceux qui respirent la même fumée. Par la vertu du foyer les commensaux deviennent des « frères » comme s'ils étaient des consanguins. Aussi l'expression « sacrifier à Hestia » a-t-elle le sens de notre proverbe : charité bien ordonnée commence par soi-même. Quand les Anciens sacrifiaient à Hestia, nous dit-on, ils ne donnaient à personne aucune portion des offrandes ; la maisonnée faisant son repas commun en secret et n'acceptait aucun étranger à y participer [76]. Sous le signe de la déesse, le cercle de famille se referme sur lui-même, le groupe domestique renforce sa cohésion et affirme son unité dans la consommation d'une nourriture interdite à l'étranger.

Cet aspect cependant a sa contrepartie. Le verbe ἑστιᾶν — dans sa double acception : recevoir à son foyer et accepter à sa table — s'applique normalement à l'hôte qu'on festoie dans sa maison. Le foyer, le repas, les nourritures ont aussi pour fonction d'ouvrir à qui n'est pas de la famille le

74. *Hymne homérique à Hestia* (1), 5 *sq.* ; cf. Cicéron, *De natura deorum* : « *in ea dea, omnis et precatio et sacrificatio extrema est* ». Cornutus, c. 28 : Hestia est à la fois πρώτη et ἐσχάτη ; on commence par elle ; on finit par elle.
75. Aristote, *Politique*, 1252 b 15.
76. Zenobius, IV, 44 ; Diogénien, II, 40.

cercle domestique, de l'inscrire dans la communauté familiale. C'est au foyer que s'accroupit le suppliant quand, chassé de chez lui, errant à l'étranger, il cherche à s'inclure dans un nouveau groupe afin de retrouver l'enracinement social et religieux qu'il a perdu [77]. C'est au foyer que l'étranger doit être conduit, reçu, régalé, car il ne saurait y avoir contact ni commerce avec qui ne serait pas d'abord intégré à l'espace domestique. Pindare pourra écrire qu'aux tables toujours servies des sanctuaires où Hestia règne en patronne, la justice de Zeus *Xenios* est observée [78]. La relation avec l'étranger, ξένος, est donc du ressort d'Hestia, aussi bien quand il s'agit de recevoir un hôte chez soi que de faire retour à sa propre maison au terme d'un voyage ou d'une ambassade à l'extérieur. Dans les deux cas, le contact avec le foyer a valeur de désacralisation et de réintégration à l'espace familial [79]. Le centre que symbolise Hestia ne définit donc pas seulement un monde clos et isolé ; il suppose aussi, corrélativement, d'autres centres analogues ; par l'échange des biens, par la circulation des personnes — femmes, hérauts et ambassadeurs, hôtes et commensaux —, un réseau d'« alliances » se tisse entre groupes domestiques : sans faire partie de la lignée familiale un élément étranger peut ainsi se trouver, de façon plus ou moins durable, rattaché et intégré à une autre maison que la sienne. C'est de cette façon que l'épouse « étrangère », intégrée à l'*oikos* de son mari par le rite des καταχύσματα, participe de son foyer et peut, aussi longtemps qu'elle habite dans la maison du mari, s'assimiler, dans la procréation, cette vertu de permanence, de continuité, d'enracinement au sol que représente Hestia [80].

77. Ainsi fait Ulysse, dans le palais d'Alkinoos, *Odyssée*, VII, 153-154.
78. *Néméennes*, IX, 1 *sq.*
79. Cf. L. Gernet, *loc. cit.*, p. 37.
80. Sur le rite des καταχύσματα, voir *Mythe et Pensée chez les Grecs*, *op. cit.*, p. 103, n. 23 (repris dans *La Grèce ancienne*, 1, *Du mythe à la raison, op. cit.*, p. 106, n. 23). Les liens de l'homme avec sa femme sont du même type que ceux qui unissent deux groupes antagonistes devenus hôtes et alliés après que l'échange de serment a remplacé entre eux l'état de guerre par un accord de paix. C'est le même mot φιλότης qui désigne les relations intimes entre époux et le contrat créant entre anciens adversaires une parenté fictive en vue de les lier par des obligations réci-

A chaque étape de notre analyse nous avons reconnu, entre le fixe et le mobile, le fermé et l'ouvert, le dedans et le dehors, une polarité qui non seulement s'atteste dans le jeu des institutions domestiques (division des tâches, mariage, filiation, repas) mais qui s'inscrit jusque dans la nature de l'homme et dans celle de la femme. Cette même polarité, nous la retrouvons au niveau des puissances divines, dans une structure du panthéon. Ni Hermès ni Hestia ne peuvent, en effet, être posés isolément. Ils assument leurs fonctions sous la forme d'un couple, l'existence de l'un impliquant celle de l'autre à laquelle elle renvoie comme à sa nécessaire contrepartie. Bien plus, cette complémentarité même des deux divinités suppose, en chacune d'elles, une opposition ou une tension intérieure qui confère à leur personnage de dieu un caractère fondamental d'ambiguïté.

Nous avons vu qu'Hestia demeure, en sa pureté, à l'écart des relations sexuelles qui sont, dans la maison, du ressort de l'épouse ou de la concubine. Mais la déesse vierge, pour assumer sa fonction de permanence dans le temps, doit apparaître aussi comme mère. On retiendra, à cet égard, qu'Euripide, assimilant Gaia et Hestia, se sert précisément de l'expression : Γαῖα-Μήτηρ, Terre-Mère [81]. Hestia se trouve donc représenter, dans la lignée du père, à la fois la femme en tant que fille vierge et la femme comme puissance procréatrice, réservoir de vie. Porphyre souligne cette polarité en indiquant qu'il y a, non pas une, mais deux figures d'Hestia : d'une part le type vierge (παρθενικόν), mais d'autre part aussi, en tant qu'Hestia est puissance de fécondité (γόνιμος), le type de la matrone aux seins saillants (γυναικός προμάστου) [82]. Il existe une ins-

---

proques ; cf. G. Glotz, *op. cit.*, p. 22. Dans les amours d'Aphrodite et d'Arès, il y a certes de la littérature ; mais il y a d'abord des réalités institutionnelles avec les comportements et les attitudes psychologiques qu'elles commandent. Sur le lien qui unit l'épouse au foyer de son mari, cf. Euripide, *Alceste*, 162 *sq.* Avant de mourir, Alceste s'adresse à Hestia, divinité domestique du foyer conjugal. Elle la salue du titre de δέσποινα, maîtresse, et lui confie ses enfants.

81. Euripide, fr. 928, éd. Nauck[2] ; cf. aussi Ménandre, περὶ ἐπιδεικτίκων, *in Rhetores Graeci*, III, 275, éd. L. Spengel : « Au jeune époux sur le point d'engager le commerce sexuel, il faut prescrire de faire une prière à Éros, à Hestia, et aux divinités de la génération. »

82. Porphyre, *in* Eusèbe, *Préparation évangélique*, III, 11, 7.

titution, et une seulement, où ces deux aspects d'Hestia, normalement disjoints dans la pratique humaine, se trouvent réconciliés : c'est l'épiclérat. L'épiclérat apparaît à première vue, dans le système familial grec, comme un fait aberrant. Il constitue en réalité un cas limite, particulièrement précieux, parce qu'il révèle, à l'état pur et comme dans une rupture d'équilibre, une des tendances de l'organisation domestique : celle-là même qui nous a paru s'exprimer à travers la figure de la déesse du foyer.

Pour définir l'épiclérat, le mieux est de se référer à la formule que donnent les lois de Manou de la pratique indienne correspondante [83] : « Celui qui n'a pas de fils peut charger sa fille de lui en procurer un en la mariant de telle sorte et selon une convention telle que l'enfant qu'elle mettra au monde devienne le sien propre et accomplisse pour lui la cérémonie funèbre. Le jour où la fille, ainsi mariée, mettra au monde un fils, l'aïeul maternel deviendra le père de cet enfant [84]. » En Grèce, comme dans l'Inde, il s'agit en effet, pour la fille d'un homme privé de descendance mâle, de donner à son père ce fils qui lui fait défaut et qui, seul, a vraiment qualité pour hériter du *klèros* paternel. La fille est dite « épiclère » parce qu'elle suit le *klèros* de son père, qu'elle lui est attachée (à Sparte et en Crète on l'appelle patrôoque, πατρωιῶχος). A la mort du père, l'épiclère doit être épousée, conformément à un ordre de mariage préférentiel strictement réglementé, par celui des hommes de sa famille que son degré de parenté au père défunt désigne, en première ligne, pour représenter celui-ci : d'abord les propres frères du père (les oncles paternels de la fille), puis leurs enfants (les cousins germains parallèles de la fille), puis les frères du grand-père paternel de la fille (ses grands-oncles paternels) ou un de leurs enfants (ses petits cousins) ; à défaut, les fils des sœurs du père, ou en dernier ressort des sœurs du grand-père paternel [85]. L'aspect successoral de l'institution, fortement mar-

83. Cf. L. Beauchet, *Histoire du droit privé de la république athénienne*, Paris, 1897, I, p. 399 *sq*.
84. *Lois de Manou*, 9, 127 *sq*.
85. Platon, *Lois*, 924 e *sq*. Même ordonnance des degrés de parenté dans les règles successorales : Isée, *La Succession d'Hagnias*, 1-2 et 11 ; Démosthène, *Contre Macartatos*, 51.

qué à l'époque classique, ne doit pas faire illusion. L'épiclérat détermine bien quel est, en l'absence d'héritier mâle direct, le parent qui doit recueillir, avec la fille, la succession qui lui est liée. Mais il s'agit beaucoup moins de transmettre un bien à un collatéral que de maintenir à travers la fille la pérennité d'un « foyer ». De ce point de vue le mariage du parent avec l'épiclère se présente, non comme un droit prioritaire à une succession, mais comme une obligation familiale imposant à l'intéressé un véritable renoncement : le fils issu de ce mariage continuera en effet, non son père, mais son grand-père maternel. Le terme qui désigne cet enfant est celui de θυγατριδοῦς : « fils de la fille », ou encore « petit-fils ». Dès sa majorité le θυγατριδοῦς prend de plein droit possession du κλῆρος de son aïeul maternel. Ni son père ni même sa mère n'en étaient réellement propriétaires : simples intermédiaires, ils avaient pour fonction d'assurer la transmission du grand-père au petit-fils.

Pour brèves qu'elles soient, ces indications suffisent à déterminer la place et le rôle des différents protagonistes dans l'épiclérat. Contrairement à la règle ordinaire, la fille demeure, dans le mariage, fixée au foyer paternel. On peut même dire qu'elle se confond avec ce foyer. C'est littéralement « en elle » que la lignée de son père se prolonge par un nouveau mâle. L'homme, choisi pour enfanter dans ce foyer, est celui que son intime parenté assimile le plus étroitement au père et qui se présente, dans sa fonction d'époux, comme le substitut du père. L'enfant, né d'un mariage qui le rattache de façon directe à son aïeul maternel, apparaît aussi bien comme le frère que comme le fils de celle dont il est issu [86]. Dans l'épiclérat tout le système des relations matrimoniales se projette suivant un schéma inversé. C'est maintenant la femme qui figure l'élément fixe, l'homme l'élément mobile. L'épouse

86. On s'est même demandé si le fils de l'épiclère n'assumait pas la fonction de κύριος de sa mère, jouant ainsi auprès d'elle le rôle légal du frère. Il nous semble qu'une institution comme l'épiclérat n'est pas sans jeter quelque lumière sur les rapports psychologiques qui unissent, dans la tragédie, les personnages d'Électre et d'Oreste. Nous avons vu qu'Électre est, par rapport à Oreste, mère autant que sœur. L'épiclère est, par rapport à son fils, sœur autant que mère.

n'est plus cette étrangère qu'on introduit au foyer du mari pour que, s'effaçant au profit de l'Hestia domestique, s'assimilant ses vertus, elle enfante, sans troubler la continuité d'une lignée, des fils qui soient vraiment « semblables au père ». Désormais l'épouse, en tant que fille de la maison, *est* le foyer paternel. Aussi sera-ce cette fois au mari de s'intégrer à l'*oikos* de sa femme, à lui de s'effacer au profit du père qu'il représente ; de cette façon la fille pourra enfanter un rejeton semblable à son vrai père : son aïeul maternel. Au lieu que la lignée se transmette, comme normalement, du père au fils, *per viros*, par l'intermédiaire d'une étrangère que sa cohabitation, sa συνοίκησις, rattache au foyer, elle se perpétue, *per feminas*, de la mère au fils, par l'intermédiaire du plus proche parent mâle que sa consanguinité, sa συγγενίς, rattache au père. L'épiclérat ne constitue donc pas un phénomène aberrant. Il ne se situe pas en marge du système matrimonial. Au contraire il s'articule au mariage ordinaire pour composer avec lui un ensemble qui comporte, du même problème, deux solutions inverses et symétriques : il s'agit toujours d'assurer la continuité d'une lignée, la survie d'un foyer qui doit demeurer à travers le temps semblable à lui-même — et de l'assurer grâce à un mariage qui, associant un homme et une femme, doit aussi unir une maison à une autre maison, tout en conservant leurs deux foyers bien distincts. Dans le cas de l'épiclérat, la fille de la maison incarne, jusque dans le mariage, le foyer paternel. Ainsi se trouvent réconciliés dans la personne de l'épiclère les deux aspects d'Hestia, habituellement dissociés chez les créatures mortelles : la fille vierge du père, la femme réservoir de vie d'une lignée. Mais on doit aussitôt noter que l'épiclérat requiert des circonstances tout à fait exceptionnelles justifiant l'inversion des règles ordinaires du mariage : il faut que le père et le fils qui, dans le jeu normal des institutions, représentent la continuité de la lignée familiale, fassent l'un et l'autre défaut. C'est *faute de mâles* — ces maillons à travers lesquels se tisse la chaîne de la lignée — que la fille acquiert vocation pour procréer un enfant susceptible de perpétuer la race paternelle. Encore faut-il, pour qu'elle continue la maison du père, qu'un consanguin de celui-ci s'unisse à elle, réalisant, sous une forme licite parce que seulement symbolique, cette union interdite du père et de la fille qui apparaît idéalement comme la plus propre à sauvegarder de génération en génération la pureté du foyer domestique. Au reste ce qui est gagné en cohérence, du point de vue des rapports d'Hestia avec la jeune fille qui la représente, se paie au prix d'une nouvelle, et fondamentale, contradiction. Pour donner un fils à un homme qui n'en avait pas — c'est-à-dire pour se conformer au principe de filiation *per viros* —, on a été obligé d'avoir recours, exceptionnellement, au principe inverse d'une filiation utérine et de rattacher le fils de l'épiclère, le θυγατριδοῦς, non à son père mais à sa mère.

Ainsi se dessine dans la pensée sociale du Grec, face à l'image de l'homme agent exclusif de l'œuvre génératrice, l'image non moins puissante de la femme, véritable source de vie où s'alimente la fécondité des « maisons ». La déesse du foyer, suivant les cas, est susceptible de justifier aussi bien l'une que l'autre de ces deux images opposées. Hestia nous semble avoir en effet pour fonction spécifique de marquer l'« incommunicabilité » des divers foyers : enracinés en un point défini du sol, ils ne sauraient jamais se mélanger mais restent « purs » jusque dans l'union des sexes et l'alliance des familles. Dans le mariage ordinaire, la pureté du foyer se trouve assurée par l'intégration de l'épouse à la maison de son mari (Hestia étant vierge, la femme ne représente son propre foyer que dans la mesure où elle demeure vierge ; dans le mariage et dans la procréation, elle cesse de représenter son foyer ; on pourrait dire qu'elle est « neutralisée » ; elle ne joue plus de rôle, elle est purement passive ; l'homme seul est actif). Dans l'épiclérat au contraire, la pureté du foyer, s'incarnant dans la fille, apparaît d'autant mieux préservée que l'époux intervient moins dans la procréation. A la limite, la fille peut être considérée comme la seule puissance réellement génératrice et l'enfant traité comme s'il était exclusivement celui de sa mère [87].

87. C'est donc au tour de l'époux d'être « neutralisé » en tant qu'il représente une maison différente de celle du père. Sa parenté de sang avec le père de sa femme est à la fois le signe et l'instrument de cette

Cet aspect « maternel » d'Hestia renforce encore l'analogie, que nous avons déjà signalée, entre le foyer rond et cet autre objet symbolique, lui aussi de forme circulaire et à valeur de centre, qu'est l'*omphalos*. Sur certaines représentations, Hestia est figurée assise, non sur son autel domestique, mais sur un *omphalos* [88]. On sait que l'*omphalos* de Delphes passait pour le siège d'Hestia [89]. A l'époque historique, on pourra appeler l'autel du Foyer commun, de l'Hestia *koinè*, établi au centre de la ville, l'*omphalos* de cité [90].

Renflement du sol ou pierre ovoïde, l'*omphalos*, qui a rapport avec la Terre et qui parfois est qualifié de *Gè*, représente tout à la fois un point central, un tombeau, un réservoir d'âmes et de vie. Marie Delcourt a bien vu ce dernier aspect [91]. Elle note que, par son nom : ombilic, et par sa forme en saillie, l'*omphalos* évoque les deux cas où le nombril, au lieu de s'inscrire en creux, fait éminence : l'ombilic de la femme enceinte à la fin de sa grossesse, celui du nouveau-né qui ne s'aplatit qu'après plusieurs jours. De plus l'*omphalos* désigne, en dehors du nombril, le cordon ombilical qui rattache l'enfant à sa mère comme la tige relie la plante à la terre qui l'a nourrie. On comprend que les médecins grecs aient vu dans l'*omphalos* une racine, la racine du ventre, et que Philolaos, le pythagoricien du Ve siècle, en ait fait, chez l'homme, le principe de l'enracinement (ῥίζωσις) [92]. Enracinement d'une géné-

---

neutralisation. En effet, dans le cas d'un homme, la simple συνοίκησις ne saurait suffire puisque l'homme, contrairement à la femme, n'a pas vocation domestique et qu'il ne peut s'assimiler les vertus du foyer. C'est par le sang, par la race, que l'homme se rattache à une maison ; ou — à défaut du sang — par un acte d'adoption qui établit, lui aussi, un lien direct de père à fils, un rapport agnatique ; cf. L. Beauchet, *op. cit.*, 2, p. 7.

88. Cf. P. Roussel, « L'Hestia à l'Omphalos », *Revue archéologie*, 1911, 2, p. 86-91.

89. Cf. Eschyle, *Euménides*, 165 et 168 ; et l'étude de Jean Audiat, « L'hymne d'Aristonoos à Hestia », *Bulletin de correspondance hellénique*, 1932, p. 299-317.

90. Cf. L. Gernet, *loc. cit.*, p. 22.

91. M. Delcourt, *L'Oracle de Delphes*, Paris, 1955, p. 144-149.

92. L'*omphalos* est « principe de l'enracinement et de la croissance de l'embryon (ῥιζώσιος καὶ ἀναφύσιος τοῦ πρώτου) » (Philolaos, ap. Diels-Kranz, I, p. 413, 6-7).

ration dans la génération précédente, mais aussi enracinement du rejeton humain dans la terre de la maison paternelle : « L'*omphalos*, écrit Artémidore dans sa *Clé des songes*, représente les parents aussi longtemps qu'ils sont encore en vie ; sinon, la patrie dans laquelle chacun est né comme il est né de l'ombilic. Rêver qu'il arrive quelque chose de mauvais à son nombril, cela signifie qu'on sera privé de ses parents ou de sa patrie, et pour celui qui se trouve en terre étrangère, ἐπὶ ξένης, qu'il n'y aura plus de retour chez soi [93]. »

Corrélativement, l'autel rond du foyer, symbole de l'espace clos de la maison, peut évoquer le ventre féminin, réservoir de vie et d'enfants. « Le foyer, écrit Artémidore, signifie la vie et la femme de celui qui le voit [94] », et plus loin : « Allumer le feu qui s'enflamme sur le foyer ou dans le four signifie un engendrement d'enfant ; car le foyer et le four sont semblables à la femme [...] en eux le feu prédit que la femme sera enceinte [95]. » Il faut noter ici la valeur religieuse de certaines formes géométriques. Comme l'*omphalos* — et contrairement à l'Hermès quadrangulaire (Hermès τετράγωνος) [96] — le foyer d'Hestia est rond. On a toute raison de penser que le cercle caractérise en Grèce les puissances à la fois chthoniennes et féminines, qui se rattachent à l'image de la Terre-Mère, enfermant dans son sein les morts, les générations humaines et les croissances végétales [97]. A l'âge de la cité et de l'établissement du Foyer commun dans le prytanée, Hestia reste associée à un type de construction en rotonde, la tholos, seul exemplaire grec d'une architecture religieuse de forme circulaire, rappelant l'*aedes Vestae* et le *mundus* des Romains [98].

93. Artémidore, I, 43 (cité dans M. Delcourt, *op. cit.*, p. 145). En ce qui concerne l'expression ἐπὶ ξένης, on notera le parallélisme avec Hestia, en IV, 34, et V, 27.

94. Artémidore, I, 74.

95. *Ibid.*, II, 10. Sur le rapport entre le four et le ventre féminin, cf. Hérodote, V, 92, 5 *sq.* : enfourner ses pains dans un four froid signifie s'unir à une femme alors qu'elle est morte.

96. Hermès, *Tétragônos*, cf. Héraclite, *Allégories d'Homère*, 72, 6.

97. On rappellera la formule hippocratique, *Traité du régime*, IV, 92 : « Des morts nous viennent les nourritures, les croissances et les semences. »

98. Cf. F. Robert, *Thymélé. Recherches sur la signification et la destination des monuments circulaires dans l'architecture religieuse de la Grèce*, Paris, 1939.

On a cru longtemps que l'Hestia commune était localisée dans la tholos. On sait aujourd'hui que ce n'est pas toujours le cas : le prytanée et la tholos peuvent être distincts. Mais, comme le note Louis Gernet, il ne faudrait pas aller trop loin dans la négation [99]. A Delphes, la tholos de Marmaria était bien l'emplacement du Foyer public. A Mantinée, suivant Pausanias, l'Hestia *koinè* se trouvait dans une rotonde qui contenait aussi une tombe de héros [100]. A Olympie, à Sicyone, le prytanée comportait plusieurs bâtiments ; ceux qui abritaient Hestia peuvent avoir été de forme circulaire. Au reste le nom même que porte la tholos à Athènes et à Sparte souligne, nous semble-t-il, les affinités entre ce type d'édifice circulaire et le symbolisme religieux propre à Hestia. Dans ces deux cités la tholos s'appelle *skias*, terme qui tantôt évoque les σκιάδες, huttes de branchage et de feuillage, en forme de tente, que les Lacédémoniens construisaient lors des *Carneia*, tantôt le σκίρον, large parasol (σκιάδειον) que les Athéniens promenaient à la fête des Skirophories. Quoi qu'il en soit, l'épithète de σκιάς rattache la tholos à ce domaine de l'obscurité ombreuse qui caractérise, par opposition à l'espace extérieur, les formes diverses de l'enclos protégé, du dedans : monde souterrain, étendue domestique, ventre de la femme.

Nous avons vu déjà comment le rejeton qu'Agamemnon a planté dans son foyer, au centre du royaume, « ombrage » en grandissant toute la terre de Mycènes, c'est-à-dire étend jusqu'aux dernières limites du territoire l'ombre rassurante qui fait de la maison un abri couvert, domaine intime où les femmes peuvent se sentir chez elles [101]. En contraste avec le

99. L. Gernet, *Anthropologie*, p. 385.

100. Pausanias, VIII, 9, 5 ; cf. aussi Jean Charbonneaux, « Tholos et Prytanée », *Bulletin de correspondance hellénique*, 1925, p. 158-178.

101. Sophocle, *Électre*, 416 *sq.* On comparera ce texte à Eschyle, *Agamemnon*, 965 *sq.* Dans les deux cas, l'homme est la racine (ῥίζα) implantée dans la terre et qui, se développant en arbre, protecteur de la maison, confère au foyer (ἑστία) son caractère « ombreux ». Eschyle fait dire à Clytemnestre, accueillant Agamemnon avec une jolie feinte, après son retour : « Tant qu'il y a racine, le feuillage revient sur la maison étendre son ombre protectrice de la canicule ; de même, ton retour au foyer de la maison, c'est vraiment, en hiver, le retour de l'été ; et (dans les jours de la canicule) si la fraîcheur (ψῦχος) règne dans la maison, c'est que le maître y est retourné. »

grand air du dehors — éclatant de soleil et de lumière le jour, obscurci d'une opacité angoissante la nuit — l'espace du foyer, féminin et ombreux, implique, dans le clair-obscur de l'âtre, sécurité, tranquillité et même une mollesse indigne de l'état viril. Xénophon pourra dire que si les artisans sont mous de corps et d'âme lâche, c'est que leur métier les contraint à demeurer à l'intérieur des maisons, à vivre dans l'ombre, σκιατραφεῖσθαι, près du feu, comme les femmes [102]. Dans le *Phèdre*, Platon oppose les garçons solides et virils, élevés ἐν ἡλίῳ καθαρῷ, en plein soleil, dans le stade et dans la palestre (Hermès), à ces tendrons sans virilité, dont la chair est blanche comme celle des femmes, parce qu'ils ont été nourris ὑπὸ συμμιγεῖ σκιᾷ, à couvert de l'ombre mêlée de demi-jour [103].

L'*Hymne homérique à Déméter* nous apporte, sur ce point, une indication plus précise [104]. Errant dans la campagne, après avoir fui sa demeure olympienne, Déméter s'est arrêtée non loin d'un puits. Assise ἐν σκιῇ, à l'ombre, au pied d'un olivier touffu, elle ressemble à une vieille femme comme sont les nourrices des rois ou, au plus profond de leurs demeures, les intendantes (ταμίαι). Les filles de Célée, souverain d'Éleusis, l'aperçoivent ; elles s'étonnent de la voir ainsi au-dehors et la questionnent : « Pourquoi t'es-tu écartée de la ville au lieu d'approcher des maisons ? C'est là, *dans les salles pleines d'ombre*, que se trouvent les femmes de l'âge qu'on te voit, et d'autres aussi plus jeunes [105]. » Les μέγαρα σκιόεντα ne laissent pas d'évoquer l'expression dont se sert Apollon, définissant, dans les *Euménides*, le statut familial

102. *Économique*, IV, 2.

103. *Phèdre*, 239 c. Agésilas, voulant persuader ses soldats qu'ils avaient à combattre, dans leurs adversaires asiatiques, plutôt des femmes que des hommes, fit mettre nus les prisonniers qu'il avait faits : leur corps blanc et mou, à cause de leur habitude d'une vie passée à l'ombre dans la maison, sans jamais se dévêtir pour les exercices physiques de la palestre, fut pour les Lacédémoniens un objet de dérision et de mépris ; Xénophon, *Helléniques*, III, 4, 19 ; Plutarque, *Vie d'Agésilas*, 600 e ; *Apophtegmata Laconica*, 209 c ; *Questions romaines*, 28. Sur les peintures des vases, la règle veut que les personnages féminins s'opposent aux masculins comme peau blanche à peau brune.

104. *Hymne homérique à Déméter*, 98 *sq*.

105. *Ibid.*, 113-117.

d'Athéna : en ce qui la concerne, la déesse n'a pas eu de mère, elle n'a pas été nourrie ἐν σκότοισι νηδύος, dans les ténèbres d'un giron [106]. Le rapprochement nous permet-il de supposer, dans le jeu des thèmes mythiques, comme une correspondance entre l'image de la maison ombreuse, symbolisée par Hestia, et celle du giron féminin? L'examen des diverses valeurs sémantiques d'un mot comme θάλαμος, apparenté lui-même à θόλος, orienterait vers une réponse positive. Le terme désigne l'appartement réservé aux femmes, dans la partie la plus reculée, la plus secrète, la plus profonde de la maison [107]. Rigoureusement interdit à l'étranger (espace du dedans), fermé par une porte verrouillée pour que même les esclaves mâles n'y puissent avoir accès (espace féminin) [108], ce « fond » de la demeure humaine souvent qualifié de μυχός [109] comporte un aspect chthonien : le θάλαμος évoque parfois de façon explicite l'idée de cache souterraine; la prison de Danaé [110], l'antre de Trophonios [111], un tombeau [112] pourront être appelés θάλαμος. Mais en même temps le θάλαμος a rapport au mariage : il désigne tantôt la chambre de la jeune fille avant ses noces [113], tantôt la chambre nuptiale, ou même, plus précisément, la couche nuptiale [114]; le verbe θαλαμεύω signifie : mener au lit nuptial,

106. Eschyle, *Euménides*, 665; cf. la formule employée par Aristophane, *Oiseaux*, 694 : dans la matrice sans fond de l'Obscurité, 'Ερέβους δ' ἐν ἀπείροσι κόλποις.

107. Cf. *Odyssée*, XXIII, 41 *sq*. Pendant que se déroule, dans le *megaron*, le massacre des prétendants, toutes les femmes du palais se terrent dans le fond de leurs chambres (μυχῷ θαλάμων), aux murs épais et portes closes.

108. Cf. Xénophon, *Économique*, IX, 3.

109. Sur les rapports de μυχός (antre, fosse au-dessous du niveau du sol) et de θαλάμος, cf. A. J. Festugière, « Les mystères de Dionysos », *Revue biblique*, avril-juillet 1935, p. 36; L. R. Palmer, « The homeric and the indo-european house », *Transactions of the Philological Society*, 1947, p. 92-120. Le terme μυχός peut désigner aussi l'autel bas du foyer (*eschara*). Cf. Euripide, *Médée*, 397 : μυχοῖς ἑστίας, les profondeurs du foyer.

110. Sophocle, *Antigone*, 947.

111. Euripide, *Ion*, 394.

112. Euripide, *Suppliantes*, 980.

113. *Odyssée*, VII, 7.

114. *Iliade*, XVIII, 492; Pindare, *Pythiques*, II, 60. Pollux définit le θάλαμος : le dieu de l'union conjugale (τόπος τοῦ γάμου).

épouser [115]. Dans un dernier sens enfin le mot θάλαμος s'applique à cette cachette, retranchée au plus secret de la demeure [116], où la femme serre, pour les mettre en réserve, les richesses domestiques sur lesquelles elle a, en tant que maîtresse de maison, la haute main : c'est parfois l'épouse, parfois la fille qui nous est donnée comme détentrice des clefs de ce « trésor » secret [117]. Parce qu'elle est vouée au dedans, la femme a en effet pour rôle d'emmagasiner les biens que l'homme, tourné vers l'extérieur, a fait rentrer dans la maison. Sur le plan des activités économiques, la femme représente la « thésaurisation », l'homme l'« acquisition ». La première range, conserve et distribue à l'intérieur de l'*oikos* les richesses que le second a gagnées par son labeur au-dehors. Le sentiment est si fort de cette polarité entre les fonctions économiques des deux sexes qu'il s'exprime aussi bien chez les laudateurs que chez les détracteurs de la femme, et toujours par le même type de comparaison. Chez un Xénophon [118], l'épouse modèle est assimilée à la reine des abeilles qui demeure dans la ruche veillant à ce que le miel, récolté au-dehors, s'accumule en abondante réserve dans les cellules des alvéoles (ces alvéoles circulaires qui portent, elles aussi, le nom de θάλαμος ou θαλάμη) [119]. Chez Hésiode, en contraste avec l'homme qui peine durement à l'extérieur pour faire croître les richesses de la terre et pour faire affluer dans

115. Héliodore, IV, 6.

116. *Odyssée*, XXI, 8-9. On retiendra l'expression θάλαμον ἔσχατον, à rapprocher de la glose d'Hésychius : *Hestia* : ἐσχάτη (à l'extrémité, ultime). On sait que, d'après Cornutus, *Theol.*, 28, Hestia est à la fois πρώτη et ἐσχάτη, la première et la dernière.

117. La femme, maîtresse des clefs du trésor : Eschyle, *Agamemnon*, 609-610 ; la fille vierge, détentrice du même privilège : Eschyle, *Euménides*, 827-828.

118. Xénophon, *Économique*, VII, 20-21, 25, 35-36 ; en 39, l'épouse dit à son mari : mon rôle est d'assurer la garde et la distribution des choses du dedans, ἔνδον, ce qui serait ridicule si tu n'étais pas là pour faire rentrer du dehors quelque provision ἔξωθέν τι εἰσφέροιτο. Le mari répond : c'est moi qui apparaîtrais ridicule de faire rentrer un apport s'il n'y avait quelqu'un pour conserver ce que j'ai apporté à l'intérieur. On notera que garde et distribution (φυλακή et διανομή) — telles sont précisément les fonctions de la *Hestia Tamia*.

119. Xénophon, *Économique*, VII, 33.

la maison les biens nécessaires à la vie, la femme est présente, au sein de la ruche, comme le frelon, qui engrange les richesses acquises par l'époux-abeille, non plus dans le θάλαμος de leur commune demeure, mais directement au fond de son propre ventre : « Demeurant au-dedans à l'abri des ruches bien couvertes, elle engrange dans son ventre le fruit des peines d'autrui [120]. »

Si la femme, pour reprendre la formule même de Platon, « imite » la terre en accueillant en elle la semence que le mâle y a fait pénétrer, la maison, comme la terre et comme la femme, reçoit et fixe aussi en son sein les richesses que l'homme y apporte. L'enclos de la demeure n'est pas destiné seulement à abriter le groupe familial. Il loge les biens domestiques qui peuvent y être concentrés, stockés, conservés. On ne s'étonnera donc pas de voir la déesse féminine qui symbolise le dedans, le centre et le fixe, directement associée à cette fonction de l'habitat, qui infléchit la vie de l'*oikos* dans une double direction : d'abord — et par opposition à la circulation des richesses, qu'Hermès patronne (échanges, gains, et dépenses) — une tendance à la thésaurisation (cette tendance se traduit, aux époques archaïques, par la constitution de réserves alimentaires emmagasinées dans les jarres du cellier et par l'accumulation de biens précieux, du type des ἀγάλματα, verrouillés dans les coffres du θάλαμος ; à l'âge de l'économie monétaire, elle pourra devenir capitalisation) ; ensuite — et par opposition à des formes communautaires de vie sociale —, une tendance à l'appropriation : dans le cadre d'une économie distributive [121], chaque maison apparaît solidaire d'un lot de terre, séparé et différencié, chaque

120. Hésiode, *Théogonie*, 598-599. Dans cette charge antiféminine qui identifie entièrement le θάλαμος domestique et le γαστήρ féminin, le couple des deux activités complémentaires : acquisition (homme, Hermès)-thésaurisation (femme, Hestia) se transforme en conflit des deux contraires : labeur (masculin)-dépense (féminin). Ajoutons que, pour Hésiode, la femme ne se contente pas de « sécher sans torche » son mari par son appétit alimentaire, en dévorant le fruit de son travail sur la terre (*Travaux*, 705), elle le « sèche » aussi par un appétit sexuel que la canicule ne rend que plus exigeant (*Travaux*, 586-587).

121. Sur l'opposition entre économies totalitaire et distributive, cf. Georges Dumézil, *Mitra-Varuna*, Paris, 1940, p. 155 *sq*.

foyer familial veut pouvoir pleinement disposer du κλῆρος, dont il tire sa subsistance et qui le distingue des autres groupes domestiques.

C'est sous le titre d'Hestia Tamia que la déesse du foyer assume ce double rôle de concentration de la richesse et de délimitation des patrimoines familiaux. Dans les palais des rois homériques, la ταμία est l'intendante économe qui règle l'organisation du travail domestique et veille sur les provisions [122]. A l'âge de la cité le mot ταμίας servira à désigner le trésorier administrant les fonds de l'État ou les biens sacrés, propriétés des dieux. Deux témoignages confirment qu'à une époque tardive encore Hestia continue à patronner la thésaurisation des richesses. En premier lieu, Artémidore nous indique qu'Hestia, ou les images de la déesse, vues en rêve par qui est citoyen, représentent « le fonds des revenus publics [123] ». En second lieu, un rituel de Cos, que nous connaissons par une inscription du IIIe siècle avant notre ère, comporte un détail significatif : il s'agit d'un sacrifice à Zeus Polieus auquel Hestia Tamia est, dans la fête, intimement associée. Parmi tous les bœufs présentés par les fractions des diverses tribus, la bête qui doit être sacrifiée à Zeus se trouve désignée au terme d'une longue procédure analogue, sans doute, à celle qui était utilisée, à Athènes, aux Dipolies. La

122. Il y aurait toute une étude à faire sur le personnage et les fonctions de la ταμία homérique, sur ses rapports avec Hestia. Soulignons seulement quelques points. Dans le palais d'Ulysse, Euryclée est à la fois l'intendante, la nourrice, et la préposée aux feux. Au temps de sa jeunesse, Laërte l'a obtenue, contre vingt bœufs, de son père Ops (l'Œil), fils de Pisenor. C'est dans cette famille des Pisenor que se recrutent, en Ithaque, les hérauts (*Odyssée*, II, 38). Dans le palais, Laërte a honoré Euryclée à l'égal de son épouse, mais il s'est abstenu de tout commerce intime avec elle (*Odyssée*, I, 431). Euryclée a nourri Ulysse qu'elle appelle son enfant. C'est à son initiative qu'Autolycos, aïeul maternel d'Ulysse, a été invité à choisir un nom pour le nouveau-né (*Odyssée*, XIX, 403). Son rôle est de veiller sans trêve sur tous les biens de la maison. On rend hommage à sa vigilance, à sa prudence, à son esprit avisé. Elle est une φύλαξ accomplie. Les mêmes qualités sont exigées de la ταμία par Xénophon, *Économique*, IX, 11 : elle ne doit être portée ni sur la nourriture, ni sur la boisson, ni sur le sommeil, ni sur les hommes ; il lui faut une parfaite mémoire. Mais la vraie ταμία, la meilleure φύλαξ de la maison, ce doit être l'épouse elle-même (IX, 14-15).

123. Artémidore, II, 37 ; cf. L. Gernet, *loc. cit.*, p. 397.

victime ayant été ainsi sélectionnée, elle est conduite jusque sur l'*agora*. Évalué en monnaie, son prix est déclaré publiquement par les soins du héraut (κῆρυξ). Son propriétaire proclame alors que ses concitoyens devront acquitter cette somme, non pas à lui, mais à Hestia. Comme l'observe L. Gernet, la valeur du bœuf se trouve ainsi, dans une économie monétaire, « capitalisée » par Hestia, gardienne et garante des richesses de la cité [124].

Il faut d'autre part souligner le rapport d'Hestia avec ce que le même auteur appelle une économie « discrète » dominée par le *suum cuique*. A Tégée, le Foyer commun des Arcadiens se trouvait associé à un Zeus *Klarios*, lotisseur (cf. κλῆρος, portion, patrimoine) — épithète qui rappelait la première répartition du territoire arcadien divisé, par tirage au sort, entre les trois fils d'Arcas [125]. A Athènes, le premier acte de l'archonte, magistrat qui, dit Aristote [126], tient sa dignité du Foyer commun et qui, dès l'origine, a résidé dans le prytanée [127], consiste, aussitôt installé, à faire proclamer par le héraut que « chacun restera jusqu'au terme de sa magistrature possesseur et maître des biens qu'il possédait avant son entrée en charge [128] ».

Ces témoignages concernent le Foyer commun, l'Hestia de cité, devenue centre de l'État et symbole de l'unité des citoyens. Pour les apprécier correctement il faut les situer dans une perspective historique, les rapporter à ce que nous pouvons apercevoir d'un passé plus ancien, antérieur au régime de la cité, quand Hestia n'est pas encore le Foyer commun, mais l'autel familial, et que son symbolisme traduit, tout spécialement, les vertus éminentes de la maison royale [129].

124. Sur le rituel de Cos, cf. Ioannes von Prott et Ludwig Ziehen, *Leges Graecorum sacrae e titulis collectae*, I, *Fasti Sacri*, Leipzig, 1896, Coi, n. 8 ; L. R. Farnell, *op. cit.*, V, p. 349 *sq.* ; Martin P. Nilsson, *Griechische Feste*, p. 17 *sq.*; A. B. Cook, *op. cit.*, III, t. 1, p. 564 ; L. Gernet, *loc. cit.*, p. 33.

125. Pausanias, VIII, 53, 9.

126. *Politique*, 1322 b *sq.*

127. Aristote, *Constitution d'Athènes*, III, 5.

128. *Ibid.*, LVI, 2.

129. Sur le rapport historique entre le foyer royal mycénien et le Foyer commun de la cité, cf. L. R. Farnell, *op. cit.*, V, p. 350 *sq.*

Or la richesse du roi a deux aspects — on pourrait dire deux pôles. D'une part les biens qui se prêtent à thésaurisation et qui peuvent être emmagasinés dans le palais : réserves alimentaires, bien entendu, mais aussi les divers types d'ἀγάλματα : tissus, métaux précieux, *sacra* chargés de puissance, utilisés comme signes de pouvoir, blasons, instruments d'investiture. Ainsi Pénélope, dans le palais d'Ulysse, descend avec ses femmes au fond du θάλαμος où le maître a mis sous clef ses trésors [130] : tissus enfermés dans des coffres, bronze, or, et fer travaillé; enfin l'arc, qu'Ulysse est seul à pouvoir tendre et qui apparaît, dans la suite du poème, comme l'outil de sa vengeance, symbole et restaurateur de la souveraineté légitime. A tous ces objets s'applique le terme de κειμήλια, marquant qu'il s'agit de biens immobilisés, destinés à demeurer sur place (cf. le verbe κεῖμαι : être couché immobile) [131]. L'autre aspect de la richesse royale est constitué par les troupeaux [132]. Trésor et troupeaux font contraste, sur le plan des valeurs économiques, comme le dedans et le dehors, le fixe et le mobile, l'enclos domestique et l'espace ouvert de l'ἀγρός. Ce que les Grecs appellent ἀγρός, c'est en effet, par opposition au monde de la ville,

130. *Odyssée*, XXI, 8 *sq*.

131. Il faut noter la formule : κειμήλια κεῖται (*Iliade*, VI, 47; *Odyssée*, XXI, 9). Au chant I de l'*Odyssée* (312 *sq*.), Télémaque offre à son hôte un cadeau en lui disant : je te le donne afin qu'il soit, de moi à toi, un κειμήλιον, c'est-à-dire un souvenir que tu conserves. De même au chant XXIII de l'*Iliade* (618), Achille donne à Nestor une coupe : que ce soit pour toi un κειμήλιον en souvenir des funérailles de Patrocle; cf. aussi Platon, *Lois*, 913 a.

132. La présence, dans les troupeaux d'Atrée, d'un agneau à la toison dorée ou pourpre est le signe de la vocation du fils de Pélops à la royauté. Hermès est parfois présenté comme ayant lui-même engendré l'agneau d'or, symbole d'investiture royale (Euripide, *Oreste*, 995). C'est lui, en tout cas, qui intervient pour rétablir la souveraineté légitime quand Thyeste, dans son conteste avec Atrée, fait frauduleusement montre de la bête royale qui appartient aux troupeaux de son frère. Les rapports d'Hermès avec le bélier, blason de royauté, sont parallèles à ceux qui l'unissent au σκῆπτρον, symbole mobile de la souveraineté, que le dieu des échanges transmet de Zeus aux Atrides comme il leur apporte le bélier d'or. Sur la place d'Hermès dans les mythes de Toison d'or et sur ses liens avec la fonction royale, on trouvera des remarques intéressantes dans l'étude déjà citée de J. Orgogozo.

à la maison et même aux champs cultivés, le domaine pastoral, les terrains voués au parcours, l'espace libre où l'on mène les bêtes et où l'on poursuit les fauves à la chasse, la campagne lointaine et sauvage qu'animent les troupeaux [133]. Quand Xénophon oppose l'espèce humaine au bétail, c'est précisément parce que les hommes ont besoin d'un toit alors que les troupeaux vivent ἐν ὑπαίθρῳ [134]. Au reste, le mot qui désigne le bétail, πρόβατον, est assez parlant : il signifie, au sens propre, ce qui marche, ce qui se déplace. La formule κειμήλιον καὶ πρόβασις (qui exprime, à travers l'antinomie de κεῖμαι, être couché, et de προβαίνω, avancer, le double aspect de la fortune prise dans son tout [135]), souligne clairement le contraste entre la richesse qui « gît » dans la maison et celle qui « court » la campagne. A travers l'étendue de l'ἀγρός, Hermès pastoral [136] (Hermès 'Αγροτήρ, Hermès Νόμιος) pousse, en les menant de son bâton magique, les troupeaux sur lesquels, en tant que dieu des bergers [137], il a pouvoir, tout comme Hestia patronne, en tant que divinité domestique, les biens fixes dans la maison [138]. « Sur les vaches agrestes, les chevaux et les mules, sur les lions, les san-

133. Sur la valeur de ἀγρός, cf. Pierre Chantraine, *Études sur le vocabulaire grec*, Paris, 1956, p. 31-35.

134. *Économique*, VII, 19.

135. Sur la valeur de πρόβατον et sur l'opposition κειμήλια-πρόβασις, cf. E. Benveniste, « Noms d'animaux en indo-européen », *Bulletin de la Société de linguistique*, 45, 1949, p. 91-100. Le double aspect de la richesse peut se trouver exprimé dans une formule comme celle d'Hésiode (*Travaux*, 308) : « C'est par le travail que les hommes deviennent riches en troupeaux et en or, πολύμηλοι τ'ἀφνειοί τε (trad. Mazon) ». Αφνειός se rapporte en effet à un autre type de richesse que les troupeaux : une opulence qu'on tient emmagasinée dans les maisons ou dans les cités. Le terme se réfère, dans *Odyssée*, I, 392, à une maison ; dans *Iliade*, II, 570, à une ville, Corinthe. Sur Corinthe ἀφνειός, cf. Thucydide, I, 13, 5. Voir aussi *Odyssée*, I, 165, où s'accuse l'opposition entre hommes « aux pieds légers » (ἐλαφρότεροι πόδας) et hommes alourdis par la possession de ce genre de richesses que constituent l'or et les tissus de prix (ἀφνειότεροι).

136. Hermès ἀγροτήρ, cf. Euripide, *Électre*, 463 ; Hermès νόμιος, cf. Aristophane, *Thesmophories*, 977.

137. Cf. Simonide d'Amorgos, fr. 18, Diehl^3 : Hermès, divinité tutélaire des bergers. On pensera aussi à l'importance, dans la plastique religieuse, du type de l'Hermès *Criophoros*, portant un bélier sur les épaules.

138. Cf. *Scholie* à Aristophane, *Ploutos*, 395.

gliers et les chiens, sur les moutons que nourrit la vaste terre, sur toute bête qui marche à quatre pattes, πᾶσι δ'ἐπὶ προβάτοισι, Zeus a donné à Hermès de régner, ἀνάσσειν » — telle est la conclusion de l'*Hymne homérique à Hermès*.

Mais ce n'est pas seulement en marchant que les troupeaux traduisent, dans la fortune, l'aspect de mouvement. Ils constituent aussi la première forme de richesse qui, au lieu de demeurer fixe, est susceptible de s'accroître ou, au contraire, de diminuer. D'abord parce que, avec la complicité d'Hermès voleur de troupeaux, on peut ajouter à ses propres bêtes celles que vous procurent les razzias sur la terre du voisin. Ensuite parce que, si Hermès ἐπιμήλιος, Hermès πολύμηλος (aux troupeaux fournis) [139], vous est favorable, le bétail de lui-même se multipliera et votre richesse fera des petits. Possession et conservation des biens sont du domaine d'Hestia. Mais le mouvement de la richesse, vers le plus ou vers le moins, l'acquisition et la perte, au même titre que l'échange, dépendent du dieu, qui sait comme Hécate, nous dit Hésiode, « faire croître (ἀέξειν) le bétail dans les étables : les troupeaux de bœufs, les vastes parcs de chèvres, les longues colonnes de brebis laineuses, il en fait de peu beaucoup et en réduit beaucoup à peu [140] ». Les Grecs, en pleine économie marchande, n'auront pas de mal à reconnaître, sous les traits de leur dieu du commerce, la figure de l'ancien dieu des bergers : dans le mouvement de l'argent qui sans fin se reproduit lui-même par le jeu des intérêts, ils verront encore le croît du bétail se multipliant à intervalle régulier. Ils appelleront du même mot, τόκος, les intérêts du capital et la jeune portée qu'au retour de la saison nouvelle les bêtes du troupeau mettent bas [141].

L'opposition entre l'espace du foyer, clos et fixe, et l'espace pastoral, ouvert et mobile, nous permet de mieux comprendre et de situer plus exactement une fête familiale comme les

139. Hermès ἐπιμήλιος, cf. Pausanias, IX, 34, 3 ; Hermès πολύμηλος, cf. *Iliade*, XIV, 490.
140. Hésiode, *Théogonie*, 444 *sq*.
141. Cf. Aristote, *Politique*, 1258 b.

Amphidromies. Célébrée, suivant les cas, le cinquième, le septième, ou le dixième jour après la naissance, la cérémonie coïncide parfois avec l'imposition du nom à l'enfant [142]; mais sa fonction propre est de consacrer la reconnaissance officielle du nouveau-né par son père. Le rituel vise manifestement à inscrire l'enfant dans l'espace de l'*oikos*, à le rattacher au foyer dont il est issu. D'après les témoignages dont nous pouvons disposer il comporte deux éléments qu'il faut, semble-t-il, distinguer : d'une part la ronde du nouveau-né, tenu dans les bras (le ou les porteurs courant nus en cercle tout autour du foyer [143]), d'autre part la déposition de l'enfant — à un moment donné, sans doute avant la course — directement sur la terre [144]. Dans le rite des Amphidromies ces deux éléments se renforcent : le contact direct avec le sol de la maison complète l'intégration à l'espace domestique que réalise de son côté la pérégrination de l'enfant suivant un cercle qui se ferme autour du foyer fixe. Cependant, dans certains thèmes légendaires où ces deux éléments se trouvent étroitement associés, on aperçoit entre eux, en même temps que des correspondances, une opposition bien marquée. Les légendes d'immortalisation soulignent en effet le contraste entre deux procédures à l'égard du nouveau-né : d'un côté la tenue de l'enfant au-dessus du foyer, au milieu des flammes ; de l'autre son dépôt, à côté du foyer, à même le sol. La première procédure retient le souvenir d'un rite d'immortalisation dans le feu du foyer ; en contraste avec elle, la seconde marque l'échec de la tentative d'immortalisation, le retour à la pratique normale. Si l'enfant avait pu être totalement « épuré » dans les flammes du foyer, il serait devenu immortel ; déposé à terre, inclus dans l'espace de la maison, il partage la condition ordinaire des humains. Ainsi, dans le palais de Célée, Déméter, nourrice de Démophon, commence par « cacher » (κρύπτειν) l'enfant dans le feu ardent, comme

142. A Athènes, les deux fêtes étaient distinctes. L'imposition du nom avait lieu le dixième jour après la naissance (δεκάτη).

143. *Scholie* à Platon, *Théétète*, 160 e ; Hésychius, *s. v.* Δρομιάμφιον ἦμαρ.

144. *Scholie* à Aristophane, *Lysistrata*, 758.

s'il était lui aussi ce tison (δαλός), dont nous avons vu qu'il peut s'identifier, dans certains mythes, avec le rejeton royal. La déesse aurait, de cette façon, rendu Démophon immortel si la mère, découvrant la scène, n'avait laissé échapper, avec un cri de terreur, des reproches contre l'étrangère cachant son fils en pleine flamme. Courroucée, Déméter arrache alors du feu le petit enfant ; elle le dépose sur le sol : « J'aurais fait de ton fils, dit-elle à Métanire, un être exempt à jamais de vieillesse et de mort ; mais maintenant il n'est plus possible qu'il échappe au destin de la mort [145]. » On retrouve la même structure antithétique dans le récit que fait Apollonius de Rhodes de la tentative d'immortalisation d'Achille par sa mère Thétis [146]. Pendant la nuit, la déesse place son enfant au milieu du feu, pour consumer sa chair mortelle. Quand Pélée aperçoit Achille dans les flammes, il ne peut s'empêcher de pousser des cris. Indignée, Thétis dépose brusquement l'enfant à terre ; le destin d'Achille est alors fixé : enfant d'homme, il est voué à la mort. Un trait commun cependant rapproche et parfois même assimile les deux procédures opposées : l'une et l'autre ont également valeur d'*épreuve* imposée à l'enfant. Certes, l'épreuve par le feu apparaît autrement dangereuse, et par là autrement qualifiante, que le simple dépôt sur le sol. Mais il ne faut pas s'y tromper ; le contact direct avec la terre — et avec les puissances qui y résident, spécialement ces puissances chthoniennes qui ont rapport avec le monde de la mort — ne va pas non plus sans grave péril. La légende montre que le dépôt du nouveau-né à même le sol tantôt provoque la mort de l'enfant, tantôt consacre son immortalité. Il faut d'ailleurs noter que le rite d'immortalisation par le feu, dans lequel l'enfant est « caché », trouve son homologue dans la pratique parallèle de Médée « cachant » dans la terre ses enfants pour les rendre immortels (κατακρυπτεία) [147]. Il est clair que les deux rites

145. *Hymne homérique à Déméter*, 231-263.
146. *Argonautiques*, IV, 869 *sq*.
147. Pausanias, II, 3, 11 ; sur la κατακρυπτεία, cf. Charles Picard, « L'Héraion de Perachora et les enfants de Médée », *Revue archéologique*, 1932, p. 218 *sq*. ; Édouard Will, *Korinthiaca. Recherches sur l'histoire et la civilisation de Corinthe des origines aux guerres médiques*, Paris, 1955, p. 88 *sq*.

d'immortalisation se répondent et s'opposent comme les deux formes de funérailles que les Grecs ont l'une et l'autre pratiquées : le mort est tantôt « caché dans le feu » (incinération), tantôt « caché dans la terre » (inhumation). Dans les deux cas, sa disparition du monde visible est la condition et le signe de son retour dans l'autre monde [148].

Il y a plus : deux légendes, symétriques l'une de l'autre, illustrent tout à la fois les dangers et les vertus de la déposition à même le sol. La première est celle d'Hypsipile [149]. Nourrice d'Opheltès, elle commet la faute de déposer à terre, pour un moment, l'enfant royal que lui ont confié ses parents. Piqué par un serpent, incarnation des puissances chthoniennes, l'enfant meurt aussitôt. Un oracle n'avait-il pas recommandé de ne pas le déposer à terre avant qu'il ne soit en âge de marcher [150] ? L'autre histoire nous oriente dans une direction inverse. Les Éléens défendent leur territoire contre les Arcadiens qui l'ont envahi. Avant la bataille, surgit une femme donnant le sein à son petit. Se prétendant inspirée par un rêve, elle offre l'enfant aux Éléens pour qu'il combatte avec eux. Les chefs militaires le reçoivent de ses mains, ils le portent jusque devant l'armée où ils le déposent nu sur le sol. Aussitôt le nouveau-né se transforme en serpent. La seule vue de la bête jette la déroute dans le camp ennemi. A l'endroit même où le serpent avait disparu dans la terre, les Éléens élèvent un sanctuaire dédié au dieu-enfant Sosipolis, au démon indigène (δαίμων ἐπιχώριος) que leur terre, sous le nom de la déesse-mère Eileithya, avait fait, pour eux, surgir au milieu des hommes [151].

Bien entendu, le dépôt sur le sol n'a pas la même signification suivant qu'il met le nouveau-né en contact avec la terre

148. Nous disons bien retour. Né du foyer, comme il est aussi né de la terre, l'homme revient toujours, dans la mort, au monde dont il est issu.
149. Apollodore, III, 6, 3.
150. Une chose est de marcher sur la terre, tout autre chose d'être couché sur elle. La position debout ne comporte pas les dangers de la position étendue, qui nous livre entièrement aux puissances chthoniennes. Aussi l'enfant nouveau-né, même exposé, n'est-il jamais mis directement en contact avec le sol. Les thèmes d'exposition mentionnent toujours le coffre, λάρναξ, le van λῖκνον ou la marmite, χύτρα.
151. Pausanias, VI, 20, 3-6.

humanisée de l'intérieur de la maison, ou avec la terre sauvage d'un lointain dehors. Dans le contexte des Amphidromies, le dépôt à terre de l'enfant, à proximité du foyer, dans le cercle tracé par la course rituelle autour d'Hestia [152], prend la valeur d'une épreuve de légitimation. Au terme de la cérémonie, le nouveau-né, rattaché au foyer domestique, se trouve accepté, « reconnu » par son père. Rite d'intégration à l'espace familial et à la lignée paternelle, les Amphidromies ont pour contrepartie les pratiques par lesquelles l'enfant est rejeté du foyer, exclu de l'espace clos de l'*oikos*. Tel est en Grèce l'objet des rites d'exposition. Dans l'exposition, comme dans les Amphidromies, l'enfant est *déposé* sur le sol (c'est cet acte de déposition qui est exprimé par le verbe τίθημι) ; mais le lieu choisi fait contraste avec l'enclos de la maison et avec les terres cultivées qui en sont proches comme le domaine d'un espace lointain et sauvage [153]. Ce

152. La *Souda* (*Suidae Lexicon*, éd. A. Adler, Stuttgart, 1971, pars IV), à l'article 1306, περιστίαρχος, nous fait connaître la valeur que peut prendre, dans un contexte tout différent, ce cercle tracé autour du foyer : les porcs, qui servaient à Athènes à purifier l'Assemblée, étaient d'abord promenés autour du foyer ; cf. L. R. Farnell, *op. cit.*, V, p. 363.

153. Le ἀπό, le ἐκ, de ἀπόθεσις, ἔκθεσις marquent également l'écart, l'éloignement. Entre ces deux termes, il ne semble pas y avoir la nette opposition qu'on a cru parfois discerner quant à la procédure de l'exposition (cf. M. Delcourt, *Stérilités mystérieuses et Naissances maléfiques dans l'Antiquité classique*, Liège, 1938, p. 87 *sq.* ; et, *contra*, Pierre Roussel, « L'exposition des enfants à Sparte », *Revue des études anciennes*, 1943, p. 5-17). Pour se convaincre que l'ἔκθεσις, abandon décidé par le père pour des raisons d'ordre social, n'est pas nécessairement le dépôt de l'enfant dans un endroit fréquenté, avec l'espoir qu'il survivra — l'ἀπόθεσις étant au contraire son abandon, pour des impératifs proprement religieux, en un lieu désert pour le faire périr —, on se reportera au texte de l'*Ion* d'Euripide et des *Pastorales* de Longus où le terme ἔκθεσις précisément est employé. Ion nouveau-né a été déposé dans l'antre désert (ἄντρον ἔρημον, 1494) où Hermès viendra le prendre ; il a été exposé aux fauves (θηρσὶν ἐκτεθείς, 951), donné en pâture aux oiseaux (504-505), exposé à la mort (ὡς θανούμενον, 18 et 27), voué à Hadès (εἰς Ἅιδαν ἐκβάλλῃ, 1496). Quant aux *Pastorales* de Longus, on peut dire que toute l'œuvre est construite sur l'opposition entre le monde de l'ἀγρός et le monde de la ville (πόλις et ἄστυ). Exposés ἐν ἀγρῷ (I, 2, 1 ; 4, 1 ; 5, 1 ; IV, 21, 3), loin de la ville où demeurent leurs parents, dans les lieux que fréquentent seulement des bergers à la recherche de leurs bêtes égarées, les deux enfants devenus grands et leur famille retrouvée resteront de purs « pastouraux » (IV, 39, 1). Sur l'opposition ἀγρός-ἄστυ, cf. IV, 11, 1 et 2; 15, 4; 17, 1 ; 19, 1 ; 38, 3 et 4.

pourra être, dans certains cas, la mer ou les fleuves en tant qu'ils sont symboles de l'autre monde. Mais ce sera surtout, loin des maisons, des jardins et des champs, la terre inculte où vivent les troupeaux, l'espace étranger et hostile de l'ἀγρός. Dans la légende héroïque, tout concourt à dessiner autour de l'enfant exposé un paysage pastoral. Les parents, qui rejettent leur progéniture du monde des vivants, la confient à un berger pour qu'il l'emporte et l'abandonne sur les landes ou sur les monts, dans ces terres en friche où il mène paître ses bêtes. Un autre berger la découvre et la recueille ; l'enfant grandit au milieu des troupeaux ; parfois les animaux sauvages le nourrissent.

Que la fête des Amphidromies et les rites d'exposition constituent, dans leur antinomie, comme les deux termes d'une alternative [154], c'est ce que souligne le texte fameux du *Théétète*, où Socrate se compare, dans son rôle d'accoucheur des âmes, à sa sage-femme de mère [155]. Comme la *maia* délivre les femmes en mal d'enfants, Socrate délivre les jeunes garçons des vérités qu'ils portent en eux sans pouvoir les mettre au jour. Mais son art va plus loin que celui des accoucheuses ordinaires : c'est à lui aussi que revient la charge d'« éprouver » (βασανίζειν) le rejeton engendré, pour discerner s'il ne s'agit que d'un faux-semblant mensonger (εἴδωλον καὶ ψεῦδος) ou d'un produit de bonne souche et authentique (γόνιμον τε καὶ ἀληθές) [156].

En quoi consiste cette épreuve ? Quelle en est la contrepartie au cas où l'enfant ne semblerait pas digne de la subir avec succès ? Sur ces deux points, Socrate s'explique de la façon la plus claire. Lorsque le jeune Théétète a réussi, au prix de

154. « Quand il naît un enfant, la question se pose (pour le père de famille) de savoir s'il l'élèvera ou l'exposera... L'exposition de l'enfant était la conséquence du défaut de célébration des Amphidromies, ou, en d'autres termes, du désaveu de paternité qui résultait de ce fait » (L. Beauchet, *op. cit.*, II, p. 87). Cf. aussi G. Glotz, *op. cit.*, p. 41 ; *Études sociales et juridiques sur l'antiquité grecque*, Paris, 1906, p. 192.

155. Platon, *Théétète*, 150 bc.

156. On peut aussi traduire — et G. Glotz semble avoir compris le texte de cette façon — « de bonne constitution et de naissance légitime ». Γόνιμος et ἀληθής peuvent avoir les deux significations. Sur γόνιμος, opposé à νόθος, bâtard, avec le sens de fils légitime, cf. *Anthologie palatine*, IX, 277.

laborieux efforts et avec l'aide du philosophe, à mettre bas son rejeton, Socrate s'adresse à lui en ces termes : « Nous avons eu, ce semble, beaucoup de peine à le mettre au jour, quelle que puisse être sa valeur. Mais l'enfantement achevé, il nous faut célébrer les Amphidromies du nouveau-né et, véritablement, faire courir en cercle tout autour notre raisonnement pour scruter si, à notre insu, ce ne serait pas un produit indigne qu'on le nourrisse, mais rien que vent et fausseté. Ou alors penserais-tu, parce qu'il est tien, qu'il faut de toute façon le nourrir et ne pas l'exposer (τρέφειν καὶ μὴ ἀποτιθέναι) ? Supporteras-tu au contraire qu'on le mette sous tes yeux à l'épreuve de la question, sans que tu sois violemment fâché s'il advient qu'on t'enlève ton premier-né [157] ? »

Il faut rapprocher ce texte de Platon des indications que nous fournit Plutarque sur les pratiques lacédémoniennes correspondantes. L'esprit communautaire qui caractérise le régime de la cité à Sparte ne laisse plus subsister les Amphidromies dans leur forme traditionnelle. Parce qu'il ne s'agit plus désormais de rattacher le nouveau-né au foyer de son père ni au κλῆρος familial, mais de l'inclure dans la communauté civique des *Égaux*, le progéniteur se voit dépouillé du pouvoir de décision concernant son enfant. Mais le dilemme reste posé dans les mêmes termes : soit le nourrir (τρέφειν) c'est-à-dire l'intégrer à l'espace du groupe ; soit l'exposer (ἀποτιθέναι) c'est-à-dire le rejeter du monde humain : « Quand un enfant lui naissait, le géniteur n'était pas maître de l'élever : il le portait en un lieu appelé *leschè* où siégeaient les plus anciens de la tribu. S'il était bien conformé et robuste, ils ordonnaient de l'élever et lui assignaient son κλῆρος parmi les neuf mille lots de terre. Si au contraire il était mal venu et difforme, ils l'envoyaient au lieu dit "dépôts" (ἀποθέται) [158]. » La remarque dont Plutarque fait suivre ce passage souligne l'aspect d'épreuve sur lequel Platon, de son côté, mettait l'accent. Plutarque note qu'à Sparte les femmes, pour les raisons qu'il a déjà dites, ne lavent

157. *Théétète*, 160 c-161 a.
158. Plutarque, *Vie de Lycurgue*, XVI, 1-4.

pas le nouveau-né avec de l'eau, mais avec du vin, « voulant ainsi faire l'épreuve (βάσανον) de sa constitution ».

Nous venons de voir que les Amphidromies, fête centrée autour du foyer, impliquent, dans l'expérience de l'espace auquel elles se réfèrent, cette même polarité que les Grecs ont exprimée, sur le plan de leur panthéon, par le couple Hermès-Hestia. Nous sommes ainsi conduits à étendre l'enquête à d'autres rituels concernant la déesse du foyer, pour rechercher les formes de représentation spatiale qui s'y trouvent engagées.

Deux cas semblent, à cet égard, spécialement éclairants. Le premier nous est connu par un texte de Plutarque, témoin de première main puisqu'il s'agit d'un rituel de Chéronée, dont cet auteur est originaire [159]. Le rite d'« expulsion de la faim » (βουλίμου ἐξέλασις) se déroulait, dans la cité béotienne, sur un double plan : chaque particulier le célébrait pour sa famille à l'intérieur de son foyer ; au même moment, l'archonte l'accomplissait, au nom du groupe, au Foyer commun de la ville. Dans les deux cas, la cérémonie était identique. On frappait un esclave avec une verge (ῥάβδος) [160] d'osier ; on le poussait dehors, l'obligeant à passer la porte, en criant : « Dehors la faim ; dedans richesse et santé [161]. » Le rite est construit sur l'opposition d'un dedans, clos et fixe, à l'intérieur duquel la richesse est retenue (Hestia), et d'un dehors vers lequel on expulse, avec l'instrument même d'Hermès, les forces mauvaises de la faim.

La même opposition se marque, à Athènes, dans l'organisation de l'espace où est situé le prytanée, siège de l'*Hestia Koinè*. A proximité immédiate du prytanée, un terrain était,

159. *Quaestiones Convivalium*, 693 F.

160. Faut-il rappeler que le ῥάβδος est l'attribut d'Hermès et qu'il confère à ce dieu le patronage de certains rites d'« expulsion », en particulier ceux qu'Eustathe (*ad Odys.*, XXII, 481) nomme πομπαῖα, reconduites (cf. Hermès πομπαῖος, Eschyle, *Euménides*, 91 ; Sophocle, *Ajax*, 832) : « Quand on célèbre les πομπαῖα et que s'effectue l'expulsion des souillures vers les carrefours, on tient en mains un πομπός, lequel, à ce qu'on dit, n'est rien d'autre que le κηρύκειον, apanage d'Hermès (σέβας Ἑρμοῦ) ; de ce πομπός et du mot δῖος vient le verbe τὸ διοπομπεῖν. »

161. « Ἔξω βούλιμον, ἔσω δὲ πλοῦτον καὶ ὑγίειαν ! »

en effet, consacré à Βούλιμος, la Faim [162]. Il s'agit évidemment d'un champ qui devait demeurer toujours en friche et qui représente, au cœur de l'espace humanisé de la ville, la terre « sauvage », sur laquelle l'homme ne peut, sous peine d'un sacrilège dont la punition serait la famine, porter la main [163]. Le terrain de *Boulimos* constitue ainsi, par rapport au prytanée, la contrepartie du Βουζύγιον, c'est-à-dire de ce champ qui, au pied même de l'Acropole, faisait l'objet, chaque année, d'un labour rituel exécuté, au nom de la cité, par le Bouzugès [164]. Un point encore est à noter : pendant qu'il accomplissait la cérémonie du labour, qui renouvelait périodiquement l'union du peuple athénien « autochtone » avec son terroir et qui désacralisait à son usage la terre d'Attique pour en permettre la libre culture, le Bouzugès prononçait des imprécations que le sol fraîchement ouvert recueillait et dont il assurait l'efficacité. Le prêtre maudissait d'une part « ceux qui refuseraient de partager l'eau et le feu » (espace de l'hospitalité, Hestia), de l'autre « ceux qui n'indiqueraient pas la route aux égarés, πλανωμένοις » (espace du voyageur, Hermès) [165].

C'est la cité achaïenne de Phares, près de Patrai, qui nous fournira notre second exemple [166]. Il s'agit d'un rituel divinatoire, d'un type assez particulier et qui associe très étroitement Hermès et Hestia. Au milieu d'une vaste *agora*, cernée par un péribole, un Hermès de pierre se dresse, barbu et quadrangulaire. Le dieu, qu'on appelle ἀγοραῖος, rend des oracles. En face de cet Hermès est érigé le Foyer (Hestia). Il comporte, outre l'autel, plusieurs lampes de bronze reliées

162. *Anecdota graeca*, éd. I. Bekker, Berlin, 1814-1821, I, 278, 4; G. Verral et J. Harrison, *Mythology and Monuments of Ancient Athens*, Londres, 1890, p. 168.

163. Sur le rapport entre ce type de sacrilège et la « faim dévorante », cf. l'histoire d'Érysichton, Callimaque, *Hymne à Démétèr*, 30 *sq.*

164. Plutarque, *Conjugalia Praecepta*, 144 b.

165. *Corpus Paroemiographorum Graecorum*, éd. Gaisford, Oxford, 1836, p. 25 : βουζύγης ; cf. L. R. Farnell, *op. cit.*, III, p. 315, n. 17. — Sur le symbolisme domestique du feu et de l'eau, cf. Plutarque, *Questions romaines*, 1 : à Rome, la nouvelle épousée devait « toucher le feu et l'eau ». Il s'agit sans doute d'un rite d'intégration au foyer du mari, comme étaient, en Grèce, les καταχύσματα.

166. Pausanias, VII, 22, 1 *sq.*

avec du plomb. La procédure oraculaire est la suivante. Le consultant pénètre, à la tombée du soir, dans l'*agora*. Il s'en vient d'abord au Foyer. Il y brûle de l'encens, il emplit les lampes d'huile, il les allume. Il dépose sur l'autel d'Hestia une monnaie du pays, sans doute sacrée, qui porte le nom d'« airain ». Alors seulement il se tourne vers Hermès et glisse dans l'oreille du dieu la question qu'il désire poser. La chose faite, il se bouche les oreilles avec ses mains et, dans cette position, se met en marche pour sortir de la place. Dès qu'il a franchi le péribole et qu'il arrive au-dehors (ἐς τὸ ἐκτός), il retire ses mains des oreilles, et la première voix qu'il entend sur son chemin lui fournit la réponse du dieu.

L'*agora* se présente ici comme un espace circonscrit et centré, placé sous le double patronage d'Hermès *Agoraios* et d'Hestia. C'est devant Hestia, au centre de la place, que le consultant, venu du dehors, commence par s'arrêter. C'est par le contact avec le foyer, en y brûlant l'encens, en allumant les lampes tout autour de la déesse, que l'étranger se pénètre des vertus religieuses requises pour interroger l'oracle du lieu. C'est à Hestia enfin qu'il acquitte le prix de sa consultation parce que c'est elle qui représente, dans le couple divin, la puissance de permanence et de thésaurisation. Le mode de consultation de l'oracle souligne au contraire l'aspect mobile d'Hermès. La réponse du dieu se dévoile : 1) à travers le mouvement même du consultant qui doit se remettre en marche pour la connaître, 2) au moment où, quittant l'enclos de l'agora, il aborde l'espace extérieur, 3) dans le fait d'attraper au vol une voix — cette φωνή mobile, légère, insaisissable —, la voix du premier venu que le hasard lui fait croiser sur son chemin, 4) dans la distance que l'oracle établit entre la question, posée au centre de l'agora, comme est déposé au centre, pour y demeurer à jamais, le prix de la consultation, et la réponse que le dieu fait connaître au-dehors, dans un autre espace que celui où sa propre image est érigée.

Notre recherche avait pour point de départ la présence, dans le panthéon grec, d'une structure particulière bien attestée : le couple Hermès-Hestia. L'analyse des textes, qui mettaient l'accent sur les liens unissant le dieu et la déesse, a permis de dégager la relation de chacune de ces deux divinités avec des aspects définis et opposés de l'espace. Nous avons été ainsi conduit à quitter le domaine des pures représentations religieuses et à orienter notre enquête, non plus seulement vers les idées que les Grecs se sont faites de leurs dieux, mais vers les pratiques sociales dont ces idées apparaissent solidaires. Nous avons examiné les diverses institutions qui, dans leur fonctionnement même, font référence de façon explicite au foyer et aux valeurs religieuses qu'il représente. On peut dire que cet ensemble de pratiques institutionnelles, gravitant autour du foyer posé comme centre fixe, traduisent un aspect de l'expérience archaïque de l'espace chez les Grecs. En tant qu'elles constituent un système de conduites, réglé et ordonné, elles impliquent une organisation mentale de l'espace.

Qu'il s'agisse de faits intéressant le mariage, les rapports de parenté, la filiation, l'héritage du κλῆρος familial, le statut domestique des époux, l'opposition sociale et psychologique de l'homme et de la femme, leurs formes d'activité à la maison et au-dehors, le double aspect de la richesse et de l'aménagement du sol, nous avons toujours cherché à mettre en lumière, dans le jeu des représentations comme dans l'articulation des conduites, les structures de pensée relatives à l'espace. Il nous a semblé qu'aux valeurs spatiales attachées à un centre, immobile et clos sur lui-même, correspondaient régulièrement les valeurs opposées d'une étendue ouverte, mobile, toute de parcours, contacts et transitions.

Cependant notre analyse a été menée de façon unilatérale. Nous nous sommes toujours placé dans la perspective d'Hestia, au point de vue du centre. Aussi Hermès n'a-t-il été envisagé que dans son aspect complémentaire d'Hestia, le dieu apparaissant comme l'envers de la déesse. Il resterait donc, pour achever l'étude du couple formé par les deux divinités, à changer de perspective et à reprendre l'enquête en sens inverse : nous plaçant, cette fois, au point de vue d'Hermès, nous aurions à examiner les groupements d'images que le dieu suscite dans la conscience des Grecs, le système d'activités et d'institutions qu'il patronne. Encore faut-il indiquer, avant d'abandonner Hestia, que la polarité, marquant sur tous les plans les rapports de la déesse avec Hermès, est un trait si fondamental de cette pensée archaïque qu'on la retrouve à l'intérieur même de la divinité du foyer, comme si, nécessairement, une part d'Hestia appartenait déjà à Hermès.

Pour remplir sa fonction de puissance conférant à l'espace domestique son centre, sa permanence, sa délimitation, Hestia, avons-nous dit, doit enraciner la maison humaine dans la terre. Telle est la signification du foyer mycénien, cet autel-foyer *fixe*. D'où, chez la déesse « épichthonienne » qui réside à la surface du sol, un aspect proprement chthonien. Par elle, la maison et le groupe familial entrent en contact avec le monde d'en bas. Dans un fragment du *Phaéton* [167], Euripide peut identifier Hestia avec la fille de Déméter, cette Corè qui, tantôt régnant aux côtés d'Hadès, tantôt vivant au milieu des hommes, a pour rôle d'établir la communication et le passage entre deux mondes que sépare une infranchissable barrière.

Il y a plus. Dans le *mégaron* mycénien, le foyer rond soudé au sol s'inscrit au centre d'un espace rectangulaire délimité par quatre colonnes. S'élevant jusqu'au faîte de la pièce, ces piliers ménagent dans le toit une lanterne ouverte par où s'échappe la fumée. Quand on brûle l'encens sur le foyer, quand s'y consume la chair des victimes ou que grille, au cours du repas, la portion des nourritures consacrée aux dieux, dans la flamme allumée sur son autel domestique, Hestia fait monter les offrandes familiales jusque vers la demeure des dieux olympiens. C'est à partir d'elle que s'établit le contact de la terre et du ciel comme s'ouvre à travers elle un passage vers le monde infernal.

Pour le groupe domestique, le centre que patronne Hestia représente bien ce point du sol qui permet de stabiliser l'étendue terrestre, de la délimiter, de s'y fixer ; mais il représente aussi, et solidairement, le lieu de passage par excellence, la

167. Euripide, fr. 781, 55 Nauck². Porphyre, *in* Eusèbe, *Préparation évangélique*, III, 11, assimile également Hestia aux puissances divines souterraines.

voie à travers laquelle s'effectue la circulation entre niveaux cosmiques, séparés et isolés. Pour les membres de l'*oikos*, le foyer, centre de la maison, marque aussi la route des échanges avec les dieux d'en bas et les dieux d'en haut, l'axe qui fait d'un bout à l'autre communiquer toutes les parties de l'univers. Aussi le foyer pourra-t-il susciter l'image du mât qui s'enracine profondément dans le pont pour se dresser droit vers le ciel.

Faut-il, avec Louis Deroy, admettre entre le foyer et le mât ou la colonnade une liaison primitive, postulée par l'analogie lexicologique qui a, dès la langue homérique, altéré le vieux nom ἑστίη, foyer, en ἱστίη, mot qui a le sens de colonnade, la confusion des deux termes s'expliquant par le fait que le foyer mycénien était entouré de piliers de bois, ἱστοί, soutenant la lanterne du toit (μέλαθρον) [168]? On sait qu'Hésychius glose : ἵστια = autel du foyer (ἐσχάρα) et mât du navire ; et encore : ἱστία = la femme qui tisse ; parce que ἱστός désigne, en dehors de la colonne et du mât, le métier à tisser (vertical chez les Grecs) qui apparaît lui aussi solidement fixé au sol en même temps que dressé vers le haut.

On doit noter en tout cas que, chez Platon, si fidèle aux enseignements des récits sacrés et aux suggestions des vieux mythes, la figure d'Hestia, seule de toutes les divinités à demeurer immobile au logis [169], vient se confondre, dans le mythe final de la *République* [170], avec la grande déesse filandière Anankè, trônant au centre de l'univers. Sur ses genoux, Anankè tient le fuseau dont le mouvement commande toutes les rotations des sphères célestes. Son fuseau est lui-même fixé au grand axe de lumière, au centre duquel siège Anankè, et qui, dressé droit comme un mât ou comme une colonne, s'étend de haut en bas à travers tout le ciel et la terre, maintenant le cosmos uni à la manière des liens qui, de la poupe à la proue, enchaînent les diverses parties du navire.

168. L. Deroy, *loc. cit.*, p. 32 et 43.
169. Platon, *Phèdre*, 247 a.
170. *République*, 616 *sq.* ; cf. P.-M. Schuhl, « Le joug du Bien, les liens de la Nécessité et la fonction d'Hestia », *Mélanges Charles Picard*, II, Paris, 1949, p. 965 *sq.*

Immobile mais maîtresse des mouvements qui gravitent autour d'elle, centrale mais à la façon de l'axe qui traverse une machine dans toute son étendue et en retient ensemble les éléments, telle est bien l'image d'Hestia que Platon semble avoir héritée des plus anciennes traditions religieuses de la Grèce. Aussi, lorsqu'il prétend révéler, dans le jeu linguistique du *Cratyle* [171], le secret des noms divins, le philosophe de l'Académie propose-t-il du nom Hestia une double étymologie. De ces deux explications contraires, Platon donne, certes, sa préférence à l'une plutôt qu'à l'autre. Mais il est bien significatif qu'il puisse les présenter, en dépit de leur antinomie, comme deux commentaires également possibles du même nom divin. Pour les uns, Hestia doit être rapprochée de οὐσία, que certains nomment aussi, en grec, ἐσσία, c'est-à-dire l'essence fixe et immuable. Mais, pour d'autres, l'essence se dit ὠσία, parce qu'ils pensent, comme Héraclite, que toutes les choses qui existent sont mobiles et que rien jamais ne demeure; selon eux, toutes les choses ont pour cause et pour principe l'impulsion au mouvement (τὸ ὠθοῦν), qu'ils appellent ὠσία.

Hestia : principe de permanence, Hestia : principe d'impulsion et de mouvement —, dans cette double et contradictoire interprétation du nom de la divinité du foyer, on reconnaîtra les termes mêmes de la relation qui tout ensemble oppose et unit en un couple de contraires liés d'inséparable « amitié », la déesse immobilisant l'étendue autour d'un centre fixe et le dieu la rendant indéfiniment mobile dans toutes ses parties.

171. Platon, *Cratyle*, 401 c-e.

3

*Valeurs religieuses et mythiques de la terre et du sacrifice dans l'*Odyssée[1]

Pierre Vidal-Naquet

Il s'agit ici de la terre, et je me permettrai d'introduire cet essai par le rappel de quelques données empruntées non à Homère mais à Hésiode. Aussi bien la *Théogonie* et *Les Travaux et les Jours* ne se limitent-ils pas, comme on le croit souvent, à éclairer les œuvres qui leur succèdent, mais aussi celles qui les précèdent ou celles qui leur sont, comme c'est peut être le cas de l'*Odyssée*, à peu près contemporaines.

Du « mythe des races » et de celui de Pandora dans les *Travaux*, du mythe de Prométhée dans ce même poème et dans la *Théogonie*, on peut tirer, je crois, ce qu'on pourrait appeler une définition à la fois anthropologique et normative, à la fois exclusive et inclusive de la condition humaine. L'exclusion est double : l'homme hésiodique est celui de l'âge de fer, ce qui signifie d'abord qu'il n'est pas celui de l'âge d'or, le temps mythique où les hommes « vivaient comme des dieux », sans vieillesse et sans mort véritable. « Tous les biens étaient à eux : la terre donneuse de blé (ζείδωρος ἄρουρα) produisait d'elle-même une abondante et généreuse récolte, et eux, dans la joie et dans la paix, paissaient leurs champs (ἔργ'

1. Publié sous une première forme dans les *Annales ESC*, 25, sept.-oct. 1970, puis dans M.I. Finley (éd.), *Problèmes de la terre en Grèce ancienne*, La Haye et Paris, 1973, p. 269-292 ; repris dans *Le Chasseur noir*, nouvelle éd., Paris, 1991, p. 39-68.

ἐνέμοντο) au milieu de biens sans nombre [2]. » Entre le monde de l'âge d'or et le nôtre, l'opposition que je tiendrai ici pour pertinente — il en est d'autres — est celle du non-travail et du travail, du travail agricole, cela va sans dire [3]. Par rapport à l'âge de fer, l'âge d'or, celui de Cronos, est en effet un modèle absolu — ce à quoi ne peuvent prétendre les autres âges. Ce que la race d'or connaît pendant la vie, la race des héros, ou du moins certains de ses membres, le connaît après la mort ; Zeus les place à part des hommes (δίχ' ἀνθρώπων), à part aussi des dieux, « sous la royauté de Cronos », « aux confins de la terre ». « C'est là qu'ils habitent, le cœur libre de soucis, dans les îles des Bienheureux, au bord des tourbillons profonds de l'Océan, héros fortunés, pour qui la terre donneuse de blé porte trois fois l'an une florissante et douce récolte [4]. » A l'âge d'or dans le « temps » succède donc un âge d'or dans l'« espace », celui des îles des « Bienheureux », caractérisé lui aussi par la libéralité de la terre.

Par ailleurs, dans le mythe de Pandora [5], Hésiode résume en quelque sorte à l'avance la leçon du mythe des races en disant : « La race humaine vivait auparavant sur la terre à l'écart et à l'abri des peines, de la dure fatigue (χαλεποῖο πόνοιο), des maladies douloureuses qui apportent le trépas aux hommes, car les hommes vieillissent vite dans la misère [6]. »

2. *Les Travaux et les Jours*, 112-119 ; ici et plus loin je modifie quelque peu la traduction Mazon. Sur le « mythe des races », cf. J.-P. Vernant, « Le mythe hésiodique des races, 1, Essai d'analyse structurale, 2, Sur un essai de mise au point », in *Mythe et Pensée chez les Grecs*, *op. cit.*, p. 19-85 ; repris dans *La Grèce ancienne*, 1, *Du mythe à la raison*, *op. cit.*, p. 13-84.

3. A vrai dire, l'opposition porte sur la « race de fer » et toutes les races précédentes. Même les hommes du bronze, qui travaillent avec du bronze (χαλκῷ δ'εἰργάζοντο, 151), ne « travaillent » pas à proprement parler, mais accomplissent un rite militaire (cf. J.-P. Vernant, *loc. cit.*, 1, p. 28) ; de la seule « race d'or » il est dit formellement qu'elle ne travaille pas.

4. *Travaux*, 167-173 ; je rétablis à la place que lui donnent les manuscrits le vers 169, sur la royauté de Cronos.

5. J.-P. Vernant a montré combien ce mythe était étroitement solidaire de celui des races ; cf. « Le mythe hésiodique des races », 1, *loc. cit.*, p. 32 et 51-54, ainsi que « Le mythe prométhéen chez Hésiode », in *Mythe et Société en Grèce ancienne*, Paris, 1974, p. 192-194.

6. *Travaux*, 90-93. Le vers 93, que je rétablis ici, est une citation de l'*Odyssée*, XIX, 360.

Exclu de l'âge d'or, l'homme n'est donc pas un dieu [7], mais il n'est pas non plus un animal, et la seconde « exclusion » est celle de l'*allèlophagia*, de l'anthropophagie :

Τόνδε γὰρ ἀνθρώποισι νόμον διέταξε Κρονίων,
ἰχθύσι μὲν καὶ θηρσὶ καὶ οἰωνοῖς πετεηνοῖς
ἐσθέμεν ἀλλήλους, ἐπεὶ οὐ δίκη ἐστὶ μετ' αὐτοῖς

« Telle est la loi que le Cronide a prescrite aux hommes, que les poissons, les fauves, les oiseaux ailés se dévorent, puisqu'il n'est point parmi eux de justice [8]. » Par la pratique de la *dikè*, l'homme est donc susceptible d'échapper à la condition animale. Est homme celui qui ne dévore pas son semblable.

Les inclusions sont en rapport étroit, à la fois inverse et complémentaire, avec les exclusions. Le travail de la terre arable et tout ce qu'il implique, les plantations d'arbres et l'élevage des animaux, notamment pour le labour, forment le sujet même des *Travaux*. Par la *dikè*, on peut retrouver sinon l'âge d'or, puisque le travail est une obligation, du moins la prospérité et la fécondité des hommes, de la terre, des troupeaux : « La terre leur [à ceux qui pratiquent la *dikè*] offre une vie abondante ; sur leurs montagnes le chêne porte à son sommet des glands, en son milieu des abeilles ; leurs brebis lainières sont alourdies par leur toison, leurs femmes enfantent des fils semblables à leurs pères ; ils s'épanouissent en prospérités, sans fin ; et ils ne partent point en mer, la terre donneuse de blé leur offre ses fruits [9]. »

Mais ce travail humain est lui-même lié à la possession,

7. On a un peu rapidement déclaré interpolé (Lehrs, suivi notamment par Mazon) le vers 108 des *Travaux*, qui introduit le mythe des races en le liant à celui de Pandora : Ὡς ὁμόθεν γεγάασι θεοὶ θνητοί τ' ἄνθρωποι, « car dieux et mortels ont la même origine ».

8. *Travaux*, 276-278.

9. *Ibid.*, 232-237. On sait que ces thèmes apparaissent à plusieurs reprises dans les textes des serments ; cf. le serment des Amphictyons, *in* Eschine, *Contre Ctésiphon*, 111, et le serment des Drériens, in *Inscriptiones Creticae*, I, IX (Dréros), 1, 85-89. Dans le monde de l'*hubris* triomphante, décrit à la fin du mythe des races, il est dit : « Le père alors ne ressemblera plus à ses fils ni les fils à leur père » (*Travaux*, 182).

due à l'entremise de Prométhée, du feu culinaire, autrefois caché par Zeus [10]. C'est en compensation du vol du feu qu'Héphaïstos, sur l'ordre de Zeus, créa Pandora, à la fois terre et femme [11]. La *Théogonie* précise ce que les *Travaux* suggèrent. La querelle des dieux et des hommes, à Méconé, a deux épisodes rigoureusement parallèles [12] : l'un est le sacrifice primordial du bœuf et son partage inégal, les dieux recevant la fumée et les hommes la chair, ce qui entraîne la confiscation du feu par Zeus et son rapt par Prométhée; l'autre est la remise aux hommes, en compensation de l'acceptation par les dieux de l'état de choses créé par Prométhée, de ce présent ambigu, la femme. Terre arable, cuisine, sacrifice, vie sexuelle et familiale au sein de l'*oikos*, et même, à la limite, vie politique, forment un *ensemble* dont aucun des termes ne peut être dissocié des autres. Ainsi est définie la condition de l'homme entre l'âge d'or et l'allélophagie [13].

Les cadres que nous trouvons ici dessinés par Hésiode avec des traits qui lui sont propres, et qui sont aussi ceux de la crise de son temps, seront utilisés et réutilisés tout au long de l'histoire de la pensée grecque postérieure. A partir de la

10. *Ibid.*, 47-50.

11. *Ibid.*, 59-82; cf. J.-P. Vernant, « Le mythe hésiodique des races », 1, *loc. cit.*, p. 32-33, Pietro Pucci, *Hesiod and the Language of Poetry*, Baltimore et Londres, 1977, p. 82-135, et surtout Nicole Loraux, « Sur la race des femmes et sur quelques-unes de ses tribus », *Arethusa*, 11, 1978, 1-2, p. 44-52, repris dans *Les Enfants d'Athéna*, Paris, 1981, p. 75-117. Pandora est donnée comme présent de malheur aux hommes qui mangent du pain, πῆμ' ἀνδράσιν ἀλφηστῇσιν (*Travaux*, 82). Il n'est pas inutile de rappeler ici qu'*alphèstès*, le mangeur de pain, adjectif homérique, est construit sur la racine *ed-od*, manger, parallèlement, et en opposition, avec *ômèstès*, celui qui mange cru, le carnassier; cf. P. Chantraine, *La Formation des noms en grec ancien*, Paris, 1933, p. 315.

12. Le parallélisme est souligné par l'emploi répété de ἔπειτα, *Théogonie*, 536 et 562. Toute l'affaire se déroule dans un même temps duratif : « C'était aux temps où se réglait (ὅτ' ἐκρίνοντο) la querelle des dieux et des hommes mortels » (*ibid.*, 535). Cf. J.-P. Vernant, « Le mythe prométhéen chez Hésiode », *loc. cit.*, p. 178-194, et « A la table des hommes. Mythe de fondation du sacrifice chez les hommes », *in* M. Detienne et J.-P. Vernant (éd.), *La Cuisine du sacrifice en pays grec*, Paris, 1979, p. 46-58.

13. On remarquera que les récits hésiodiques ne laissent aucune place à une période nomade de l'histoire de l'humanité. L'homme est agriculteur ou n'est pas homme.

fin du VIe siècle, surtout, ces schémas s'intègrent aux violents conflits politiques qui secouent le monde grec et qui conduisent les penseurs à adopter des visions contrastées, « positives » ou « négatives », de l'homme primitif : l'âge d'or s'oppose au thème de la misère des premiers hommes. Il était tentant — et certains n'ont pas manqué de céder à la tentation — de faire remonter ces conflits jusqu'au temps d'Hésiode, en faisant de celui-ci un adversaire du progrès [14]. Il n'est pas beaucoup plus raisonnable d'en faire, à l'exemple d'une utile compilation, à la fois un partisan du « primitivisme chronologique », parce qu'il part d'un « âge d'or », et un adversaire du « primitivisme culturel », parce qu'il oppose le civilisé à l'anthropophage [15]. En fait, ces deux attitudes n'en font qu'une.

Mon propos n'est pas ici d'étudier cette littérature post-hésiodique [16]. Je voudrais simplement noter — pour des raisons qui s'éclaireront rapidement — que l'âge d'or d'Hésiode, l'âge de Cronos, l'âge préculinaire et présacrificiel, l'âge « végétarien » que nous décrivent tant de textes [17], est, pour

14. Un exemple caractéristique est celui que fournit le livre d'E. Havelock, *The Liberal Temper in Greek Politics*, Londres, 1957, dont le chapitre II, « History as regress » (p. 36-51), analyse côte à côte le mythe des races et les mythes du *Politique* et des *Lois* de Platon. Faut-il insister sur le fait qu'à l'époque d'Hésiode il ne peut y avoir ni conception du *progrès* ni conception de la *régression*, puisqu'il n'y a pas à proprement parler de conception de l'histoire ? Parce qu'il est centré sur une époque précise et traite de conflits idéologiques réels, le livre d'un disciple de Havelock, T. Cole, *Democritus and the Sources of Greek Anthropology*, Ann Arbor, 1967, est au contraire très utile.

15. A. O. Lovejoy et G. Boas, *Primitivism and Related Ideas in Antiquity*, Baltimore, 1936, p. 96.

16. Le recueil cité ci-dessus de Lovejoy et Boas est certainement l'instrument de travail le plus précieux pour cette étude. Sur le mythe du *Politique*, cf. mon article « Le mythe platonicien du *Politique* », in *Le Chasseur noir*, *op. cit.*, p. 372-373, repris dans *La Grèce ancienne*, 1, *Du mythe à la raison*, *op. cit.*, p. 187-188.

17. Par exemple, entre cent autres, Empédocle, *Purifications*, fr. 128, Diels-Kranz : sous le signe de Cypris, les sacrifices ne se composaient que de myrrhe, d'encens et de miel. Le sacrifice sanglant était considéré comme une abomination, ainsi que toute nourriture carnée ; de même dans le mythe du *Politique* de Platon, 272 a-b. Le végétarisme est implicite dans les textes d'Hésiode. Pour une vue d'ensemble de la tradition, cf. J. Haussleiter, *Der Vegetarismus in der Antike*, Berlin, 1935. Cf. aussi M. Detienne, *Dionysos mis à mort*, Paris, 1977, p. 135-160.

une partie de la tradition, *aussi* l'âge de l'anthropophagie et du sacrifice humain. Certains des textes qui associent ainsi les contraires peuvent paraître tardifs [18]. Mais on ne saurait oublier que dès le IVe siècle les cyniques ont théorisé un mode de vie « naturiste », qui associe à la condamnation de la sarcophagie et de la nourriture cuite l'apologie de la nourriture crue, de l'anthropophagie et de ce qui est, par excellence, le contraire de la culture, l'inceste [19]. Cependant, on aurait tort de voir là uniquement une vue de théoriciens. *Les Bacchantes* d'Euripide, elles aussi, oscillent entre l'atmosphère paradisiaque que décrit, au début de son récit, le messager [20] et l'omophagie furieuse qui débouchera sur le meurtre quasi incestueux de Penthée par sa mère. Le Cronos d'Hésiode est aussi le dieu qui dévore ses enfants [21]. En un sens, c'est Platon qui théorise à sa manière, c'est-à-dire fait un choix, le même du reste que celui de l'auteur du mythe des races, quand il définit l'âge de Cronos comme le temps où l'allélophagie était inconnue [22].

Inversement, le travail agricole et la cuisson apparaissent

18. Évhémère traduit par Ennius *in* Lactance, *Divinae Institutiones*, I, 13, 2 : « Saturne et son épouse ainsi que les autres hommes de ce temps avaient l'habitude de manger de la chair humaine, et c'est Jupiter qui le premier interdit cette coutume » ; Denys d'Halicarnasse, I, 38, 2 : « On dit que les anciens sacrifiaient à Cronos à la façon dont cela se passait à Carthage tant que dura la cité » ; Sextus Empiricus, *Hypotyposes*, III, 208 : « Certains sacrifiaient un homme à Cronos comme les Scythes sacrifiaient des étrangers à Artémis ». Pour d'autres références, cf. A. O. Lovejoy et G. Boas, *Primitivism and Related Ideas in Antiquity*, *op. cit.*, p. 53-79.

19. Cf. Diogène Laërce, VI, 34, 72-73 ; Dion Chrysostome, X, 29-30 ; Julien, *Oratio*, 191-193. Pour d'autres indications, cf. J. Haussleiter, *Der Vegetarismus in der Antike*, *op. cit.*, p. 167-184.

20. Euripide, *Bacchantes*, 677 *sq.*

21. *Théogonie*, 459 *sq.* D'une façon générale, sur le thème de l'anthropophagie et de l'allélophagie dans la littérature grecque, voir, outre les ouvrages déjà cités de J. Haussleiter, A. O. Lovejoy et G. Boas et M. Detienne, A.-J. Festugière, « A propos des arétalogies d'Isis », *Harvard Theological Review*, 1949, p. 209-234.

22. *Politique*, 271 d-e : Οὔτ' ἄγριον ἦν οὐδέν οὔτε ἀλλήλων ἐδωδαί, πόλεμός τε οὐκ ἐνῆν οὐδὲ στάσις τὸ παράπαν. « Il n'y avait [parmi les animaux] aucune espèce sauvage ; ils ne se mangeaient pas entre eux et il n'y avait parmi eux ni guerre ni querelle politique d'aucune sorte. » Il s'agit des animaux, mais le vocabulaire est volontairement « humain ».

fondamentalement liés, par exemple dans l'*Ancienne Médecine* hippocratique, où il est démontré que la culture céréalière, remplaçant la consommation de produits crus, est par excellence celle des produits destinés à la cuisson[23]. Une association analogue à celle qu'impliquent les poèmes hésiodiques entre l'agriculture, la vie familiale et l'origine de la civilisation se retrouve par exemple dans les mythes athéniens de Cécrops, témoin de l'invention du travail agricole par Bouzygès[24], inventeur aussi de la famille monogamique et patriarcale[25]. Le but de cet essai est de vérifier si de telles associations se rencontrent déjà chez Homère.

Lorsque Ulysse reconnaît qu'il est enfin à Ithaque, son premier geste est d'embrasser « la terre donneuse de blé », saluant ainsi sa patrie : Χαίρων ᾗ γαίῃ, κύσε δὲ ζείδωρον ἄρουραν[26]. Il ne s'agit pas seulement ici du geste d'un homme qui retrouve sa patrie, mais d'un lien fondamental qu'il s'agit précisément d'analyser.

Mais pour parler de l'*Odyssée*, encore faut-il distinguer à l'intérieur de l'épopée non pas, certes, ces différentes « rhapsodies », que découpent les « analystes » suivant des critères qui varient en fonction de l'interprète et qui aboutissent à des résultats inévitablement divergents et fatalement incontrôlables, mais des ensembles qui aient un sens dans le poème tel qu'il est. Pour dire les choses brutalement, il n'est pas possible de parler du Cyclope et de Calypso comme on parle de Nestor ou de Télémaque. En fait, comme cela a été souvent

23. Hippocrate, *Ancienne Médecine*, III (Festugière).

24. Cf. le vase reproduit et commenté par D. M. Robinson, « Bouzyges and the first plough on a krater of the painter of the Naples Hephaistos », *American Journal of Archaeology*, 1931. Cf. U. Kron, *Die Zehn attischen Phylenheroen Geschichte : Mythos, Kult und Darstellung*, Berlin, 1976, p. 95-96.

25. Cf. les textes rassemblés par S. G. Pembroke, « Women in charge : the function of alternatives in early greek tradition and the ancient idea of matriarchy», *Journal of the Warburg and Courtauld Institute*, 30, 1967, p. 26-27 et 29-32, et mon article « Esclavage et gynécocratie dans la tradition, le mythe, l'utopie », in *Le Chasseur noir*, *op. cit.*, p. 267-288.

26. *Odyssée*, XIII, 354. La formule κύσε δὲ ζείδωρον ἄρουραν a déjà été utilisée une fois par le poète lorsqu'il décrit l'arrivée d'Ulysse dans l'île des Phéaciens (V, 463), mais naturellement le premier hémistiche du vers est autre. On verra que ce rapprochement n'est pas indifférent.

reconnu [27], l'*Odyssée* oppose un monde qu'on pourrait dire *réel*, celui d'Ithaque au premier chef, celui de Sparte et de Pylos où voyage Télémaque, et un univers mythique qui est, en gros, celui des récits chez Alcinoos. Ainsi dans *La Tempête* de Shakespeare s'opposent Naples et Milan d'une part, l'île magique de Prospero de l'autre [28]. Ulysse pénètre dans cet univers mythique après son séjour chez les Cicones, peuple thrace tout à fait réel, connu encore d'Hérodote [29], chez lequel il mange, se bat et pille, exactement comme il aurait pu le faire à Troie, après les dix jours [30] de tempête qu'il rencontre au détour du cap Malée, dernier site « réel » de son voyage avant le retour à Ithaque [31].

La preuve que cette opposition est bien pertinente est fournie par le texte lui-même. Le voyage de Télémaque ne recoupe jamais celui d'Ulysse. Il n'y a que deux zones de contact entre les deux univers. L'une est ouvertement magique : Ménélas révèle au fils d'Ulysse comment dans la terre des merveilles, l'Égypte, il a appris du magicien Protée qu'Ulysse était retenu chez Calypso [32]. L'autre est la terre des Phéaciens, ces passeurs professionnels dont une étude récente a montré quelle place stratégique ils occupaient, à la croisée des deux mondes [33]. Faut-il

27. La distinction des deux mondes de l'*Odyssée* est très fermement tracée par G. Germain, *Genèse de l'Odyssée*, Paris, 1954, p. 511-582.

28. Cf. Ch. P. Segal, « The Pheacians and the symbolism of Odysseus' return », *Arion*, 1, 4, 1962, p. 17-63 (on verra p. 17). Sur la valeur de cette distinction dans *La Tempête*, cf. R. Marienstras, « Prospero ou le machiavélisme du bien », *Bulletin de la faculté des lettres de Strasbourg*, 42, 1965, p. 899-917.

29. *Odyssée*, VII, 59, 108, 110.

30. Plus exactement neuf jours de tempête, le dixième étant marqué par l'arrivée des Lotophages (*Odyssée*, IX, 82-83). « Le nombre 9 sert essentiellement à exprimer un temps, au terme duquel, le dixième jour, ou la dixième année, arrivera un événement décisif » (G. Germain, *Homère et la Mystique des nombres*, Paris, 1954, p. 13).

31. « *Der Sturm verschlägt den Helden ins Fabelland* » (P. von der Mühll, *s. v.* « Odyssee », *in* A. F. Pauly, G. Wissova, W. Kroll, *Realencyclopädie der classischen Altertumwissenschaft*, Stuttgart, suppl. VII, 1940, c. 696-768).

32. *Odyssée*, IV, 555-558 ; XVII, 138-144. Ménélas est de retour, comme le dit Nestor (III, 319-320), « d'un monde où il n'y a pas pour les hommes grand espoir de retour ».

33. Cf. Ch. P. Segal, « The Pheacians and the symbolism of Odysseus' return », *loc. cit.* Il y a cependant un autre lieu où la communication est possible, mais échoue, c'est l'île, au demeurant flottante (X, 3), d'Éole.

insister ? Les voyages d'Ulysse ne relèvent pas de la géographie, et il y a plus de vérité géographique dans les récits « mensongers » faits par Ulysse à Eumée et à Pénélope [34] que dans l'ensemble des « récits chez Alcinoos » [35]. La Crète, l'Égypte et l'Épire ont une « réalité » que personne ne mettra en doute !

Sortir de cet univers, pour Ulysse, c'est sortir d'un monde qui n'est pas celui des hommes, d'un monde qui sera alternativement suprahumain ou infrahumain, d'un monde où il se verra offrir, chez Calypso, la divinité, où il risquera, chez Circé, de tomber dans l'animalité, mais qu'il faudra quitter pour revenir à la normale. Et toute l'*Odyssée*, en un sens, est le récit du retour d'Ulysse à la normalité, de son acceptation délibérée de la condition humaine [36].

34. *Odyssée*, XIV, 191-359 ; XIX, 165-202. Le second récit à Pénélope (XIX, 262-306) pose une difficulté réelle, puisque Ulysse fait intervenir les Phaéciens là où ils n'ont manifestement que faire, Pénélope n'étant pas encore au courant des aventures et de l'identité d'Ulysse. Aussi, parmi les « interpolations » découvertes par la critique du XIXe siècle, celle des vers 273-286 est-elle une des très rares qu'il faille sans doute retenir. Dans le premier récit, Ulysse, au détour du cap Malée, se rend en Crète (XIX, 187), ce qui est parfaitement raisonnable et rétablit la vérité « géographique » précisément au point où elle avait été abandonnée. Les « vérités » glissées dans les « mensonges » et qui s'opposent aux « mensonges » dont sont faits les récits « véridiques » sont une donnée fondamentale du récit homérique, comme l'a bien vu T. Todorov, « Le récit primitif », *Tel Quel*, 30, été 1967, p. 47-55, Cf. aussi L. Kahn, « Ulysse, la ruse et la mort », *Critique*, 393, 1980, p. 116-134.

35. Est-il besoin de dire que je n'ai pas le moindre espoir de contribuer à décourager les amateurs de géographie homérique et d'identification des sites, bien que ce jeu soit en définitive aussi absurde que celui qui consisterait, pour reprendre une comparaison de mon ami J.-P. Darmon, à chercher le terrier de lapin par lequel Alice est entrée au « Pays des merveilles » ? Bien entendu, cela n'empêche pas les « merveilles » homériques d'avoir, comme toutes les merveilles du monde, des rapports avec les « réalités de leur temps », avec la Méditerranée occidentale essentiellement, et sans doute plus anciennement avec la Méditerranée orientale (cf. K. Meuli, *Odyssee und Argonautika*, Berlin, 1921). Après tout, il y a sans doute plus de rapports entre les « merveilles » visitées par Alice et l'Angleterre victorienne qu'entre ce même séjour et la Chine des Mandchous !

36. « *The movement of the Odyssey is essentially inwards, homewards, towards normality* » (W. B. Stanford, *The Ulysses Theme. A study in the adaptability of a traditional hero*, Oxford, 1954) ; cf. surtout Ch. P. Segal, « The Pheacians and the symbolism of Odysseus' return », *loc. cit.*, p. 274, n. 3.

Il n'est donc nullement paradoxal d'affirmer que des Lotophages à Calypso, en passant par la Cyclopie et le pays des morts, Ulysse ne rencontre pas un seul être humain à proprement parler. Non qu'on ne puisse parfois hésiter. Ainsi les Lestrygons ont une *agora*, signe de vie politique, mais ils ressemblent non à des hommes mais à des géants [37]. De Circé on peut se demander d'abord si elle est femme ou déesse, mais en fin de compte, comme Calypso, elle n'a que l'apparence de l'humanité, la parole, elle est δεινὴ θεός αὐδήεσσα [38], « terrible déesse à la voix humaine ». A deux reprises Ulysse se demande chez « quels mangeurs de pain » il se trouve, c'est-à-dire chez quels hommes, mais précisément il n'est pas chez des mangeurs de pain, il est chez les Lotophages et chez les Lestrygons [39].

Il en résulte cette conséquence, absolument capitale, que tout ce qui touche au travail de la terre, à la terre arable elle-même en tant qu'elle est effectivement cultivée, est rigoureusement absent des « récits » [40]. La Thrace des Cicones est le dernier pays cultivé que rencontre Ulysse, qui y consomme des moutons et du vin, qui s'y procure le vin même qu'il offrira au Cyclope [41].

L'Ulysse d'Euripide, débarquant en pays inconnu, demande à Silène : « Où y a-t-il des murs, des remparts de cité ? » Et la réponse est : « Nulle part. Sur ces caps point d'humains, étranger » [42]. La fortification est alors le témoignage de la présence d'une humanité civilisée et, à la limite, d'une humanité tout court. L'Ulysse d'Homère, lui, recher-

37. *Odyssée*, X, 114, 120.

38. *Ibid.*, X, 136, 228 ; XI, 8 ; XII, 150, 449.

39. *Ibid.*, IX, 89 ; X, 191. De même, le Cyclope ne ressemble pas à un bon mangeur de pain (X, 101).

40. Cela n'a pas été vu par W. Richter, dans son ouvrage *Die Landwirtschaft im Homerischen Zeitalter*, Göttingen, 1967 (= *Archaeologica Homerica*, 2 H).

41. *Odyssée*, IX, 45 *sq.* ; IX, 165, 197. Je ne sais vraiment pas pourquoi Haussleiter considère que les Cicones sont des cannibales ! (*Der Vegetarismus in der Antike*, *op. cit.*, p. 23). Le texte ne dit rien de tel.

42. Euripide, *Cyclope*, 115-116 (trad. Méridier). Cf. Y. Garlan, « Fortifications et histoire grecque », *in* J.-P. Vernant (éd.), *Problèmes de la guerre en Grèce ancienne*, Paris et La Haye, 1968, p. 255.

che des champs cultivés, marque du travail humain [43]. Lorsque les Achéens arrivent chez Circé, ils cherchent en vain les ἔργα βροτῶν, c'est-à-dire les cultures ; ce qu'ils voient, ce sont des forêts et des maquis, δρυμὰ πυκνὰ καὶ ὕλην, où peut s'organiser une chasse au cerf [44]. Chez les Lestrygons, où la vue d'une fumée peut faire penser à un foyer domestique et à la présence d'êtres humains [45], il n'y a trace ni des travaux des bœufs ni de ceux des hommes, ἔνθα μὲν οὔτε βοῶν οὔτ' ἀνδρῶν φαίνετο ἔργα [46]. Les Sirènes habitent une *prairie*, comme en ont par ailleurs les divinités [47]. L'île de Calypso est forestière et possède même une vigne, mais cette vigne n'apparaît à aucun moment comme cultivée [48]. Un arbre cependant, spécifiquement humain, est présent dans le monde des récits, c'est l'olivier, l'arbre dont Ulysse a fait son lit, point fixe de sa demeure [49]. Il est présent et assure même à plusieurs reprises le salut d'Ulysse, mais sous une forme mobile : c'est le pieu dont Ulysse perce l'œil du Cyclope, c'est le manche de l'outil avec lequel il construit son bateau [50]. Il est vrai que chez Éole, chez Circé, chez Calypso, Ulysse est abondamment nourri, et, chez cette dernière déesse, le poète s'amuse à souligner que le repas d'un homme est très différent de celui d'un dieu [51], mais personne ne dit d'où viennent ces aliments et qui les a produits.

43. L'emploi de l'expression ζείδωρος ἄρουρα, terre donneuse de blé (donneuse de vie aussi), ne fournit pas un critère très satisfaisant, puisque Hésiode l'emploie à propos de l'âge d'or ; je note cependant que, sur neuf emplois, trois seulement désignent un lieu précis : Ithaque (XIII, 354), la Phéacie (V, 463), l'Égypte (IV, 229) ; tous les autres ont une portée générale et signifient quelque chose comme « ce bas monde ».

44. *Odyssée*, X, 147, 150, 197, 251.

45. *Ibid.*, X, 98 ; il y a aussi une fumée venant de chez Circé, X, 196. Quand Ulysse, venu de chez Éole, s'approche d'Ithaque, il peut voir les hommes autour du feu (*purpoléontas*), X, 29.

46. *Ibid.*, X, 98.

47. *Ibid.*, XII, 159 ; cf. *Hymne homérique à Hermès*, 72 ; Euripide, *Hippolyte*, 74. Sur le *leimôn*, cf. A. Motte, *Prairies et Jardins de la Grèce antique. De la religion à la philosophie*, Bruxelles, 1973.

48. *Odyssée*, I, 51 ; V, 65 *sq.*

49. *Ibid.*, XXIII, 183 *sq.*

50. *Ibid.*, IX, 320 ; V, 236 ; cf. Ch. P. Segal, « The Pheacians and the symbolism of Odysseus' return », *loc. cit.*, p. 45, 62, 63.

51. *Ibid.*, V, 196-199.

L'absence de la terre cultivée en entraîne une autre : celle du repas sacrificiel dont nous avons vu à quel point, chez Hésiode, elle lui était liée. On peut, dans certaines limites, étendre à l'ensemble de l'univers des récits ce qu'Hermès dit plaisamment à Calypso en débarquant dans son île : « Qui mettrait son plaisir à courir cette immensité d'eau salée ? Dans tes parages il n'est pas une ville dont les hommes offrent en sacrifice aux dieux l'hécatombe de choix. »

Οὐδέ τις ἄγχι βροτῶν πόλις, οἵ τε θεοῖσιν
ἱερά τε ῥέζουσι καὶ ἐξαίτους ἑκατόμβας [52]

Dans certaines limites... Le sacrifice offert aux morts sur les instructions de Circé et avec les agneaux fournis par elle, sacrifice effectué dans un *bothros* et destiné à nourrir de sang les morts [53], est tout le contraire d'un repas sacrificiel dont l'objet est de nourrir les vivants, et il en est de même de ce qu'Ulysse promet à Tirésias de sacrifier à son retour, une vache *stérile* et un bélier noir [54].

Chez le Cyclope, par contraste précisément avec l'habitant de la caverne, les compagnons d'Ulysse sacrifient [55]. Il ne s'agit en tout cas pas d'un sacrifice sanglant, car ce sont des fromages qu'ils mangent [56], et celui qu'ils offrent dans l'île qui avoisine la Cyclopie — sacrifice du reste anormal, car effectué avec les moutons du Cyclope qui ne sont pas des animaux élevés par les hommes — est dédaigné par Zeus [57]. Lors même donc qu'un homme sacrifie, s'il est en territoire non humain, ce sacrifice n'est pas normal.

Il est temps maintenant de reprendre dans l'ordre, ou à peu près, le voyage d'Ulysse en examinant sous l'angle qui nous intéresse les différentes inhumanités rencontrées, étant entendu qu'il n'est guère utile d'insister sur l'inhumanité de Scylla ou même sur celle des habitants du pays des morts.

52. *Ibid.*, V, 101-102.
53. *Ibid.*, X, 516-521, 571-572; XI, 23-29.
54. *Ibid.*, X, 524-525; XI, 30-33.
55. Θύσαμεν, IX, 231.
56. *Ibid.*, 232. Sur le sacrifice manqué des bœufs du Soleil, voir *infra*, p. 117-118.
57. *Ibid.*, IX, 552-555.

Achille l'exprime en termes inoubliables [58]. Les Lotophages ne sont pas des mangeurs de pain, mais des mangeurs de fleurs. L'aliment qu'ils offrent aux compagnons d'Ulysse les prive de cet attribut essentiel de l'humanité qu'est la mémoire [59]. Dans le poème, si l'on excepte l'épisode de Scylla [60], Ulysse est constamment l'homme qui se souvient, l'homme par excellence face à ses compagnons oublieux.

L'épisode du Cyclope pose des problèmes beaucoup plus complexes. Aux éléments mythiques qui font l'objet de cette étude viennent s'ajouter une description quasi ethnographique de peuples pasteurs — l'inhumanité est aussi une autre humanité, une humanité sauvage [61] — et un appel non déguisé et fort réaliste à la colonisation. Si ces hommes savaient naviguer, « ils feraient de leur île un lieu bien bâti ; la terre n'y est pas mauvaise, tous les fruits peuvent y venir ; près du rivage couvert d'écume il y a des prairies molles et humides où l'on aurait des vignes éternelles. Le labour y est facile et l'on pourrait faire chaque année de faciles moissons, tant les mottes y couvrent un humus gras [62] ». En attendant ces perspectives, le monde des Cyclopes se divise, on s'en souvient, en deux secteurs géographiques, l'« île petite », terre entièrement sauvage qui ne connaît pas la chasse, et où les compagnons d'Ulysse font une battue mémorable [63], et la

58. *Ibid.*, XI, 488-491.
59. *Ibid.*, IX, 84, 94-97.
60. *Ibid.*, XII, 227.
61. L'équivalence entre les personnages rencontrés par Ulysse dans les voyages et les peuples sauvages est explicitement posée en I, 198-199, quand Athéna, sous le masque de Mentès, se demande si Ulysse n'est pas captif d'hommes *chalépoi* et *agrioi* et lorsque le héros lui-même s'interroge sur le type d'humanité auquel appartiennent les hôtes de la Cyclopie : ὑβρισταί τε καὶ ἄγριοι οὐδὲ δίκαιοι, ἦε φιλόξεινοι (IX, 175-176) ; la même interrogation revient en XIII, 201-202, à Ithaque, avant qu'Ulysse ait compris qu'il se trouve chez lui. Elle est venue aussi au moment du débarquement en Phéacie : VI, 120-121. Ces pages étaient déjà écrites lorsque j'ai pris connaissance du chapitre sur les Cyclopes dans le livre de G. S. Kirk, *Myth. Its meaning and functions in ancient and other cultures*, Cambridge, 1970, p. 162-171. Cf. aussi l'analyse sémiologique de C. Calame, « Mythe grec et structures narratives : le mythe des cyclopes dans l'*Odyssée*, *Ziva Antika*, 26, 1976, p. 311-328.
62. *Odyssée*, IX, 130-135.
63. *Ibid.*, 116-120, 155-160.

terre des pasteurs cyclopéens. Cela implique une hiérarchie : 1) agriculteurs, 2) chasseurs, 3) pasteurs, dont il n'est peut-être pas inutile de dire que c'est encore celle que propose Aristote [64]. Mais les Cyclopes ne sont pas seulement des éleveurs barbares dépourvus d'institutions politiques, incapables de planter ou de semer [65], ils disposent d'une terre qui est très exactement celle de l'âge d'or hésiodique : « Sans travaux ni semailles, le sol leur fournit tout, froment, vignoble et vin des grosses grappes que la pluie de Zeus vient gonfler pour eux [66]. » Les Cyclopes ont des moutons, ils n'ont pas à proprement parler d'animaux de trait : οὔτ' ἄρα ποίμνησιν καταΐσχεται οὔτ' ἀρότοισιν, « l'île n'est occupée ni par les troupeaux, ni par les charrues » [67]. Cela reste vrai, même si l'on ajoute par ailleurs ironiquement que le vin de l'âge d'or est une médiocre piquette [68]. Mais, précisément, la contrepartie de l'âge d'or, c'est l'anthropophagie [69]. Les détails sont singuliers, si singuliers qu'on ne peut s'empêcher de penser qu'ils sont intentionnels : Polyphème apporte du bois pour le feu du souper, mais ce feu ne lui servira à rien. Le monstre n'est pas un mangeur de pain ; même les hommes qu'il dévore ne sont pas mangés cuits comme on aurait pu s'y attendre. Il mange cru, comme un lion, « entrailles, viandes, moelles, il ne laisse rien [70] », il n'accomplit aucun des gestes qui caractérisent le repas sacrificiel, et d'abord la mise à l'écart des os, part des dieux. Avec les dieux, du reste, ce cannibale de l'âge d'or a des relations essentiellement ambivalentes. Le poète insiste à la fois sur la confiance des Cyclo-

64. *Politique*, I, 1256 a 30 *sq.*
65. *Odyssée*, IX, 108-115.
66. *Ibid.*, 109-111, trad. Bérard modifiée ; cf. aussi 123.
67. *Ibid.*, 122.
68. *Ibid.*, 357-359.
69. Il est insuffisant d'écrire simplement, comme le fait J. Haussleiter, *Der Vegetarismus in der Antike*, *op. cit.*, p. 23 : « L'anthropophagie du Cyclope Polyphème ne semble pas un simple fait du hasard. »
70. *Odyssée*, IX, 190-191, 234, 292-93. Ces détails et d'autres ont été très heureusement mis en relief par D. Page, dans le chapitre de *The Homeric Odyssey*, Oxford, 1955, p. 1-20, où il confronte le Cyclope d'Homère et celui du folklore.

pes envers les immortels (πεποιθότες ἀθανάτοισιν[71]), confiance qui leur évite de planter et de labourer — Ulysse paiera cher la parenté du Cyclope et de Poséidon[72] —, et sur l'indifférence totale avec laquelle Polyphème accueille l'appel lancé par Ulysse au nom de Zeus Xénios : « Sache que les Cyclopes n'ont à se soucier ni des dieux fortunés ni du Zeus à l'égide[73]. » Arrêtons-nous ici quelque peu : Homère — l'auteur de l'*Iliade* — connaît en quelque sorte de bons Cyclopes, les *Abioi* (sans nourriture), trayeurs de juments et galactophages, qui sont « les plus justes des hommes[74] ». Sous le nom de *Gabioi*, ces personnages (des Scythes) reparaissent dans le *Prométhée délivré* d'Eschyle[75]. Eux aussi sont « les plus justes des hommes et les plus hospitaliers. Chez eux il n'y a ni la charrue ni le hoyau qui fend le sol et coupe la terre à labour. Les guérets s'ensemencent d'eux-mêmes (αὐτόσποροι γύαι), et fournissent aux mortels une nourriture inépuisable ». La postérité littéraire d'Homère développera le thème du genre de vie cyclopique, apanage du « bon sauvage »[76]; mais il ne s'agit pas seulement d'une postérité littéraire. Quand Éphore oppose, en citant du reste les *Abioi* d'Homère, deux sortes de Scythes, dont les uns sont anthropophages et les autres végétariens (τοὺς δὲ καὶ τῶν ἄλλων ζῴων ἀπέχεσθαι)[77], il rationalise et inscrit dans l'espace géographique une *opposition* mythique qui est aussi une *conjonction* : le végétarien est aussi inhumain que le cannibale[78].

71. *Ibid.*, IX, 107.
72. *Ibid.*, I, 68-73.
73. *Ibid.*, IX, 275-276.
74. *Iliade*, XIII, 5-6.
75. Fr. 196, éd. Nauck², 329 éd. Mette, reproduit dans A. O. Lovejoy et G. Boas, *Primitivism and Related Ideas in Antiquity*, *op. cit.*, p. 315.
76. Les principaux textes sont rassemblés par A. O. Lovejoy et G. Boas, *op. cit.*, p. 304, 358, 411. Le plus remarquable est peut-être le discours prêté par Plutarque à un compagnon d'Ulysse, qui, transformé en cochon chez Circé, a l'expérience de la vie animale comme de la vie humaine et qui fait l'éloge de la « vie cyclopique » en comparant la riche terre de Polyphème et le maigre sol d'Ithaque (*Gryllos*, 968 f-987 a).
77. *F. Gr. Hist.*, 70, 42; cf. aussi les Androphages d'Hérodote, IV, 18, personnages situés en bordure du désert, et êtres humains limites.
78. Cf. *supra*, p. 105-106. Quand, dans l'*Iliade*, Achille et Hécube parviennent au comble de la douleur ou de la fureur, ils rêvent de manger leurs ennemis : XXII, 347; XXIV, 212.

C'est un autre type d'inhumanité, tout aussi classique, que présente l'île d'Éole. Le détail mériterait qu'on s'y attarde : il s'agit d'une île flottante « aux murailles de bronze ». La terre cultivée y est bien entendu absente, bien qu'il y ait une *polis*, qu'on y banquette en permanence : banquet non sacrificiel cependant, et le taureau dans la peau duquel les vents seront enfermés n'est pas immolé aux dieux [79]. Mais l'énorme anomalie de l'île d'Éole, c'est, bien entendu, l'inceste. La communication des femmes ne se fait pas. Les six filles d'Éole et de son épouse ont épousé leurs six frères [80] ; le monde d'Éole est clos : banquet le jour, sommeil la nuit [81], ce n'est pas un *oikos* humain.

Les Lestrygons apparaissent à certains égards comme un doublet des Cyclopes ; la métaphore n'est plus celle de la chasse animale, mais celle de la pêche : ils harponnent des Grecs comme des thons, avant de les dévorer [82]. Chez Circé la nature s'offre d'abord comme une zone de chasse ; Ulysse y abat un cerf monstrueux [83]. L'inhumanité s'y présente à la fois sous la forme de la divinité et de l'animalité ; mais celle-ci est en partie double : les victimes de Circé sont changées en animaux sauvages, lions et loups, qui se conduisent du reste comme des chiens dociles [84]. L'adjonction, par les soins de Circé, d'un poison au pain [85] qu'elle leur sert transforme les compagnons d'Ulysse en porcs, doués toutefois de mémoire [86]. C'est ce sort qu'évite Ulysse parce qu'il porte sur lui une plante, le fameux *molu*, qui exprime parfaitement le thème du renversement : « la racine en est noire, la fleur couleur de lait [87] ». Les compa-

79. *Odyssée*, X, 3-19.
80. *Ibid.*, X, 6-7.
81. *Ibid.*, X, 11-12.
82. *Ibid.*, X, 120-121.
83. Δεινοῖο πελώριου, X, 168 ; *thèrion*, 171 ; sur Circé, cf. Ch. P. Segal, « Circean temptations : Homer, Vergil, Ovid », *Transactions and Proceedings of the American Philological Association*, 99, 1968, p. 419-442.
84. *Ibid.*, 212-218.
85. Il n'y a aucune raison de modifier, au vers 235, le *sitôi* des manuscrits.
86. *Ibid.*, 239-243.
87. *Ibid.*, 304. Au vers 287, Hermès dit simplement qu'« en ayant sur lui le valeureux remède », τόδε φάρμακον ἐσθλὸν ἔχων, il sera en sécurité. Il ne s'agit donc pas d'un talisman dont on se *sert*, mais d'un objet qui préserve.

gnons d'Ulysse retrouveront leur identité, mais non les hommes qui avaient été transformés en animaux sauvages. Ainsi est posée, très nettement, une hiérarchie : 1) hommes, 2) animaux domestiques, 3) animaux sauvages. Ces derniers ne sont pas susceptibles d'être rattachés à l'humanité ou d'y revenir magiquement [88].

Voisins du pays des morts, et bien qu'ils disposent d'un *dèmos* et d'une *polis*, les Cimmériens sont exclus de l'humanité par le fait même que, comme les morts, ils ignorent le soleil [89].

Les Sirènes sont en quelque sorte une version féroce des Lotophages. La séduction qu'elles inspirent entraîne le non-retour [90], mais, comme les Lotophages, elles sont susceptibles d'être vaincues. Ce sont les seules étapes qui soient franchies rigoureusement sans dommages. Le Cyclope était à l'humanité comme le cru l'est au cuit, les Sirènes appartiennent au monde du pourri : les cadavres de leurs victimes ne sont pas dévorés, mais se corrompent sur le pré [91].

L'épisode des troupeaux du soleil, annoncé dès le début de l'œuvre [92], mérite qu'on s'y attache davantage. Vaches et brebis sont immortelles, autrement dit échappent à la condition qui est celle de l'animal destiné au labour et au sacrifice. De même que Circé ou Calypso ont l'*apparence* de l'humanité, de même que les morts peuvent passer au premier abord pour des êtres de chair et de sang, les animaux du soleil ont l'*apparence* de la domesticité. Seul l'interdit qui

88. C'est Hermès, le dieu proche de l'humanité, qui remet le *molu* à Ulysse, et c'est à Hermès qu'Eumée sacrifie un porc (XIV, 435). Cf. L. Kahn, *Hermès passe, ou les Ambiguïtés de la communication*, Paris, 1978, p. 139-140.

89. *Odyssée*, XI, 14-16.

90. *Ibid.*, XII, 42-43. Cf. L. Kahn, « Ulysse, la ruse et la mort », *loc. cit.* Pour une étude du chant des Sirènes comme lecture critique de l'*Iliade* par le poète de l'*Odyssée*, cf. P. Pucci, « The song of the Sirens », *Arethusa*, 12, 1979, 2, p. 121-132.

91. Du moins est-ce ainsi que Circé présente les choses (*ibid.*, XII, 45-46). Lorsque Ulysse lui-même raconte l'épisode, les ossements ont disparu et la prairie se couvre de fleurs (*ibid.*, XII, 159).

92. *Ibid.*, I, 8-9. Cf. J.-P. Vernant, « Manger aux pays du soleil », *in* M. Detienne et J.-P. Vernant (éd.), *La Cuisine du sacrifice en pays grec*, *op. cit.*, p. 240-249.

a été prononcé contre toute tentative de les immoler les protège. Tant qu'Ulysse et ses compagnons ont du pain et du vin, l'interdit est respecté [93]. Une fois les provisions épuisées, l'alternative se présente ainsi : ou bien s'adresser à la nature sauvage, c'est-à-dire chasser et pêcher, ce qui est une solution légitime — celle, du reste, que choisit Ulysse [94] —, ou bien faire une hécatombe avec les animaux interdits, ce qui revient à les traiter comme s'ils étaient des animaux domestiques tout en les capturant comme s'ils étaient sauvages. C'est la solution que choisissent les compagnons [95]. Mais, très remarquablement, Homère insiste sur le fait que les sacrificateurs n'ont pas ce qu'il faut pour sacrifier : l'orge des *oulai* ou *oulochutai* que le sacrificateur doit jeter devant lui avant l'égorgement de la victime est remplacé par des feuilles de chêne [96] ; un produit « naturel » remplace donc un produit de la culture. Parallèlement, le vin destiné aux libations est remplacé par de l'eau [97]. La façon même dont le sacrifice est conduit en fait donc un anti-sacrifice. Aussi bien les chairs *cuites et crues* se mettent-elles à gémir [98]. Comment en serait-il autrement alors qu'il s'agit précisément de bêtes

93. *Odyssée*, XII, 329-330.
94. *Ibid.*, 331-333.
95. *Ibid.*, 344 *sq.*
96. *Ibid.*, 357-358 ; cf. Eustathe, *ad* XII, 359 : καὶ τὰ ἑξῆς τῆς πολλαχοῦ δηλωθείσης θυτικῆς διασκευῆς ; cf. aussi *ad* 357. Sur le rôle des *oulai-oulochytai* dans le sacrifice homérique, cf. J. Rudhardt, *Notions fondamentales de la pensée religieuse et Actes constitutifs du culte dans la Grèce classique*, Genève, 1958, p. 253.
97. *Odyssée*, XII, 362-363 ; le plus curieux est que, dans le sacrifice homérique, l'eau recueillie dans les *chernibes* joue normalement un rôle dans la préparation de l'immolation (cf. J. Rudhardt, *ibid.*, p. 254) ; le poète a choisi de ne pas en parler, mais d'insister sur la libation de vin qui succède à l'égorgement. Ce passage a jadis attiré l'attention de S. Eitrem (*Opferritus und Voropfer der Griecher und Römer*, Kristiana, 1915, p. 278-280), qui a cru y voir le témoignage d'un rite plus archaïque que le sacrifice sanglant, rite qui se serait préservé dans la *phullobolia* (jet de feuilles) attestée dans certains rituels funéraires. « Ils [les compagnons d'Ulysse] savaient que plus anciennement ou ailleurs on avait procédé ainsi. » Inutile de dire qu'« expliqué » ainsi le texte homérique perd toute espèce de signification. L. Ziehen (*s.v.* « Opfer », *RE*, 18, 1939, c. 579-627) avait pensé (c. 582), contre Eitrem, à une « fantaisie du poète imposée par la situation ».
98. *Ibid.*, 395-396.

immortelles ? La part de l'homme dans le sacrifice, c'est la chair de la bête morte — le reste va vers les dieux : les bœufs du soleil ne peuvent donc pas être sacrifiés. Les compagnons d'Ulysse ne survivront pas au sacrilège [99].

L'ultime étape du héros dans le monde du mythe — il est désormais seul — le conduit dans l'île de Calypso, nombril de la mer [100]. Ulysse a la possibilité d'y devenir immortel en épousant la déesse [101] ; mais, précisément, l'île de Calypso est un lieu, je l'ai déjà rappelé [102], où la communication normale entre les dieux et les hommes, qui est le sacrifice, ne se fait pas. Calypso rêve d'une conjonction anormale, mais elle rappelle elle-même que deux tentatives précédentes, les amours d'Aurore et du *chasseur* Orion, celles de Déméter et de l'*agriculteur* Jasion, ont abouti à une catastrophe [103]. Les allégoristes anciens voyaient dans l'île de Calypso le symbole du corps et de la matière à laquelle doit s'arracher l'âme de l'homme [104] ; ce n'est certes pas ce que suggère le texte : en quittant Calypso, Ulysse choisit délibérément l'humanité contre tout ce qui lui est étranger [105].

Face au monde que je viens de caractériser à grands traits, Ithaque, Pylos et Sparte relèvent indiscutablement de la « terre donneuse de blé » [106]. Ithaque elle-même, cette « île

99. Les fabuleux Éthiopiens, convives de Poséidon dans l'*Odyssée*, jouissent chez Hérodote (III, 18 et 23-24) d'une alimentation qui est l'exacte antithèse du repas sacrilège des compagnons d'Ulysse. La terre leur fournit directement, dans une prairie située en avant de la ville, la *table du soleil*, les *viandes bouillies* des quadrupèdes. Disposant d'une fontaine de jouvence parfumée, les Éthiopiens « longue-vie » sont à peine des mortels. Leurs cadavres eux-mêmes ne sentent pas mauvais. Par rapport au soleil, ils sont donc des hôtes, et non les étrangers absolus que sont les compagnons d'Ulysse.

100. *Odyssée*, I, 50.

101. *Ibid.*, V, 136 ; XXIII, 336.

102. Cf. *supra*, p. 112.

103. *Odyssée*, V, 121-125.

104. Cf. F. Buffière, *Les Mythes d'Homère et la Pensée grecque*, Paris, 1956, p. 461 *sq.*

105. Cf. Ch. P. Segal, « The Pheacians and the symbolism of Odysseus' return », *loc. cit.*

106. Il en est de même d'autres pays qui ne sont évoqués que brièvement ; toutefois, une île, celle d'où est originaire Eumée, Syros, pose un problème particulier. Il s'agit bien d'une terre à blé et à vin (XV, 406). Mais on n'y connaît ni la maladie ni la famine, et la mort y est

aux chèvres » qui ne peut, comme Sparte, nourrir des chevaux [107], est cependant une terre céréalière, une terre où pousse la vigne, « elle a du grain, du vin, plus qu'on ne saurait dire, de la pluie en tous temps et de fortes rosées : un bon pays à chèvres [..], un bon pays à porcs [108] ». Comme l'indique un passage célèbre — et archaïsant —, c'est pour le roi que « la terre noire porte les blés et les orges, que les arbres sont chargés de fruits, que le troupeau croît sans cesse, que la mer bienveillante apporte ses poissons, que les peuples prospèrent [109] ». Ce sont le blé, l'orge, le vin, le bétail d'Ulysse qui, tout autant que sa femme, font l'objet du débat qui l'oppose aux prétendants. Le retour à Ithaque sera donc le retour au pays du blé ; pourtant, Ithaque n'est pas encore suffisamment terrienne. Avant de mourir, Ulysse devra aller « loin de la mer ». Il devra aller plus loin qu'Ithaque, s'enfoncer dans les terres jusqu'au point où l'on prendra une rame pour une pelle à grain [110] ; un triple sacrifice à Poséidon mettra alors un terme à ses aventures, le fixe l'emportera sur le mouvant.

Il n'est pas besoin non plus, je pense, d'insister sur le caractère de terre à blé et de terre d'élevage de Pylos et de Sparte [111]. Cela ne signifie pas cependant que les trois pays soient placés exactement sur le même plan. Pylos est le pays du sacrifice permanent, le pays modèle de la piété. Nestor est en train de sacrifier à Poséidon quand se présente Télé-

---

douce (406-409). Syros étant située « du côté du couchant » (409), on peut difficilement l'identifier avec l'île égéenne du même nom. Je remercie F. Hartog d'avoir attiré mon attention sur ce point. Je laisse également ici de côté les questions posées par les mystérieux « Taphiens ».

107. *Ibid.*, IV, 605-606.

108. *Ibid.*, XIII, 244-246, trad. V. Bérard ; cf. aussi, pour le blé, XIII, 354, et XX, 106-110 (moulins) ; pour les vaches, XVII, 181 ; Ulysse possède aussi des vaches à Céphalonie, 20, 210.

109. *Ibid.*, XIX, 111-114 ; sur ce texte qui relève d'une conception très archaïque — à l'époque d'Homère — de la royauté, cf. M. I. Finley, *Le Monde d'Ulysse*, nouvelle éd. augmentée, trad. M. Alexandre et Cl. Vernant-Blanc, Paris, 1978, p. 119-120.

110. *Odyssée*, XI, 128 ; XXIII, 275 ; cf. W. F. Hansen, « Odysseus last journey », *Quaderni urbinati di cultura classica*, 24, 1977, p. 27-48.

111. Cf. par exemple pour Pylos, *Odyssée*, III, 495, ἐς πεδίον πυρηφόρον ; pour Sparte, IV, 41 ; 602-604, etc.

maque; tous les détails rituels sont mentionnés [112]. Un peu plus tard, c'est Athéna qui bénéficie à son tour de sacrifices [113]. Il n'en est pas de même à Sparte, où l'on rencontre des traits qui relèvent pour une part du monde mythique. Le palais de Ménélas, contrairement à celui d'Ulysse, avec son décor d'or, d'ivoire et d'électrum, est, tout comme celui d'Alcinoos, une demeure digne de Zeus [114]. Il y a à Sparte tout comme à Schéria des objets fabriqués par Héphaïstos [115]. Le sacrifice y est rétrospectif; Ménélas évoque celui qu'il a dû faire au cours du voyage où il a appris la présence d'Ulysse chez Calypso, communiquant ainsi avec le monde du mythe [116]. Aussi bien la destinée future de Ménélas, contrairement à celle d'Ulysse, n'est pas la mort mais le séjour dans cet autre âge d'or que sont les Champs Élysées [117].

Pylos et Sparte s'opposent également à Ithaque par un autre trait. Ils constituent des royaumes ordonnés où le souverain est présent en même temps que son épouse, où le trésor n'est pas mis au pillage, où les règles ordinaires de la vie sociale sont respectées. Quand Télémaque arrive à Sparte, Ménélas est en train de célébrer le mariage de son fils [118]. A Ithaque, au contraire, nous est décrite une société en crise. Les trois générations de la famille royale sont représentées par un vieillard dont l'exclusion du trône a quelque chose de mystérieux quand on le confronte à Nestor, par une femme et un adolescent qui nous est dépeint comme un peu attardé [119]. Une société en somme en creux et en crise, ce

112. *Ibid.*, III, 5 *sq.*
113. *Ibid.*, III, 382 *sq.*; 425 *sq.*; cf. les détails : l'orge et l'eau lustrale, 440 *sq.*; le hurlement des femmes, 450; de même encore, XV, 222-223.
114. Comparer *ibid.*, IV, 71-74, et VII, 86.
115. Cf. IV, 617; XV, 113-119; VII, 92.
116. *Ibid.*, IV, 352, 478.
117. *Ibid.*, IV, 563-569; au contraire, Ulysse peut dire : « Je ne suis pas un dieu » (XVI, 187).
118. *Ibid.*, IV, 4 *sq.*
119. Cf. *ibid.*, I, 296-297 et les remarques de M. I. Finley, *Le Monde d'Ulysse, op. cit.*, p. 103-108. En dépit d'efforts anciens et encore récemment renouvelés (K. Hirvonen, *Matriarchal Survivals and Certain Trends in Homer's Female Characters*, Helsinki, 1968, p. 135-162), il n'y a rien dans le personnage de Pénélope qui permette de parler de matriarcat,

qu'exprime la révolte des *kouroi*, une société qui attend le rétablissement de l'ordre.

Il se trouve que le sacrifice est à la fois le signe de la crise et l'instrument de la solution. Qui sacrifie à Ithaque ? Si l'on s'en tient au critère que constitue l'emploi des verbes ἱερεύω et σπένδω et des mots apparentés, tout le monde, les prétendants aussi bien qu'Ulysse et son camp [120]. Si l'on s'inquiète au contraire des textes où le sacrifice est adressé avec précision aux dieux, on constate que les prétendants ne sacrifient pas. Plus exactement, un seul d'entre eux propose une libation aux dieux, mais il s'agit d'Amphinomos, seul prétendant qu'Ulysse tente d'écarter du massacre qui va avoir lieu [121]. Antinoos promet bien un sacrifice à Apollon, qui se fera dans les règles, avec combustion des cuisses, mais il ne pourra tenir sa promesse [122]. Au contraire, du côté d'Ulysse, le sacrifice, rétrospectif ou présent, est permanent, la piété d'Eumée est soulignée : Οὐδὲ συβώτης λήθετ' ἄρ' ἀθανάτων φρεσὶ γὰρ κέχρητ' ἀγαθῇσιν — « le porcher n'oublia pas les Immortels ; il avait bon esprit [123] ». Il résulte en tout cas de cette comparaison qu'il faut bien admettre que ἱερεύω a parfois une signification qui n'est pas directement

---

fût-ce à titre de « traces ». La « position spéciale » de Pénélope s'explique simplement par l'absence d'Ulysse. Cf. J.-P. Vernant, « Le mariage », *La Parola del passato*, 38, 1973, repris dans *Mythe et Société en Grèce ancienne*, *op. cit.*, p. 57-81.

120. Cf. *Odyssée*, II, 56 ; XIV, 74 ; XVI, 454 ; XVII, 181 ; XVII, 600 ; XX, 2 ; XX, 264.

121. Cf. XVIII, 153-156 et 414-428 ; Amphinomos est tué en XXII, 94 ; l'hécatombe de XX, 276-279 est anonyme ; en tout cas, elle n'est pas faite par les prétendants.

122. Cf. XXI, 265-268. Liodès, qui fut le *thuoskoos* des prétendants, est tué par Ulysse (XXII, 312-329) ; les sacrifices accomplis dans le passé pour le compte des prétendants n'ont donc pas été agréés. Le *thuoskoos* est un devin (cf. J. Casabona, *Recherches sur le vocabulaire des sacrifices en grec des origines à la fin de l'époque classique*, Aix-Gap, 1966, p. 118-119).

123. *Odyssée*, XIV, 420-421 ; cf. aussi II, 432-433 (Télémaque), IV, 761 et 767 (Pénélope), XIV, 445-448 (Eumée) ; XVIII, 151 (Ulysse), XIX, 198 (récit « mensonger » d'Ulysse), I, 60-62 ; IV, 762-764 ; XVII, 241-243 (rétrospective des sacrifices d'Ulysse) ; XIX, 397-398 (rétrospective des sacrifices d'Autolycos, grand-père d'Ulysse). N'oublions pas non plus les sacrifices promis par Ulysse (cf. *supra*, n. 54 et n. 110).

religieuse [124]. Mais cette enquête a aussi un résultat plus important ; le sacrifice joue deux fois dans l'*Odyssée* un rôle de critère : entre les humains et les non-humains, il est critère d'humanité ; entre les humains, il est un critère social et moral.

Il reste que, dans ce monde humain qu'est Ithaque, il est au moins un lieu qui, lui, est en contact direct avec l'univers des mythes : c'est l'ensemble formé par le port de Phorcys, nommé d'après le propre grand-père du Cyclope [125], et la grotte consacrée aux Nymphes, c'est-à-dire à des divinités de la nature et des eaux. Cette grotte a, on s'en souvient, deux entrées, une pour les dieux, une pour les mortels [126]. Tout près d'elle est un olivier sacré, en place celui-là [127], au pied duquel Athéna s'entretient avec Ulysse. C'est là que les Phéaciens déposent Ulysse et ses trésors.

Comme l'a bien vu Ch. P. Segal, les Phéaciens sont « entre les deux mondes [128] », ils se situent à l'intersection du monde des récits et du monde réel, leur fonction essentielle dans le poème consistant à faire passer Ulysse d'un univers à l'autre.

Débarqué nu en Phéacie, ayant accompli — à peu de chose près — un retour « sans le concours des dieux ni des hommes mortels [129] », Ulysse trouve abri sous un olivier, et, fait

124. J. Casabona écrit : « L'idée de banquet passe au premier plan » (*Recherches sur le vocabulaire des sacrifices..., op. cit.*, p. 23) : c'est en effet le moins qu'on puisse dire.

125. *Odyssée*, I, 71 ; XIII, 96 *sq.* Cf. P. Segal, « The Pheacians and the symbolism of Odysseus' return », *loc. cit.*, p. 48.

126. *Odyssée*, XIII, 109-112.

127. *Ibid.*, XIII, 122, 372.

128. Ch. P. Segal, « The Pheacians and the symbolism of Odysseus' return », *loc. cit.*, p. 17 ; cf. aussi *ibid.*, p. 27 : « Les Phéaciens, tout en étant l'instrument du retour d'Ulysse au monde de la réalité, sont aussi le dernier reflet de ce royaume imaginaire qu'il est en train de quitter. » Toute la démonstration de Segal me paraît devoir être retenue, mais non le vocabulaire « symboliste » et « psychologique » qui est parfois le sien ; voir aussi son article « Transition and ritual in Odysseus' return », *La Parola del passato*, 116, 1967, p. 321-342, et H. W. Clarke, *The Art of the Odyssey*, Englewood Cliffs, NJ, 1967, p. 52-56. F. Hartog a soutenu sur ce sujet un mémoire de maîtrise à la faculté des lettres de Nanterre, en juin 1970.

129. *Odyssée*, V, 32. Il a cependant bénéficié de l'aide d'Inô-Leucothéa et du dieu-fleuve de Phéacie (V, 333-353 ; V, 445-452).

remarquable, cet olivier, ὁ μὲν φυλίης, ὁ δ' ἐλαίης, est *double*, à la fois sauvage et greffé, oléastre et olivier [130]. La terre elle-même de l'île des Phéaciens est *double*, partiellement comparable à la terre d'Ithaque, de Pylos et de Sparte, partiellement à la terre du monde des récits. La Phéacie contient assurément tous les éléments caractéristiques d'un établissement grec de l'époque de la colonisation, à l'intérieur du cadre physique dessiné au loin par ses « monts et ses bois [131] » : terre arable que le fondateur a autrefois partagée : ἐδάσσατ' ἀρούρας [132]. Les champs y sont bien les « travaux des hommes » : ἀγροὺς καὶ ἔργ' ἀνθρώπων [133], cela même qu'Ulysse avait vainement cherché dans ses voyages ; le bourg fortifié s'y distingue de la campagne : πόλις καὶ γαῖα [134] ; le pays dispose de vin, d'huile et de céréales en abondance ; Alcinoos a sa florissante vigne personnelle [135]. En bref, les Phéaciens sont hommes parmi les hommes ; ils « connaissent les bourgs fortifiés, et les grasses campagnes de tous les hommes [136] ». C'est bien sa propre humanité que retrouve Ulysse en débarquant en Phéacie : quand il apparaît à Nausicaa, il est comparé à un lion chasseur des montagnes, tueur de bétail ou tueur de cerfs ; quand il quitte le pays pour retourner chez lui, il est comme un laboureur fatigué qui rentre à la maison [137].

Pourtant, la terre de Phéacie s'oppose elle aussi à la terre

130. *Ibid.*, V, 477 ; les deux arbres ont le même tronc. Toute l'Antiquité a interprété le mot *phuliè* comme désignant l'olivier sauvage (cf. les références dans W. Richter, *Die Landwirschaft im Homerischen Zeitalter*, *op. cit.*, p. 135). Seuls certains modernes ont estimé qu'il pouvait s'agir de myrte (A. S. Pease, *s.v.* « Olbaum », in *RE*, 17, 1937, c. 2006).
131. *Odyssée*, V, 279-280.
132. *Ibid.*, V, 610. Les historiens de la colonisation ont naturellement relevé ce vers ; cf. en dernier lieu D. Asheri, « Distribuzioni di terre nell'antica Grecia », *Memorie dell'Accademia delle scienze di Torino*, Turin, 1966.
133. *Odyssée*, VI, 259.
134. *Ibid.*, VI, 177, 191 ; cf. aussi δῆμὸν τε πόλιν, VI, 3.
135. *Ibid.*, VI, 76-79, 99, 293.
136. *Ibid.*, VIII, 560-561.
137. *Ibid.*, VI, 130-133 ; XIII, 21-35.

d'Ithaque : le jardin d'Alcinoos [138] est un jardin magique qui ne connaît pas les saisons, un Zéphyr éternel y souffle, la vigne y montre à la fois ses fleurs, ses raisins verts et ses raisins mûrs ; bref, il ne s'agit pas que d'un verger, c'est bien un îlot de l'âge d'or au cœur de la Phéacie. Au contraire, le jardin de Laërte n'a rien que de normal : « Chaque cep a son temps pour être vendangé et les grappes y sont de toutes les nuances, suivant que les saisons de Zeus les font changer [139]. » C'est bien l'âge de Cronos d'un côté, l'âge de Zeus

138. *Ibid.*, VII, 112-132 ; il va de soi qu'il ne saurait être question d'expulser de l'*Odyssée* cette description fameuse sous le prétexte vraiment inepte que jamais les « robustes mais étroites enceintes [des villes mycéniennes] n'ont eu en leurs murailles de place pour les quatre arpents de verger, de ce double vignoble et de ce potager » (Victor Bérard in *Odyssée*, Paris, collection des Universités de France, 1924, t. I, p. 186). Il est bon de noter aussi que le caractère utopique et mythique de ce texte a été bien senti dans l'Antiquité ; ainsi l'utopie hellénistique de Iamboulos cite les vers 120-121 (Diodore, 2, 56). Sur le jardin d'Alcinoos, cf. encore A. Motte, *Prairies et Jardins de la Grèce antique*, *op. cit.*, p. 21.

139. *Odyssée*, XXIV, 342-344, trad. V. Bérard : cf. Ch. P. Segal, « The Pheacians and the symbolism of Odysseus' return », *loc. cit.*, p. 47 ; il se pose ici un problème que je me sens incapable de résoudre. Tous les rapprochements effectués dans ces pages et dans celles qui suivent tendent, me semble-t-il, à renforcer la position de ceux qui admettent, pour le moins, un « architecte » d'ensemble, ce que G. S. Kirk appelle *a monumental composer*, qui aurait donné aux poèmes homériques leur équilibre actuel (cf. G. S. Kirk, *The Songs of Homer*, Cambridge, 1962, p. 159-270 ; à corriger par A. Parry, « Have we Homer's *Iliad* ? », *Yale Classical Studies*, 20, 1966, p. 175-216). Cette position est aussi la mienne, mais il faut bien reconnaître que le chant XXIV pose des difficultés particulières et que les anomalies, surtout linguistiques, sont nombreuses (cf. D. Page, *The Homeric Odyssey*, *op. cit.*, p. 101-136, qui donne une vue extrême, et G. S. Kirk, *The Songs of Homer*, *op. cit.*, p. 248-251). On sait d'ailleurs que les critiques de l'époque hellénistique, Aristarque et Aristophane, considéraient que l'*Odyssée* s'arrêtait au vers 296 du chant XXIII. Admettons par hypothèse que toutes ces critiques soient fondées, s'ensuit-il que le rapprochement proposé entre le chant VII et le chant XXIV soit absurde ? Pour ceux qui pratiquent l'analyse structurale en se fondant exclusivement sur le modèle linguistique, la question n'a guère de sens, et on ne voit pas d'ailleurs ce qui les empêcherait de « structurer » un ensemble composé de l'*Iliade*, du *Mahabharata* et du *Paradis perdu*. L'historien alors se retire en saluant ! Mais il est possible de prendre les choses tout à fait autrement. Les recherches de Propp et de ses disciples proches ou lointains (cf. V. I. Propp, *Morphologie du conte*, suivi de *Les Transformations du conte merveilleux*, trad. M. Derrida, T. Todo-

de l'autre [140]. La comparaison pourrait être poussée encore plus loin. Les chiens qui gardent la maison d'Alcinoos, œuvre d'Héphaïstos en or et en argent, sont immortels et disposent naturellement d'une jeunesse éternelle ; chacun connaît au contraire l'épisode du chien Argo dont l'âge mesure exactement la durée de l'absence d'Ulysse [141].

Qu'en est-il maintenant du sacrifice ? On sacrifie en Phéacie à peu près comme à Pylos ou à Ithaque : θεοῖσι ῥέξομεν ἱερὰ καλά, « nous offrirons aux dieux de belles victimes [142] », affirme Alcinoos. On sacrifie un bœuf dans les règles avant le départ d'Ulysse [143], et, quand les Phéaciens sont menacés de destruction par Poséidon aidé de Zeus, leur sort est suspendu aux résultats du sacrifice qu'Alcinoos décide de leur offrir : ἑτοιμάσσαντο δὲ ταύρους [144], « et ils préparèrent les taureaux ». C'est la dernière action des Phéaciens dans l'épopée, et on ignore quel sera leur sort, exemple unique d'un

---

rov, C. Kahn, Paris, 1970 ; Cl. Bremond, « Le message narratif », *Communications*, 11, 1968, p. 4-32, et « Postérité américaine de Propp », *Communications*, 11, 1968, p. 147-164, textes reproduits dans *Logique du récit*, Paris, 1973) montrent que, dans une *aire culturelle commune*, un ensemble complexe de récits peut se réduire à un petit nombre d'éléments simples occupant des positions variables. Il me paraît clair, effectivement, que dans l'*Odyssée* le thème du jardin de l'âge d'or fait face au thème de la jeune fille orientant les visiteurs vers la mort. Il me semble aussi que l'analyse thématique du récit épique, telle que la pratiquent les disciples de Milman Parry, va finalement dans le même sens (cf. A. B. Lord, *The Singer of Tales*, Oxford, 1955, notamment p. 68-98), dans la mesure où elle montre qu'un thème ancien (et on voit mal comment la rencontre définitive d'Ulysse et de Laërte aurait pu ne pas être un thème ancien) peut avoir été fixé à une date tardive. Ces deux disciplines auraient intérêt à se rencontrer. Je ne crois donc pas qu'une *Odyssée* partiellement composite dans son histoire ne puisse aussi être une *Odyssée* homogène, structuralement parlant, mais je dois admettre que la démonstration de détail reste encore à apporter.

140. Plus exactement, nous avons ici l'équivalent de ce qu'Hésiode et ses successeurs appellent ainsi, car je n'oublie pas que la terre du Cyclope est, elle aussi, fécondée par Zeus (IX, 111, 358). Le Cronos d'Homère n'est, on le sait, que le père, enfermé au Tartare, de Zeus (*Iliade*, VIII, 478-481).

141. *Odyssée*, VII, 91-92 ; XVII, 290-327 ; Eumée a aussi des chiens tout à fait réels et aboyants (XIV, 21-22).

142. *Ibid.*, VII, 191 ; cf. VII, 180-181.

143. *Ibid.*, XIII, 26 et XIII, 30 *sq.* (libations à Zeus).

144. *Ibid.*, XIII, 184.

destin suspendu. Pourtant, même sur ce plan, les Phéaciens ne sont pas des hommes comme les autres. Alcinoos peut dire : « Quand nous sacrifions aux dieux nos fastueuses hécatombes, ils viennent s'asseoir près de nous et partager avec nous leurs repas [145]. » De tels repas pris en commun n'ont rien à voir avec le sacrifice normal qui sépare au contraire les hommes des dieux [146]. Les Phéaciens sont bien entendu des hommes ; Alcinoos et Ulysse se rappellent l'un à l'autre leur condition de mortels [147], et c'est bien la précarité de la condition humaine dont les Phéaciens feront l'expérience lors de leur dernière apparition dans le poème, mais ils sont aussi ἀγχίθεοι, parents des dieux ; il ne s'agit pas d'une épithète de politesse — elle n'est employée que deux fois par Homère et seulement à leur propos [148]. Ces hommes, qui ont jadis été les voisins des Cyclopes qui les pillaient, ont été installés par Nausithoos « à l'écart des hommes mangeurs de pain », ἑκὰς ἀνδρῶν ἀλφηστάων [149]. En un sens ils sont bien, comme on

145. *Ibid.*, VII, 201-203. Les Phéaciens ont ainsi le même privilège que les Éthiopiens mythiques (I, 24-25) ; cf. aussi VI, 203-205 : « Nous sommes très chers aux immortels ; nous habitons à l'écart au sein de la mer démontée, au bout du monde (*eschatoi*) et aucun mortel ne nous fréquente » ; cf. S. Eitrem, *s.v.* « Phaiaker », *RE*, 19, 1938, c. 1518-1534 (on verra c. 1523). La familiarité avec les dieux telle qu'elle s'exprime dans les théoxénies et l'éloignement d'avec les hommes vont de pair. Quand Athéna participe aux sacrifices accomplis par Nestor et ses fils (*Odyssée*, III, 43 *sq.*), elle le fait sous un déguisement ; au contraire, Alcinoos insiste sur le fait que chez les Phéaciens, les dieux ne se déguisent pas, οὔ τι κατακρύπτουσιν (VII, 205). Le repas sacrificiel est pris en commun (δαίνυνταί τε παρ' ἄμμι καθήμενοι ἔνθα περ ἡμεῖς, VII, 203). De même chez les Éthiopiens, Poséidon est présent au festin (δαιτὶ παρημενος, I, 26). En apparence, Athéna déguisée a bien fait de même chez Nestor (ἦλθε ἐς δαῖτα, III, 420). Mais dès lors qu'elle s'est révélée en prenant la forme d'un oiseau (III, 371-372), c'est en déesse invisible qu'elle vient prendre sa part de sacrifice (III, 435-436). Nestor et Télémaque ne jouissent donc pas du même privilège que les Phéaciens.

146. Par contre, dans un fragment hésiodique (Merkelbach-West, n° 1), la commensalité caractérise les rapports entre les hommes et les dieux avant l'instauration du sacrifice.

147. Cf. *Odyssée*, VII, 196-198 et XIII, 59-62.

148. *Ibid.*, V, 35, et XIX, 279.

149. *Ibid.*, VI, 8. J. Strauss-Clay, « Goat Island : *Odyssee*, IX, 116-145 », *Classical Quarterly*, 30, 1980, 2, p. 261-264 suppose ingénieusement que cette île, où habitèrent les Phéaciens, n'est autre que l'île des chèvres, voisine de la Cyclopie ; elle développe par ailleurs le thème

l'a dit, l'inverse des Cyclopes [150]. Toutes les vertus humaines, la pratique de l'hospitalité [151], la piété, l'art du don et de la fête, sont bien la contrepartie de la barbarie cyclopique. Mais il y a plus et mieux à dire : l'ancienne proximité et l'actuel éloignement des Phéaciens et des Cyclopes traduisent des relations plus subtiles. « Par rapport aux dieux, dit Alcinoos, nous sommes des proches, comme les Cyclopes et les sauvages tribus des Géants », ὥς περ Κύκλωπές τε καὶ ἄγρια φῦλα Γιγάντων [152], des Géants auxquels sont par ailleurs assimilés les Lestrygons [153]. Proximité et parenté, c'est là une invitation à rechercher en Phéacie à la fois la trace et l'inverse du monde des récits.

Débarquant au pays d'Alcinoos, Ulysse rencontre une jeune fille au lavoir qui l'invite à aller trouver ses père et mère [154]. Déjà, ailleurs, il avait rencontré puisant de l'eau à la fontaine une jeune fille qui lui avait lancé la même invitation, et c'était la fille du roi des Lestrygons. Dans le royaume cannibale comme dans le royaume hospitalier, Ulysse voit la reine avant le roi [155]. Nausicaa est-elle fille ou déesse ? La question est banale [156], mais il faut bien voir que Nausicaa est une jeune fille qui a l'apparence de la divinité, tandis que Circé ou Calypso étaient des déesses à l'apparence de jeunes

---

de la parenté entre les deux peuples dans « Cyclopes and Pheacians », in *The Wrath of Athena : Gods and men in the Odyssey*, Princeton, 1983, p. 125-132.

150. Ch. P. Segal, « The Pheacians and the symbolism of Odysseus' return », *loc. cit.*, p. 33.

151. Une hospitalité assez ambiguë cependant, car Athéna déguisée prévient Ulysse : « Les étrangers ici sont assez mal reçus ; on ne fête ni ne caresse ceux qui viennent du dehors » (VII, 32-33) ; rien, bien entendu, dans la suite, ne justifiera cet avertissement d'Athéna. Mais Nausicaa a déjà signalé (VI, 205) que les hommes fréquentent peu les Phéaciens (cf. *supra*, n. 145), et Athéna elle-même a enveloppé Ulysse de brume, « de peur que, le croisant, un de ces orgueilleux Phéaciens ne l'insultât et ne lui demandât son nom » (VII, 14-17). On lit donc, en transparence, sous les Phéaciens hospitaliers, comme l'image d'une Phéacie comparable à la Cyclopie.

152. *Odyssée*, VII, 205-206.

153. *Ibid.*, X, 120.

154. *Ibid.*, VII, 296-315.

155. *Ibid.*, X, 103-115.

156. *Ibid.*, VI, 16 ; VI, 67 ; VI, 102 *sq.* ; VII, 291 ; VIII, 457.

filles [157]. Les projets matrimoniaux qu'Alcinoos et, avec beaucoup de discrétion, Nausicaa elle-même caressent à propos d'Ulysse [158] évoquent ceux que formaient, plus vigoureusement, les deux déesses. Les Sirènes, ces tentatrices, sont des aèdes qui chantent la guerre de Troie [159] comme le fait Démodocos à la cour d'Alcinoos faisant pleurer Ulysse [160]. Les unes représentent l'aspect dangereux, l'autre l'aspect bénéfique, de la parole poétique [161].

On objectera, bien sûr, que le nombre de situations où peut se trouver un homme comme Ulysse n'est pas illimité, et c'est exact. Mais voici qui est peut-être plus singulier : Ulysse a déjà rencontré, avant les passeurs efficaces que sont les Phéaciens, un premier passeur qui l'a reconduit jusqu'aux approches d'Ithaque : Éole, l'intendant des vents [162], qui, comme les Phéaciens, passe sa vie dans les banquets. Dans les deux « retours », Ulysse s'endort, et son sommeil, catastrophique après le séjour chez Éole, est bénéfique après l'escale à Schéria [163]. La famille d'Éole, on s'en souvient, pratique l'inceste ; or, si l'on s'en tient aux vers qui introduisent la généalogie d'Arétè et Alcinoos, il en est de même du couple royal de Phéacie :

> Ἀρήτη δ' ὄνομ' ἐστὶν ἐπώνυμον, ἐκ δὲ τοκήων
> τῶν αὐτῶν οἵ περ τέκον Ἀλκίνοον βασιλῆα

« Son nom, mérité, est Arétè [la bien adaptée], ce sont les mêmes parents qui les ont engendrés, elle et Alcinoos [164]. »

157. C'est là tout le problème qui, dans les poèmes hésiodiques, sera celui de Pandora, la première femme qui est à la fois semblance d'une vierge et l'image des déesses (cf. N. Loraux, « Sur la race des femmes et quelques-unes de ses tribus », *loc. cit.*, p. 45-49).

158. *Ibid.*, VI, 244-245 ; VII, 313.

159. *Ibid.*, XII, 184-191.

160. *Ibid.*, VIII, 499-531. Cf. Françoise Frontisi-Ducroux, « Homère et le temps retrouvé », *Critique*, 1976, n° 348, p. 542-543.

161. Cf. M. Detienne, *Les Maîtres de vérité dans la Grèce archaïque*, *op. cit.*

162. *Odyssée*, X, 21.

163. Cf. *ibid.*, X, 31 et XIII, 92 ; sur le thème du sommeil dans l'*Odyssée*, cf. Ch. P. Segal, « Transition and ritual in Odysseus' return », *loc. cit.*, p. 324-329.

164. *Odyssée*, VII, 54-55.

La suite du texte transmis corrige, il est vrai, cette impression que l'auditeur ne pouvait pas ne pas ressentir : Arétè n'est pas la sœur d'Alcinoos, mais sa nièce — pourtant, l'explication par l'interpolation n'est pas ici indéfendable [165].

Il reste cependant que ce que nous avons appelé le « monde réel » n'est pas moins présent à Schéria que le monde mythique des voyages. Cela a déjà été prouvé à propos de la terre et du sacrifice, mais la remarque peut être étendue à l'ensemble de l'organisation sociale. Les institutions sociales de Pylos, de Sparte, d'Ithaque surtout sont présentes en Phéacie [166], et le détail de l'organisation du palais est identique à Ithaque et chez Alcinoos. Est-ce un « hasard » ? Il y a cinquante servantes chez Ulysse et autant chez Alcinoos [167], et tout le reste à l'avenant [168]. Seulement, ces personnages identiques ne donnent pas deux sociétés identiques. Ainsi, il y a bien à Sché-

165. Une scholie indique qu'« Hésiode » tenait Alcinoos et Arétè pour frère et sœur (cf. *Schol. Odys.*, 7, 54, p. 325 [Dindorf] = [Hésiode], fr. 122 [Merkelbach-West] ; cf. aussi Eustathe, *ad* 7, 65). Dès lors, deux solutions sont possibles : ou bien constater avec un scholiaste (E.P.Q., *ibid.*) que τοῦτο μάχεται τοῖς ἑξῆς, que « cela ne va pas avec la suite », et il faut, comme cela a été pratiqué depuis A. Kirchhoff (*Die Composition der Odyssee*, Berlin, 1869, p. 54-56), considérer comme interpolés les vers 56-68 et le vers 146 du chant VII (où Arétè est appelée fille de Rhexénor), ou bien admettre que le poète a donné au couple royal une *apparence* d'inceste qui est ensuite corrigée ; dans le sens d'un rapprochement entre Éole et Alcinoos, cf. G. Germain, *Genèse de l'Odyssée*, *op. cit.*, p. 293.

166. Et d'abord, naturellement, le roi et la reine ; ainsi les mêmes formules sont utilisées pour décrire le coucher du couple royal à Pylos, Sparte et à Schéria (cf. *Odyssée*, III, 402-403 ; IV, 304-305 et VII, 346-347).

167. Cf. XXII, 421 et VII, 103.

168. Par exemple, il y a une intendante à Schéria (VII, 166, 175 ; VIII, 459) et une autre à Ithaque (XVII, 94) ainsi du reste qu'à Pylos (III, 392), une nourrice à Schéria (VII, 32) et une autre à Ithaque (IX, 27 ; XIV, 357 *sq.*), un aède à Schéria (VIII, 261 *sq.*), un autre à Ithaque (XXII, 320 *sq.*). L'épisode phéacien et les scènes d'Ithaque ont souvent été rapprochés. On comparera par exemple les arguments étrangement semblables, à soixante-cinq ans d'intervalle, et malgré la variation des modes explicatives (les « interpolations » en cascade dans le premier cas, la composition orale dans le second), de S. Eitrem, « Die Phaiakenepisode in der *Odyssee* », *loc. cit.*, et de M. Lang, « Homer and oral technique », *Hesperia*, 38, 1969, p. 159-168.

ria au moins un « jeune homme en colère », Euryale, qui insultera Ulysse, mais il sera contraint à faire des excuses [169]. On chercherait en vain en Phéacie un porcher, un bouvier, un chevrier. On chercherait en vain à Ithaque ces marins professionnels qui conduisent sans pilote, ces « passeurs infaillibles » de Phéacie [170]. Ithaque est une île dont les hommes sont partis autrefois en bateau, ce n'est à aucun degré un pays de marins, même si Ulysse a acquis la technique nécessaire. Une fois rentré au port, il fait des pièces de son bateau un usage purement terrien, et il pend les servantes infidèles au câble dudit navire [171].

La Phéacie est au contraire une société idéale et impossible. En pleine crise de la royauté, Homère nous décrit un roi qui sait rétablir la paix, un roi qui règne sur douze rois subordonnés et obéissants [172], sur des fils dociles, sur une femme dont, quoi qu'on en ait dit, le seul rôle est l'intercession [173], sur des vieillards dont le rôle se limite au conseil [174] et qui ne sont ni mis à l'écart comme Laërte ni ulcérés comme Égyptios [175]. Le palais d'Alcinoos est en un sens un *oikos* parfait, mais, je le répète, il est impossible ; les Phéaciens ignorent la lutte physique [176], ils ignorent aussi, et complètement, la lutte politique : que l'on compare l'orageuse *agora* d'Ithaque, au chant II, et celle des Phéaciens [177]. Même le garçon inexpérimenté qu'est Télémaque se fait traiter d'*hupsagorès* [178], de prêcheur d'*agora*, et nul doute que nous n'atteignions là une réalité historique directe. Pylos aussi, fera-t-on remarquer, échappe à la crise de la royauté et également la

169. *Odyssée*, VIII, 131 *sq.* ; VIII, 396-412.
170. *Ibid.*, VII, 318-320 ; VIII, 558, 566 ; XVI, 227-228.
171. *Ibid.*, XXII, 465-470.
172. *Ibid.*, VIII, 390-391.
173. Il suffit de se reporter à VII, 146 *sq.*, et de lire ces vers sans un schéma préconçu de matriarcat, tel qu'il est encore conservé par M. Lang, « Homer and oral technique », *loc. cit.*, p. 163.
174. Cf. l'intervention d'Échénéos, VII, 155-166.
175. Comparer au discours d'Échénéos celui du vieil Égyptios, II, 15-34.
176. *Odyssée*, VIII, 246.
177. *Ibid.*, VIII, 25 *sq.*
178. *Ibid.*, I, 385 ; II, 65.

Sparte de Ménélas. L'une et l'autre sont des États ordonnés et la réalité historique de la crise n'apparaît que là où la logique du récit impose sa présence. La crise est à Ithaque, non obligatoirement partout dans le monde des hommes [179]. Où est alors le discriminant entre la Phéacie d'une part, Pylos et Sparte de l'autre ? La réponse n'est pas douteuse, il est dans le caractère essentiellement terrien de Pylos et de Sparte. Et le paradoxe est là : c'est au moment même où quelques cités grecques entament l'aventure maritime de la colonisation occidentale que le poète de l'*Odyssée* décrit comme radicalement utopique une cité de marins. En un sens, ce qu'Ulysse voudrait rétablir à Ithaque, c'est bien un ordre comparable à celui qui règne chez les Phéaciens, mais il n'y parviendra pas : les banquets permanents des hôtes de Schéria, avec ou sans la participation des dieux, sont au-delà de ce qu'il peut obtenir, et il lui faudra, au chant XXIV, passer par une réconciliation avec les familles des prétendants massacrés. Les Phéaciens l'ont réintroduit dans le monde des hommes et leur disparition entraîne celle de ces mirages de l'inhumain qu'Ulysse avait rencontrés tout au long de ses voyages. On peut considérer Schéria comme la première utopie de la littérature grecque [180], mais nous ne sommes pas encore au moment où l'utopie politique se séparera de la représentation de l'âge d'or [181]. Celui-ci reste présent en Phéacie, et c'est ce qui distingue cette société « idéale » d'une autre représentation de la cité parfaite, celle que dépeint, guerrière ou pacifique, Héphaïstos sur le bouclier d'Achille, au chant XVIII de l'*Iliade*, description dont

179. C'est ce que me fait remarquer avec juste raison M. I. Finley.
180. Cf. M. I. Finley, *Le Monde d'Ulysse*, *op. cit.*, p. 123-125.
181. Sur ce thème, cf. M. I. Finley, « Utopianism ancien and modern », *Mélanges H. Marcuse*, Boston, 1967 ; repris dans *The Use and Abuse of History*, Londres, 1975, p. 178-182. J'accepte pleinement sur le plan théorique les remarques de Finley, mais il est juste, je crois, de dire qu'en pleine époque hellénistique les utopies mêleront étroitement les mythes archaïques et millénaristes aux représentations politiques (cf. L. Gernet, « La cité future et le pays des morts », *Revue des études grecques*, 46, 1933, repris dans *Anthropologie de la Grèce ancienne*², Paris, 1976, p. 139-153). Il n'en était pas de même au Vᵉ siècle ; une utopie comme celle d'Hippodamos de Milet (Aristote, *Politique*, II, 1267 b 30 *sq.*) ne saurait s'expliquer par référence à la pensée mythique.

tous les éléments, de l'embuscade au procès, sont empruntés au monde réel. Mais l'âge d'or est voué à la disparition, le voyage d'Ulysse est bien un retour à Ithaque [182].

182. Cette étude a trouvé divers prolongements, notamment H. Foley, « Reverses similes and sex roles in the Odyssey », *Arethusa*, 11, 1978, p. 7-26, et S. Saïd, « Les crimes des prétendants, la maison d'Ulysse et les banquets de l'*Odyssée* », *Cahiers de l'École normale supérieure*, 1979, p. 9-49.

4

Temps des dieux et temps des hommes[1]

Pierre Vidal-Naquet

« Pour l'hellénisme [...], le déroulement du temps est cyclique et non rectiligne. Dominé par un idéal d'intelligibilité qui assimile l'être authentique et plénier à ce qui est en soi et demeure identique à soi, à l'éternel et à l'immuable, il tient le mouvement et le devenir pour des degrés inférieurs de la réalité où l'identité n'est plus saisie — au mieux — que sous forme de permanence et de perpétuité, par la loi de récurrence. »

Henri-Charles Puech résumait ainsi[2] une théorie qui, pour être traditionnelle, n'en garde pas moins un certain fond de

1. Publié dans la *Revue de l'histoire des religions*, janv.-mars 1960, p. 55-80, avec le sous-titre suivant : « Essai sur quelques aspects de l'expérience temporelle des Grecs » ; repris dans *Le Chasseur noir*, *op. cit.*, p. 69-94.

2. « Temps, histoire et mythe dans le christianisme des premiers siècles », in *En quête de la gnose*, I, Paris, 1978, p. 215-270 (on verra p. 217-224). On trouvera des exposés de la thèse classique dans les ouvrages suivants : Mircea Eliade, *Le Mythe de l'éternel retour*, Paris, 1949 ; O. Cullmann, *Christ et le Temps*, Neuchâtel et Paris, 1966 ; F. M. Cornford, *Principium Sapientiae. The Origins of Greek Philosophical Thought*, Cambridge, 1952 ; I. Meyerson, « Le temps, la mémoire et l'histoire », *Journal de psychologie*, 1956, p. 333-357. Par contraste, on signalera l'étude désormais essentielle d'Arnaldo Momigliano, « Time in ancient historiography », *History and Theory*, 6, 1966, repris dans *Quarto contributo alla storia degli studi classici e del mondo antico*, Rome, 1969, p. 13-41, et les remarques en partie inspirées de la présente étude, mais peut-être excessives, de R. Caillois, « Temps circulaire, temps rectiligne », *Diogène*, 42, 1963, repris dans *Obliques*, Paris, 1975, p. 130-149.

vérité. Notre propos n'est donc pas, dans ces pages, de partir en guerre contre cette interprétation et de priver la pensée judéo-chrétienne de l'honneur d'avoir défini l'historicité de l'homme. Mais, telle qu'elle est généralement formulée, de façon massive, cette vérité risque de ne pas rendre compte de tous les faits [3]. Là même où elle est exacte, elle est souvent présentée de façon superficielle et hâtive. Quand on enseigne que les Anciens n'ont « connu » que le temps circulaire, c'est-à-dire cosmique [4], veut-on dire qu'ils ont ignoré toute autre forme de temps, ou qu'ils l'ont rejetée en connaissance de cause ? C'est ce que seule une enquête conçue largement peut prouver. Aussi faut-il évoquer tant des textes épiques, tragiques ou historiques, voire oratoires [5], que des textes proprement philosophiques.

Si l'Antiquité grecque a vraiment vécu tout entière dans la « terreur de l'histoire » (Mircea Eliade), le fait doit être visible partout. Or il suffit d'ouvrir un recueil d'inscriptions par exemple pour voir qu'il n'en est rien. Quand les cités grecques rappellent, à Delphes, leurs victoires des guerres médiques [6], quand Pausanias rappelle qu'il a été le chef de l'armée de Platées [7], quand, célébrant la victoire d'Éion, les Athéniens rattachent leur présent au plus lointain passé [8], on ne saurait dire que « les actes humains n'ont [pas] de valeur intrinsèque "autonome" [9] ». On ne retrouve en rien dans ces

3. Cf. les remarques générales de V. Goldschmidt, *Le Système stoïcien et l'Idée de temps*, Paris, 1979, p. 49-64, et de François Châtelet, « Le temps de l'histoire et l'évolution de la fonction historienne », *Journal de psychologie*, 1956, p. 355-378, particulièrement p. 363, n. 1.

4. Cf. la tentative originale de B. A. Van Groningen, *In the Grip of the Past. Essay on an Aspect of Greek Thought*, Leyde, 1953.

5. Cf. V. Goldschmidt, *Le Système stoïcien et l'Idée de temps*, *op. cit.*, p. 50.

6. R. Meiggs et D. Lewis, *A Selection of Greek Historical Inscriptions to the End of the Fifth Century B.C.*, Oxford, 1969, n° 27.

7. *Anthologie palatine*, VI, 197, reproduit dans R. Meiggs et D. Lewis, *A Selection of Greek Historical Inscriptions...*, *op. cit.*, p. 60.

8. Voir les remarques de F. Jacoby, « Some athenian epigrams from the persian wars », *Hesperia*, 14, 1945, repris dans *Kleine Schriften*, I, Berlin, 1961, p. 510-517 ; et N. Loraux, *L'Invention d'Athènes. Histoire de l'oraison funèbre dans la « cité classique »*, La Haye-Berlin-Paris, 1981, p. 60-61.

9. M. Eliade, *Le Mythe de l'éternel retour*, *op. cit.*, p. 18.

dédicaces gravées cette conception « théocratique » de l'histoire qui a caractérisé l'Orient ancien et que R. G. Collingwood a si bien analysée [10]. La cité, par le moyen de ses écrits, affirme sa maîtrise sur le temps. Remarquons enfin que le débat est faussé si l'on parle à tout propos d'« éternel retour ». L'éternel retour pris dans son sens fort est une doctrine bien particulière, dont la place dans la pensée grecque est réelle, mais limitée. Il n'est même pas suffisamment clair si toute la discussion porte, comme eût dit le jeune Pascal, autour « de barres et de ronds » : ce dont il s'agit dans cette esquisse [11] est moins d'opposer temps cyclique et temps linéaire que de montrer quels rapports se sont établis d'Homère à Platon entre le temps des dieux et le temps des hommes [12].

Le héros homérique voudrait-il avoir une conception intégralement cyclique du temps qu'il n'en aurait pas les moyens. Ses connaissances astronomiques ne dépassent pas certaines notions extrêmement vagues, plus primitives même, a-t-on dit, que celles de bien des « primitifs » [13]. Aussi les tentatives qui ont été faites pour appliquer au monde homérique les schémas traditionnels ne semblent pas, quand elles échappent à l'erreur pure et simple, rendre compte de l'essentiel, c'est-à-dire des gestes humains [14].

10. *The Idea of History*, Oxford, 1946, p. 14. Cf. particulièrement l'analyse, p. 16, de la stèle de victoire de Mesha, roi de Moab (IXe siècle av. J.-C.). On pourrait aisément multiplier les comparaisons entre les inscriptions grecques et ce type de « communiqués aux dieux ».

11. Beaucoup trop rapide, et systématiquement incomplète. Il est inutile de refaire après d'autres, par exemple, l'examen du « sophisme des Éléates ». Nous n'étudierons pas non plus le temps tel que pourrait le définir une étude phénoménologique de la religion grecque. Cf., par exemple, G. Dumézil, « Temps et mythe », *Recherches philosophiques*, 5, 1935-1936, p. 235-251.

12. J'ignorais en écrivant ces lignes que pour Giambattista Vico, inspiré en la circonstance par Diodore de Sicile, toutes les nations humaines passaient successivement par le temps des dieux, celui des héros et celui des hommes. Il n'y a là qu'une simple rencontre d'homonymie.

13. Cf. M. P. Nilsson, *Primitive Time Reckoning*, Lund, 1920, particulièrement p. 110 *sq.* et 362.

14. Cf. surtout R. B. Onians, *The Origins of the European Thought*, *op. cit.* L'auteur a essayé d'interpréter étymologiquement les principaux termes désignant chez Homère le temps. Mais on peut lui faire deux sortes d'objections. D'une part, les étymologies proposées sont souvent peu

Dès les premiers vers de l'*Iliade*, nous sommes pourtant avertis : la Muse est appelée à raconter une histoire à partir de son commencement (*ta prôta*), et cette histoire ne s'explique que par appel à la « volonté de Zeus » [15].

La peste dans le camp achéen est la transcription sur un registre humain d'une décision divine, mais cela, seuls le prêtre Chrysès, le devin Calchas et le poète le savent. Ainsi s'opposent temps divin, mythique, et temps humain, vécu.

Les Muses seront filles de Mémoire, mais déjà chez Homère elles permettent au poète de dominer, à l'instar des dieux, la confusion du temps et de l'espace des hommes : « Et maintenant dites-moi, Muses habitantes de l'Olympe — car vous êtes des déesses, partout présentes, vous savez tout ; nous n'entendons qu'un bruit, nous, et nous ne savons rien —, dites-moi quels étaient les guides, les chefs des Danaens » ; et ailleurs : « Et maintenant dites-moi, Muses [...], quel est parmi les Achéens le *premier* qui relève des dépouilles sanglantes, au moment où (ἐπεί) l'illustre ébranleur du sol a fait *pencher* la lutte en leur faveur [16]. » Pour l'observateur humain, en effet, le temps est pure confusion. Achille dégaine, puis rengaine son épée, sans que les assistants comprennent cette séquence temporelle. En fait, invisible aux autres, Athéna lui a parlé et son discours, comme le dit

---

convaincantes ; de l'autre, rien ne prouve que les sens déduits soient les sens perçus. Même si l'on admet, par exemple, le rapprochement entre *télos* (but) et *polos* (axe de rotation), on doutera que l'expression τελεσφόρος ἐνιαυτός (*Iliade*, XIX, 32) signifie « la totalité du cercle de l'année » (R. B. Onians, *op. cit.*, p. 443). Voir d'ailleurs, à propos des risques qu'entraîne la méthode suivie par Onians, Antoine Meillet, *Aperçu d'une histoire de la langue grecque* [7], Paris, 1955, p. 65-67, et Jean Paulhan, *La Preuve par l'étymologie*, Paris, 1953.

15. *Iliade*, I, 5-6.

16. *Ibid.*, II, 484-487 ; XIV, 508-10 (trad. Mazon) ; cf. aussi XII, 175 *sq.* « Il semble, note F. Robert, que l'élément divin par excellence dans l'inspiration poétique consiste en un pouvoir de faire revivre dans sa diversité la masse des faits, de retenir, de fixer et d'exprimer une information si étendue qu'une mémoire humaine serait incapable de la soutenir » (*Homère*, *op. cit.*, p. 13). Cf. aussi B. A. Van Groningen, *In the Grip of the Past. Essay on an Aspect of Greek Thought*, *op. cit.*, p. 99.

R. Schaerer, « ouvre devant lui la perspective du temps [17] ». « Va, je te le déclare, et c'est là ce qui sera : on t'offrira un jour trois fois autant de splendides présents pour prix de cette insolence [18]. » La confusion du temps humain trouve donc son explication et sa cause dans l'ordre du temps des dieux. « En ce monde, dis-moi qu'ont les hommes dans l'âme ? ce que chaque matin le Père des humains et des dieux veut y mettre [19] », ordre complexe certes et qui est lui-même le résultat d'un « compromis » [20] entre les diverses forces qui mènent le monde, ordre quand même et qui permet à Homère de montrer Zeus pesant dans sa balance d'or les « Kères » d'Achille et d'Hector et constatant que c'est le « jour fatal » (*aiṣimon hèmar*) d'Hector qui l'emporte dans la balance [21]. Dans les limites de ce compromis, les dieux peuvent jongler à volonté avec le temps humain, telle Athéna rajeunissant ou vieillissant Ulysse [22].

Au point de départ de la littérature grecque s'opposent ainsi deux types de temps, auxquels on peut déjà appliquer les épithètes de « sensible » et d'« intelligible ». Dans quelle mesure cette opposition sera-t-elle dépassée [23] ?

17. René Schaerer, *L'Homme antique et la Structure du monde intérieur*, Paris, 1958, p. 17.
18. *Iliade*, I, 211-214.
19. *Odyssée*, XVIII, 136-137. Donnons un exemple typique : quand Glaucos fait sa propre histoire (*Iliade*, VI, 145 *sq.*), il commence par dire l'inutilité d'une telle démarche, et c'est la célèbre image : « Comme naissent les feuilles, ainsi font les hommes... », puis rattache sa famille à la divinité.
20. Cf. F. Robert, *Homère*, *op. cit.*, p. 110 *sq.*
21. *Iliade*, XXII, 208-211. On sait que le jour est quelque chose qui tombe du ciel (cf. R. B. Onians, *The Origins of the European Thought...*, *op. cit.*, p. 411). R. Schaerer a étudié cette image de la balance, et ce qu'elle implique, à travers la littérature grecque (*L'Homme antique et la Structure du monde intérieur, op. cit.*) ; cf. aussi M. Detienne, *Les Maîtres de vérité dans la Grèce archaïque*, *op. cit.*, p. 37-39.
22. *Odyssée*, XIII, 429 *sq.*
23. On pourrait poursuivre l'analyse et montrer, par exemple, l'incohérence de la chronologie homérique. Pénélope ne vieillit pas, Nestor est toujours vieux. S'agit-il, dans ce dernier cas, d'une loi du « temps mythique » comme le pense B. A. Van Groningen (*In the Grip of the Past*, *op. cit.*, p. 96) ou au contraire, comme le soutient A. W. Gomme, *Greek Attitude to Poetry and History*, Berkeley, 1954, chap. I, d'une

De fait, dès qu'on aborde les poèmes hésiodiques, les perspectives se modifient considérablement. Tandis que, dans la *Théogonie*, le temps des dieux s'oriente le long d'une série linéaire, *Les Travaux et les Jours* des hommes s'organisent comme ils peuvent, dans la dégradation, autour du rythme des saisons. La *Théogonie* est, pour notre propos, une œuvre capitale [24]. Pour la première fois en effet, en Grèce, le monde divin est organisé en un mythe « historique » [25]. Mythe complexe au demeurant, et qui se laisse décomposer en deux, sinon trois, « couches [26] » qui traduisent autant de types de pensée. Le monde hésiodique est d'abord (quand on suit l'ordre du texte) un monde sans créateur, où les forces naturelles se détachent par paires du chaos et de la nuit, comme dans les cosmogonies orientales les plus classiques. En un sens, ces événements se déroulent dans un temps linéaire, mais il suffit d'y regarder de près pour constater que ce schéma généalogique et chronologique est plaqué. Ainsi, il n'y a pas de lien entre la postérité de Chaos et celle de Gaia ; celle-ci met d'ailleurs au monde la plupart de ses enfants sans aucune aide « masculine » [27]. Il en est de même de Nuit. De

---

difficulté du poète aux prises avec une « chronique » ? Renvoyons enfin, pour l'étude d'autres aspects du temps chez Homère, à l'étude de H. Fränkel, « Die Zeitauffassung in der frühgriechischen Literatur », *Zeitschrift für Aesthetik*, 1931, *Beilagenheft*, repris dans *Wegen und Formen der frühgriechischen Denkens*, Munich, 1955, p. 1-22. Il remarque notamment (p. 2-5) que *chronos* n'est jamais sujet, qu'il désigne toujours une durée à caractère vague et affectif.

24. L'importance d'Hésiode pour l'histoire de la philosophie grecque, et plus particulièrement pour celle de la physique ionienne, a souvent été signalée, notamment par V. Goldschmidt, « Theologia », *Revue des études grecques*, 61, 1950, repris et développé dans *Questions platoniciennes*, Paris, 1970, p. 145-172 ; F. M. Cornford, *Principium Sapientiae*, *op. cit.*, p. 193 *sq.* ; au moment où je publiais ces pages, je ne connaissais pas l'étude de J.-P. Vernant, « Le mythe hésiodique des races. Essai d'analyse structurale », *loc. cit.*, qu'on retrouvera dans le fascicule de la *Revue de l'histoire des religions* où le présent article est paru, pour la première fois, en 1960. Voir encore P. Philippson, *Genealogie als mythische Form : Studien zur Theogonie des Hesiod = Symbolae Osloenses*, fasc. suppl. VII, 1936, repris dans *Untersuchungen über den griechischen Mythos*, Bâle, 1944, p. 4-42.

25. C'est cette « quasi-histoire » que R. G. Collingwood appelle simplement « mythe » (*The Idea of History*, *op. cit.*, p. 15).

26. *Weltstufe*, dit P. Philippson.

27. P. Philippson, *Genealogie als mythische Form*, *op. cit.*, p. 10 *sq.*

cette matière première se détache, au contraire, une lignée divine parfaitement orientée dans le temps — un temps rectiligne —, la série formée par Ouranos et ses descendants, Cronos et Zeus [28], qui relève, elle, de l'histoire dynastique. Cette série a un but : la victoire de Zeus et son établissement — définitif — sur le trône des dieux. Cette victoire se déroule dans le temps, c'est-à-dire dans l'incertitude, et Hésiode prend soin de nous dire, au moment du récit de la dernière bataille, la lutte contre le géant Typhée, que tout n'est pas donné d'un coup [29]. Enfin, la victoire de Zeus rejaillit sur le passé et sa volonté s'accomplit avant même sa naissance [30].

L'histoire divine a donc un « sens », il existe un temps divin dont l'accès est réservé comme chez Homère aux disciples des Muses. Mais, ce temps orienté par et pour la volonté de Zeus, ne va-t-il pas faire perdre tout sens, voire toute existence, au temps des hommes ? Les héros d'Homère sont, pour la plupart, rattachés par un lien de famille aux dieux : « fils de Zeus » est presque une épithète de politesse ! Entre les dieux et les hommes, le mythe des races crée, au contraire, un obstacle infranchissable [31] ; même la race d'or n'est pas fille des Immortels, elle est faite par eux, et la « décadence », interrompue seulement par la quatrième race, celle des héros, la seule à avoir un caractère historique [32], est irrémédiable entre les premiers hommes et nous. Le propre de la race de fer est précisément de vivre douloureusement dans le temps :

28. Ouranos-Cronos, *Théogonie*, 137 ; Cronos-Zeus, 457.

29. Καὶ νύ κεν ἔπλετο ἔργον ἀμήχανον ἤματι κείνῳ, καί κεν ὅ γε θνητοῖσι καί ἀθανάτοισι ἄναξεν (*ibid.*, 836-837). « Alors une œuvre sans remède se fût accomplie en ce jour, alors Typhée eût été roi des mortels et des immortels » (trad. Mazon). Le dépècement de Typhée évoque un des plus vieux types de cosmogonie orientale, le meurtre de Tiamat par Marduk, cosmogonie que le roi de Babylone « répétait » régulièrement (cf. F. M. Cornford, *Principium Sapientiae*, *op. cit.*, p. 218 *sq.*).

30. *Théogonie*, 465. P. Mazon n'a pas osé supprimer le vers, la *Théogonie* « offrant plus d'un exemple de ce genre de contradiction » (note *ad loc.*).

31. *Travaux*, 109.

32. Le problème que posait cette interruption de la décadence, qui avait été défini par P. Mazon dans son édition des *Travaux* (p. 60), a été résolu de façon différente par V. Goldschmidt, « Theologia », *loc. cit.*, et J.-P. Vernant, « Le mythe hésiodique des races », 1 et 2, *loc. cit.*

« Ils ne cesseront ni le jour de souffrir de fatigues et misères ni la nuit d'être consumés par les dures angoisses que leur enverront les dieux [33]. » A cette situation, le poème d'Hésiode propose un remède : la répétition monotone des travaux des champs. C'est la première manifestation dans la littérature grecque d'un temps cyclique qui soit un temps humain. Cycle peu régulier au demeurant, comme dans tous les calendriers primitifs ; chaque mois, chaque jour ayant ses vertus ou ses défauts propres, vertus ou défauts d'origine divine puisque les jours sont « issus de Zeus [34] ».

Pour les déracinés que sont les lyriques, ces remèdes restent toutefois impuissants. Le mal, lui, reste le même. L'homme est défini comme « éphémère », non parce que sa vie est brève, mais parce que sa condition est liée au temps [35]. Le temps lui-même n'est pas autre chose que la succession saccadée des accidents de la vie. C'est ce qu'évoque le vers célèbre d'Archiloque : γίγνωσκε δ' οἷος ῥυσμὸς ἀνθρώπους ἔχει, « Sache à quel rythme sont soumis les hommes [36] », auquel fait écho Bacchylide : « Agité par des soucis frivoles, l'homme a pour seul lot le temps qu'il vit »

33. *Travaux*, 176-178 (trad. Mazon).

34. Ηματα Διόθεν, *Travaux*, 765. On comparera ce qui précède avec les remarques d'E. Benveniste, « Latin tempus », *Mélanges A. Ernout*, Paris, 1940, p. 11-16 : pour le paysan latin, le temps, « c'est d'abord l'état du ciel, la proportion des éléments qui composent l'atmosphère et lui donnent sa qualité du moment, et c'est en même temps la convenance de cette situation météorologique à ce qu'il compte entreprendre » (p. 15). Tel est le sens primitif de *tempus*, plus proche de *weather* que de *time*.

35. On se souvient des vers de Pindare (*Pythiques*, VIII, 95-97) : 'Επάμεροι τί δέ τις ; τί δ'οὔτις ; σκιᾶς ὄναρ ἄνθρωπος, « Êtres liés au temps ; qu'est-il et que n'est-il pas ? L'homme est le songe d'une ombre ». Le sens du mot *éphèméros* a été précisé par H. Fränkel, « Man's *ephemeros* nature according to Pindar », *Transactions of the American Philological Association*, 77, 1946, p. 131-145, et « Die Zeitauffassung in der frühgriechischen Literatur », *loc. cit.*, p. 23-39.

36. Fr. 66 (Bergk). E. Benveniste (« La notion de rythme dans son expression linguistique », in *Problèmes de linguistique générale*, I, Paris, 1966, p. 327-335) a montré que *ruthmos* désigne « la forme dans l'instant qu'elle est assumée par ce qui est mouvant, mobile, fluide, la forme de ce qui n'a pas de forme organique » (p. 333).

(ὅντινα κουφόταται, θυμὸν δονέουσι μέριμναι, ὅσον ἄν ζώῃ χρόνον, τόν δ' ἔλαχεν[37]). De ce temps déchu, les lyriques font appel à un temps plus noble, au « temps vengeur[38] » de Solon qui rétablira la justice, à ce que Pindare appelle magnifiquement « le témoin unique de l'authentique vérité, le Temps » (ὅ τ' ἐξέλεγχων μόνος ἀλάθειαν ἐτήτυμον χρόνος[39]), qui, par le seul fait qu'il s'est écoulé, a fait l'histoire. En dehors même du temps, Pindare[40] invoque l'éternité : c'est chez lui qu'on trouve, pour la première fois, la mention d'une série de trois vies qui permet au sage de sortir du temps des hommes.

« Je vois bien que nous ne sommes, nous tous qui vivons ici, rien de plus que des fantômes ou que des ombres légères[41] », dit un personnage de Sophocle. Comme l'homme des poètes lyriques, le héros tragique est jeté dans un monde qu'il ne comprend pas. « Un jour suffit pour faire monter ou descendre toutes les fortunes humaines[42] » : chaque tragédie de Sophocle est précisément le récit d'une telle journée; l'enquête d'Œdipe, qui se déroule en un seul jour[43], débouche sur la victoire d'un policier inattendu, le temps : « Le temps, qui voit tout, malgré toi t'a découvert. Il dénonce aujourd'hui cet hymen qui n'a rien d'un hymen, d'où sort un père à côté des enfants[44]. » Le temps des hommes, que

37. I, 178-180 (avec les restitutions et la traduction de Desrousseaux). Cf. aussi les textes cités par R. Schaerer, *L'Homme antique et la Structure du monde intérieur*, *op. cit.*, p. 135.

38. Fr. 4, v. 16 (Bergk).

39. Pindare, *Olympiques*, X, 65-67.

40. *Olympiques*, II, 123 *sq.* L'éternité est symbolisée, jeu de mots fréquent, par l'expression : « le château de Cronos ». De l'être lié au temps à celui qui parcourt les trois vies, il y a une évolution qu'il faut souligner, mais il ne s'agit pas encore de la palingénésie intégrale dont parle Hérodote (II, 123). Je n'aborderai pas ici les problèmes posés par les représentations du temps dans les sectes religieuses et tout particulièrement dans l'orphisme, au sujet duquel j'avais erré dans mon texte de 1960, comme me l'a fait aussitôt remarquer P. Boyancé.

41. *Ajax*, 125-126 (trad. Mazon).

42. *Ibid.*, 131 ; cf. H. Fränkel, « Die Zeitauffassung in der frühgriechischen Literatur », *op. cit.*, p. 35.

43. *Œdipe Roi*, 438.

44. *Ibid.*, 1213 *sq.*

le chœur des *Trachiniennes* définit ainsi : « Joies et peines pour tous se succèdent en cercle (κυκλοῦσιν) : on croirait voir la ronde des étoiles de l'ourse [45] », s'inscrit ainsi sur un registre plus large, le « temps souverain » (*pankratès chronos* [46]), élevé à la dignité divine.

Selon un renseignement, parfaitement invraisemblable mais significatif d'une mutation « mentale », le Milésien Thalès prédit une éclipse de soleil ; dans une autre circonstance, profitant de ses connaissances météorologiques, il centralise dans ses pressoirs toute la récolte d'olives [47]. La réflexion sur l'astronomie va permettre à l'école de Milet de construire un temps cosmologique rigoureusement cyclique. Chez Anaximandre, « les êtres se rendent raison et tirent réciproquement vengeance de leur injustice selon l'ordre du temps [48] » ; une représentation « issue du conflit [...] de la chaleur et de l'humidité dans le cycle de l'année [49] », mais fille aussi de la cité et de son idéal de justice [50], est ainsi étendue à la genèse, indéfiniment répétée, de l'ensemble du monde [51]. Les couples de contraires de la *Théogonie* sont ainsi véhiculés dans un même cercle. Le temps des dieux est devenu le temps cos-

45. Sophocle, *Trachiniennes*, 129 *sq.* On notera la comparaison astronomique évocatrice ici non de régularité dans l'ordre, mais de régularité dans le désordre. Cf. J. de Romilly, « Cycles et cercles chez les auteurs grecs de l'époque classique », *Mélanges Cl. Préaux*, Bruxelles, 1975, p. 140-152 (particulièrement p. 150-151).
46. Sophocle, *Trachiniennes*, 609.
47. Hérodote, I, 74 ; Aristote, *Politique*, I, 11, 1259 a 9-19 ; Diogène Laërce, I, 25. Sur le caractère controuvé de la prédiction de Thalès, cf. O. Neugebauer, *The Exact Sciences in Antiquity*, New York, 1962, éd. de poche, p. 142-143.
48. Diels-Kranz, I, 12 [2], B, fr. 1.
49. F. M. Cornford, *Principium Sapientiae*, *op. cit.*, p. 168.
50. Cf. les remarques générales de J.-P. Vernant, « Du mythe à la raison. La formation de la pensée positive dans la Grèce archaïque », in *Mythe et Pensée chez les Grecs*, *op. cit.*, p. 373-402, repris dans *La Grèce ancienne*, 1, *Du mythe à la raison*, *op. cit.*, p. 196-228.
51. On trouvera une vue générale, largement conjecturale, du système d'Anaximandre dans le livre de Ch. Mugler, *Deux Thèmes de la cosmogonie grecque. Développement cyclique et pluralité des mondes*, Paris, 1953, p. 17 *sq.* ; et cf. surtout Ch. H. Kahn, *Anaximander and the Origins of Greek Cosmology*, New York, 1960.

mique. La critique d'Hésiode, implicite chez Anaximandre, est explicite chez Héraclite. L'Éphésien, qui proclame l'identité, à un niveau supérieur, des contraires [52], constate que, « dans la circonférence, commencement et fin coïncident [53] », et s'en prend à Hésiode, « lui qui ne connaissait ni la nuit ni le jour ; car c'est là une identité [54] », et qui distinguait les jours les uns des autres, au mépris de leur équivalence fondamentale [55].

Si l'on ajoute que, à en croire la tradition doxographique, Héraclite aurait donné une évaluation de la « grande année » ou année cosmique [56], on remarquera que les traits essentiels de la conception dite « hellénique » du temps sont fixés dans la pensée de l'Éphésien [57].

C'est à l'intérieur d'un tel cadre que devait s'élaborer la doctrine de l'« éternel retour » au sens précis de ce terme. Mais nous sommes bien mal armés pour en fixer la naissance. Le célèbre fragment d'Eudème est le seul à faire mention de son origine : « Le même temps reviendra-t-il comme certains le disent ou non ? C'est ce qu'on ne saurait dire. [...] S'il faut en croire les pythagoriciens [...], je vous parlerai le bâton à la main à vous qui serez assis tout comme maintenant, et il sera ainsi de toutes choses, et c'est le propre d'un temps numériquement ordonné (*eulogon*) d'être le même : il n'y a qu'un

52. Cf. par exemple les fr. 67 et 88 (Diels-Kranz, I, 22 [12], B).

53. *Ibid.*, fr. 103, trad. Battistini. C'est de ce privilège que sont privés les hommes, au dire d'Alcméon de Crotone : « Les hommes meurent parce qu'ils ne peuvent pas rattacher le commencement à la fin » (fr. 2).

54. *Ibid.*, fr. 57 ; cf. *Théogonie*, 123 *sq.*

55. *Ibid.*, fr. 106.

56. Cf. Aetius, II, 32, 3 et Censorinus, 18, 11 (Diels-Kranz, I, 22 [12], A 13). Cf. toutefois G. S. Kirk, *Heraclitus. The Cosmic Fragments*, Cambridge, 1954, p. 300 *sq.*, selon lequel la « grande année » n'aurait pas de signification cosmologique, mais anthropologique. Si l'on suit son raisonnement, on est conduit à admettre qu'il existait chez Héraclite une correspondance entre cycles humains et cycles célestes.

57. On comprendra que dans le cadre de cette étude nous ne suivions pas les conséquences de la découverte d'Anaximandre chez d'autres « physiologues » ioniens ou italiens. La pensée d'Empédocle, par exemple, est tout à fait parallèle.

seul et même mouvement[58]. » Il est vraisemblable qu'une école qui s'intéressait à la fois aux problèmes de l'âme et aux cycles des astres a pu s'élever jusqu'à cette loi universelle. Mais quand, comment ? Quel rôle ont joué les spéculations sur la palingénésie qui, elles, sont incontestablement anciennes ? Rien de ce que nous savons sur l'ancien pythagorisme ne nous entraîne à lui attribuer de façon sûre cette vision du monde[59]. Quoi qu'il en soit, même s'il est possible avec F. M. Cornford de suivre très loin la trace de la pensée « primitive » d'Anaximandre[60], il serait illusoire de s'en tenir là. Sans parler des variantes de détail, sans évoquer la négation passionnée d'un temps divin par les Éléates, il est certain que, plus d'un siècle plus tard, Démocrite pensait de façon totalement différente. L'idée même de pluralité des mondes est exclusive d'un temps cyclique[61]. Démocrite lui-même,

58. Eudème, *Physica*, B III, fr. 51, cité par Simplicius, *Physica*, 732, 26 = Diels-Kranz, I, 58 [45], B 84. Ce texte nous est donc transmis par un auteur très tardif. Il est vrai que c'est par le même Simplicius, un Byzantin du VIe siècle, que nous connaissons le fragment 1 d'Anaximandre. Ancien ou non, le texte souligne bien ce qu'est l'« éternel retour », un passage à la limite, propre à certains théoriciens. Voir le commentaire de ce texte dans Th. Gomperz, *Les Penseurs de la Grèce. Histoire de la philosophie antique*, trad. A. Reymond, 1904-1910, I, p. 175 *sq.* Gomperz accepte l'attribution au pythagorisme, mais note justement que palingénésie et éternel retour ne sont pas obligatoirement liés.

59. Le développement dans la seconde moitié du IVe siècle, de ce que le R. P. Festugière a appelé la religion du « Dieu cosmique » fournit une date d'autant plus vraisemblable que, si la pensée de Platon n'est restée à cet égard qu'à mi-chemin, Aristote, lui, connaît la doctrine dans toute sa pureté (*Problemata*, XVII, 916 a, 28 *sq.*).

60. *Principium Sapientiae*, *op. cit.*, p. 168 *sq.*

61. Cf. Ch. Mugler, *Deux Thèmes de la cosmogonie grecque*, *op. cit.*, p. 145 *sq.* La question, en réalité, est complexe, compliquée encore par l'abondance des sources postépicuriennes. Pour nous en tenir aux témoignages les plus anciens, constatons simplement ceci : un seul texte (Aristote, *Physique*, VIII, 1, 251 b 16 = Diels-Kranz, II, 69 [55], A 71) nous parle du temps chez Démocrite, et c'est pour nous dire qu'il est « inengendré ». Remarquons toutefois que le même Aristote (*ibid.*, VIII, 252 a = Diels-Kranz, II, 68 [55], A 65) reproche à Démocrite d'expliquer les faits naturels par leur histoire, et qu'ailleurs (*ibid.*, II, 196 a 24 = Diels-Kranz, II, 68 [55], A 69), visant à l'évidence Démocrite, il critique ceux qui expliquent la formation du monde par le hasard et celle des êtres vivants par des lois naturelles. Ainsi pourrait se résoudre un aspect du problème si compliqué des rapports entre physique et morale chez l'Abdé-

semble-t-il, et ses contemporains les sophistes mettent désormais l'accent sur des problèmes proprement humains.

A vrai dire, ils s'inspirent d'une tradition déjà ancienne. « Les dieux n'ont pas révélé toutes choses aux mortels depuis le commencement, mais c'est en cherchant, avec le temps, que ceux-ci trouvent ce qui est meilleur [62]. » Le dieu de Xénophane est rejeté, hors du temps, dans la transcendance [63] ; l'idée de cycle garde sa pleine valeur au point de vue cosmologique [64], mais parallèlement le monde humain a son histoire propre, et ce n'est pas un hasard si cette découverte s'associe avec la critique d'Homère et d'Hésiode [65] au nom de la morale humaine.

Le thème qui est ainsi indiqué prend un magnifique essor dans la seconde moitié du Ve siècle, et se cristallise autour du thème du « premier inventeur » [66]. Les techniques ne sont plus présentées comme un don des dieux, ni même comme le résultat du « vol de Prométhée », mais comme des conquêtes progressives et *datées* de l'humanité. Le thème revient d'une façon presque obsédante chez Hérodote, mais ce sont surtout les sophistes, eux-mêmes inventeurs ou professeurs de *technai*, qui se cherchent ainsi des antécédents humains :

---

ritain. La vie humaine chez Démocrite est, en effet, organisée en fonction du temps ou plutôt contre le temps (cf. les fr. 66, 119, 183, 203). Contrairement à ce que j'écrivais jadis, il faut certainement ajouter à ces références les fragments du « Petit Système du monde » (Diels-Kranz, II, 68 [55], A 5, p. 135 *sq.*). Ces textes opposent progrès technique et progrès moral dans l'histoire de l'humanité et résolvent partiellement ce dilemme par une réflexion sur le politique ; l'attribution à Démocrite me paraît avoir été maintenant prouvée par T. Cole, *Democritus and the Sources of Greek Anthropology*, *op. cit.*

62. Xénophane, fr. 18 (Diels-Kranz, I, 21 [11], B).

63. Sur l'originalité de la théologie de Xénophane, cf. W. Jaeger, *A la naissance de la théologie. Essai sur les présocratiques*, trad. fr., Paris, 1976, p. 45-62.

64. Cf. le fr. 27 : « Tout vient de la terre et tout finit par la terre. »

65. Xénophane, fr. 1, 14 (Diels-Kranz, I, 21 [11], B).

66. Le dossier de la question a été rassemblé de façon excellente par A. Kleingünther, *Prôtos Heuretès. Untersuchungen zur Geschichte einer Fragestellung = Philologus*, suppl. 26, Leipzig, 1933. Cf. aussi P.-M. Schuhl, *Essai sur la formation de la pensée grecque*², Paris, 1949, p. 348-350.

Gorgias fait l'éloge de Palamède, le roi des inventeurs [67]. Le Sisyphe de Critias va beaucoup plus loin : « Il fut un temps où la vie des hommes était encore inorganisée [68]. » La tirade tragique qui débute ainsi ne raconte rien de moins que l'invention concomitante par les hommes de la société et des dieux. On ne pourrait imaginer renversement plus complet par rapport au monde hésiodique [69].

La place que prend l'histoire dans la pensée du Vᵉ siècle nous amène ainsi à interroger les historiens. Eux aussi parlent et pensent comme des « inventeurs ». Le premier signe de naissance de l'histoire est peut-être même l'apparition du nom de l'historien au début des œuvres d'Hécatée, d'Hérodote et de Thucydide [70]. Point de problème plus important, par conséquent, pour notre étude que de savoir comment les historiens se représentaient le temps [71]. « Polycrate, dit Hérodote, est [...] le premier des Grecs, à notre connaissance, qui songea à l'empire des mers — je laisse de côté Minos de Cnosse et ceux qui, avant lui, s'il y en eût, ont régné sur la mer, le premier, dis-je, du temps qu'on appelle le temps des

67. Chez les sophistes, le thème apparaît en étroite liaison avec les discussions sur la nature et la loi.

68. Fr. 24 (Diels-Kranz, II, 88 [81], B).

69. Tel est aussi le thème du fameux chœur d'*Antigone*, 331 *sq.* : « Il est bien des merveilles en ce monde, il n'en est pas de plus grande que l'homme », où se trouve exaltée la puissance technique de l'homme ; « Parole, pensée vite comme le vent, aspiration d'où naissent les cités, tout cela il se l'est enseigné à lui-même » (trad. Mazon), mais la fin du chœur reste fidèle à la pensée traditionnelle (cf. Ch. P. Segal, « Sophocles' praise of man and the Conflict of the *Antigone* », *Arion*, 3, 2, 1964, p. 46-48). Ce mouvement de pensée est à l'origine des extraordinaires listes d'inventions que l'on trouve chez Pline (*Histoire naturelle*, VII, 57) et Clément (*Stromates*, I, 74). Parallèlement, Prodicos (Diels-Kranz, II, 84 [77], B, fr. 5) lie la découverte des dieux à celle des techniques, tandis que, selon Protagoras (Diels-Kranz, II, 80 [74], B, fr. 4), la vie humaine est trop courte pour qu'on puisse se prononcer sur l'existence des dieux.

70. Cf. F. Jacoby, « Griechische Geschichtschreibung », *Die Antike*, 1926, repris dans *Abhandlungen zur griechischen Geschichtschreibung*, Leyde, 1956, p. 1-29 (particulièrement p. 1-2).

71. Cf. l'article essentiel de M. I. Finley, « Myth, Memory and History », in *History and Theory*, 4, 1965, revu et augm. dans *Use and Abuse of History*, Londres, 1975.

hommes[72] » (τῆς δὲ ἀνθρωπηίης λεγομένης γενεῆς). L'histoire humaine s'oppose ainsi à la mythologie[73] ; celle-ci est balayée dès l'introduction quand Hérodote, évoquant les diverses traditions sur l'origine du conflit entre les Grecs et les Orientaux, déclare se limiter « à celui qui, le premier, a pris l'initiative d'actes offensants envers les Grecs[74] ». Notion lâche, d'ailleurs, que celle de ce temps des hommes ; si Minos est renvoyé à la mythologie, l'Égypte apparaît comme le paradigme de l'histoire humaine. Pendant onze mille trois cent quarante ans, aucune apparition divine, sous forme humaine, ne s'y produit. Le soleil change quatre fois de demeure, et les hommes continuent à se succéder les uns aux autres[75]. Rien n'illustre mieux cette immense perspective que l'épisode dans lequel Hérodote met en scène son prédécesseur Hécatée : celui-ci se vante, devant les prêtres égyptiens, de descendre d'un dieu à la seizième génération ; ses interlocuteurs lui répondent en lui montrant trois cent quarante-cinq statues, celles de leurs prédécesseurs : des hommes qui s'étaient succédé de père en fils[76]. Temps humain, c'est-à-dire incertitude et liberté, rien de plus typique à cet égard que la scène qui précède Marathon : Miltiade s'adresse à Callimachos : « Il dépend de toi (ἐν σοὶ νῦν... ἔστι) ou bien

72. Hérodote, III, 122, trad. Legrand ; mot à mot : de la génération humaine (cf. « Introduction », p. 39). Tel que je comprends le texte, il oppose les hommes fils des hommes aux hommes fils des dieux, ce qui était le cas de Minos.

73. C'est-à-dire, en l'espèce, aux « généalogies » d'Hécatée. Mais déjà celles-ci s'étaient limitées à des « faits » humains. Cette dialectique se retournera contre Hérodote dans l'œuvre de Thucydide.

74. Hérodote, I, 5.

75. *Ibid.*, II, 142.

76. *Ibid.*, II, 143-144. Il serait intéressant d'étudier parallèlement chez Hérodote cette ouverture du temps avec l'ouverture de l'espace. L'espace des historiens ioniens était un espace symbolique et géométrique, celui d'Hérodote garde de nombreuses traces de cet archaïsme, mais la transition est nette vers un espace qui n'est pas, comme je le croyais, celui des commerçants ; ce domaine, dont j'écrivais qu'il restait à exploiter, l'a été effectivement par François Hartog, *Le Miroir d'Hérodote. Essai sur la représentation de l'autre*, Paris, 1980, qui montre la présence obsédante, jusque dans l'ethnologie d'Hérodote, de l'espace civique de type grec. Je rappellerai aussi le livre de W. A. Heidel, *The Frame of the Ancient Greek Maps*, New York, 1937.

de rendre Athènes esclave ou bien d'assurer sa liberté, et de laisser de toi, pour tout le temps où il y aura des hommes, un souvenir tel que n'en laissèrent pas même Harmodios et Aristogiton. [...] Si nous engageons le combat sans attendre qu'il y ait chez certains Athéniens quelque chose de pourri, nous sommes en état, pourvu que les dieux tiennent la balance égale, d'avoir dans le combat l'avantage [77]. » Dans ces conditions, a-t-on le droit de parler à propos d'Hérodote de temps cyclique [78] ? L'historien fait bien allusion à la théorie de la « roue des naissances », mais c'est comme d'une invention égyptienne, nullement pour la prendre à son compte [79]. En réalité, c'est moins la conception du temps que la manière dont il est mis en œuvre dans le travail historique qui est archaïque dans l'œuvre d'Hérodote. Les personnages se font appel et se répondent hors du temps. Crésus est à bien des égards une première version de Xerxès. Le récit ne s'ordonne pas dans le temps : H. Fränkel a pu écrire que « le temps n'est pas pour Hérodote l'unique coordonnée de la courbe de la vie, mais au contraire une fonction de l'événement relaté. Il court quand l'événement se déroule, s'arrête quand il y a une description, se renverse quand, après avoir parlé du fils, on en vient à parler du père [80] ». Plus précisément, les suggestives analyses de J. L. Myres [81] ont montré

77. Hérodote, VI, 109; cf. J. L. Myres, *Herodotus, Father of History*, Oxford, 1953, p. 52-54. Il va de soi que les dieux ne tiennent pas toujours la balance égale. Mais les dieux ne font guère que confirmer ou appuyer les décisions humaines. Rien de plus frappant que de comparer à l'intervention d'Athéna en plein conseil des Achéens le récit hérodotéen des trois conseils coupés de songes que tient Xerxès (VII, 8-19) *avant* l'intervention divine. Par rapport à Homère, les positions sont inversées. C'est du côté des hommes que se trouve l'ordre, ou plutôt la clarté. Homère écrivait du haut de l'Olympe, Hérodote ne connaît la pensée des dieux que par l'intermédiaire douteux des oracles.

78. Comme le fait I. Meyerson, *Le Temps, la Mémoire et l'Histoire*, *op. cit.*, p. 333-357 (particulièrement p. 339).

79. Hérodote, III, 123. De même, c'est à Crésus conseillant Cyrus qu'il fait dire que « les choses humaines sont sur une roue qui tourne » (I, 207).

80. H. Fränkel, « Eine Stileigenheit der frühgriechischen Literatur », *Göttingen Nachrichten*, 1924, repris dans *Wegen und Formen der frühgriechischen Denkens*, Munich, 1955, p. 1-22 (particulièrement p. 85). Traduction du passage par I. Meyerson, *Le Temps, la Mémoire et l'Histoire*, *op. cit.*, p. 339.

81. *Herodotus, Father of History*, *op. cit.*, p. 79 *sq.*

que la composition de l'œuvre d'Hérodote tient du fronton sculpté, plus que de la frise. Il n'empêche que, dans ses lignes de force, l'« enquête » ne relève pas du « mythe de l'éternel retour ».

Évoquant, dans un texte célèbre, l'état moral de la Grèce à la suite des troubles de Corcyre, Thucydide écrit : « A la faveur de ces conflits, on vit s'abattre sur les cités bien des maux, *comme il s'en produit et s'en produira toujours* tant que la nature humaine restera la même, mais qui s'accroissent ou s'apaisent, et changent de forme, selon chaque variation (*métabolai*) qui intervient dans les conjonctures [82]. » Le temps chez Thucydide oscille ainsi entre le « toujours » et le « changement » et, s'il est faux de voir dans ce texte la preuve d'une conception purement cyclique de l'histoire [83], l'opinion inverse est non moins inexacte. Quand Thucydide lui-même définit son œuvre, c'est comme un moyen « de voir clair dans les événements passés et dans ceux qui, à l'avenir, en vertu du caractère humain qui est le leur, présenteront des similitudes ou des analogies [84] ». Tel est le sens du fameux *ktêma es aiei*. On peut, semble-t-il, introduire ici une distinction qui a été formulée par V. Goldschmidt à un tout autre propos, celle d'un temps logique opposé à un temps historique [85]. L'originalité de Thucydide est d'avoir connu les deux. Thucydide est l'héritier et le disciple de la médecine grecque, et une des premières tâches du médecin, suivant un traité hippocratique, est de « s'occuper de la prédiction, connaissant d'avance et prédisant, d'après les malades qu'il voit, les événements présents, passés et futurs [86] ». Ainsi peuvent

82. Hérodote, III, 82 (trad. R. Weil et J. de Romilly, Coll. des Universités de France, légèrement modifiée).

83. Cf. A. W. Gomme, *A Historical Commentary on Thucydides*, I, Oxford, 1945, I, *ad loc.*

84. Thucydide, I, 22. Je ne crois pas qu'on puisse affirmer, comme le fait A. W. Gomme (*op. cit.*, I, *ad loc.*) que le futur dont il s'agit soit déjà un présent pour le lecteur grec de Thucydide.

85. « Temps historique et temps logique dans l'interprétation des systèmes philosophiques », *Actes du XIe Congrès international de philosophie*, XII, 1953, repris dans *Questions platoniciennes*, *op. cit.*, p. 13-21.

86. Hippocrate, *Prognostic*, I. Le lien entre Thucydide et la médecine a été précisé par C. N. Cochrane, *Thucydides and the Science of History*, Oxford, 1929 et, à sa suite, par beaucoup d'autres travaux.

s'expliquer les nombreux passages qui, dans l'œuvre de Thucydide, semblent relever du temps cyclique. Le raisonnement récurrent et la loi générale de l'impérialisme permettent de faire de Minos un précurseur, un prototype de l'impérialisme athénien, d'Agamemnon le chef d'une armée coalisée comparable à celle de Brasidas et de Gylippe [87]. Les analyses de J. de Romilly ont montré que le temps du récit de Thucydide était logique jusque dans ses plus infimes détails. Relativement fréquents sont les cas où « la simple juxtaposition chronologique constitue [...] une série cohérente et compréhensible [88] ». Souvent aussi les séries temporelles s'entrecroisent, s'ordonnent pour « faire apparaître dans l'action des relations qui échappaient aux acteurs eux-mêmes [89] ». Ces remarques ne prennent toutefois leur sens que si l'on se souvient que le temps historique est toujours chez Thucydide intimement lié au temps logique. Les mêmes faits sont ainsi susceptibles d'une double interprétation. Si le livre I nous apparaît, à certains égards, comme une galerie d'anticipation, Thucydide n'en affirme pas moins, dès les premières lignes, que la guerre du Péloponnèse fut « le plus grand ébranlement (*kinèsis*) qui émut la Grèce et une fraction du monde barbare [90] » ; événement unique, par conséquent, et auquel rien dans le passé ne peut tout à fait se comparer. Les mêmes récits qui apparaissent comme une logique en action attachent la plus grande importance à chaque instant gagné ou perdu par l'un ou par l'autre des adversaires [91]. Une telle dualité n'est pas chez Thucydide un simple

87. Cf. G. Grundy, *Thucydides and the History of his Age*, Oxford, 1948, p. 419, et J. de Romilly, *Histoire et Raison chez Thucydide*, Paris, 1957, p. 276-278. Ce dernier auteur remarque : « On peut dire que son exposé des faits risque justement d'être trop rationnel, dans la mesure où il procède d'une sorte d'unification de l'histoire » (p. 276). On ne peut mieux dire, mais je ne suis pas sûr qu'il s'agisse là, comme semble le croire J. de Romilly, d'un relatif échec de Thucydide. Il n'est tel que du point de vue de l'historien moderne. Jamais Thucydide n'est plus près du but qu'il vise. C'est en ce sens que Collingwood a pu dire qu'il était plus le père de la psychologie historique que de l'histoire (*The Idea of History*, *op. cit.*, p. 29 *sq.*).
88. J. de Romilly, *Histoire et Raison chez Thucydide*, *op. cit.*, p. 46.
89. *Ibid.*, p. 58.
90. Thucydide, I, 2.
91. Cf., à propos du récit de l'arrivée de Gylippe à Syracuse, les remarques de J. de Romilly, *Histoire et Raison chez Thucydide*, *op. cit.*, p. 57.

fait stylistique ; il serait facile de montrer comment elle correspond dans son œuvre aux grandes oppositions qui caractérisent sa vision de l'histoire, opposition entre la *gnômè* et la *tuchè*, autrefois mise en lumière par Cornford [92], entre le discours et le fait, entre la loi et la nature, peut-être même entre la paix et la guerre [93]. Le vieux dialogue de l'ordre et du désordre dans le temps, qui apparaît déjà chez Homère, trouve ainsi chez Thucydide une expression radicalement nouvelle [94].

C'est à la lumière de ces faits qu'il faut maintenant présenter rapidement le problème du temps tel qu'il s'est posé aux hommes du IVe siècle. Si le monde de Platon et d'Isocrate s'oppose en bloc au monde d'Hérodote et des sophistes, séparé qu'il en est par la terrible crise qu'a racontée Thucydide, c'est par rapport à lui qu'il se définit. La réflexion sur le temps peut prendre une figure radicalement nouvelle au IVe siècle, elle n'en est pas moins obligée d'intégrer, fût-ce pour en modifier radicalement le sens, l'apport de la génération précédente. Même un Platon ne peut pas ignorer le temps et l'histoire. Aussi bien l'appel à l'histoire est-il constant chez les écrivains du IVe siècle et d'abord chez les orateurs. Mais, précisément, il s'agit d'un appel ; le passé devient une source de paradigmes. Un homme comme Isocrate feint d'ignorer toute distinction entre le temps mythique et le temps historique. Mieux, le passé redevient le temps des dieux, celui des dons divins [95]. Les divers éloges d'Athè-

92. F. M. Cornford, *Thucydides Mythistoricus*, Londres, 1907.

93. Cf. Thucydide, III, 82 : « En temps de paix et de prospérité, les cités et les particuliers ont un esprit meilleur parce qu'ils ne se heurtent pas à des nécessités contraignantes (*anankas*) » (trad. R. Weil et J. de Romilly).

94. Pour une vue générale, cf. J. de Romilly, « Thucydide et l'idée du progrès », *Annali della scuola normale superiore di Pisa*, Série II, 25, 1966, p. 143-191.

95. Les textes ont été analysés par G. Schmitz-Kahlmann, *Das Beispiel der Geschichte im politischen Denken des Isokrates = Philologus*, suppl. 31, Leipzig, 1939. Il est curieux de voir l'usage que fait Isocrate du thème du premier inventeur. Il est utilisé au profit de la cité (cf. *Panégyrique*, 47 *sq.*), mais la cité elle-même doit tout aux dieux (*ibid.*, 28 *sq.*). L'historicisme d'Isocrate, comme tout historicisme, marque un souci du présent. Athènes doit apparaître comme l'évergète semi-divin de la Grèce. Tel doit être le destin des rois auxquels il fait appel.

nes accumulent souvenirs et mythes. Au Ve siècle, le Périclès de Thucydide, dans la célèbre oraison funèbre, ne remontait pas au-delà de la génération des guerres médiques. Au IVe siècle, le passé n'est plus le passé, il est le présent tel qu'on voudrait le voir, il est un appui contre l'irrésistible évolution [96]. Rien de plus typique que le perpétuel appel de Démosthène aux Marathonomaques [97]. Le seul orateur peut-être qui ose s'en prendre au mythe des grands ancêtres, son adversaire Eschine, est aussi celui qui, évoquant les changements du monde au temps d'Alexandre, a cette phrase bouleversante : « En vérité, nous n'avons pas vécu une vie d'hommes [98]. » Dans ces conditions, le Temps auquel fait appel l'épitaphe des morts de Chéronée, seul dieu à y être nommé, n'est pas le temps historique, mais « la divinité qui surveille toutes choses chez les mortels [99] ».

L'expérience temporelle, première, dans la pensée platonicienne, est celle du temps rectiligne. Lorsque, dans la deuxième hypothèse du *Parménide*, il s'agit de mettre à l'épreuve du temps la formule : « s'il y a de l'Un » (ἓν εἰ ἔσ-

96. Je puis maintenant renvoyer à N. Loraux, *L'Invention d'Athènes*, *op. cit.*, chap. II, 3, et III, où l'on trouvera aussi une riche bibliographie.
97. Tous ces faits ont été bien analysés par B. A. Van Groningen, *In the Grip of the Past*, *op. cit.* Mais son erreur est de croire qu'il s'agit d'un trait permanent de la pensée grecque. Il est caractéristique, par ailleurs, qu'un des rares textes de Démosthène où l'on sente le temps s'écouler (*Philippique*, III, 47 *sq.*) fasse allusion aux progrès de la seule *technè* qui se développe effectivement de façon massive au IVe siècle : l'art militaire.
98. Eschine, *Contre Ctésiphon*, 132 ; cf. *Sur l'ambassade infidèle*, 75.
99. M. N. Tod, *A Selection of Greek Historical Inscriptions*, II, Oxford, 1948, n° 16. Le thème est, comme on l'a vu, familier aux dénouements des tragédies. Je ne suis pas très sûr que cet envahissement du monde humain par le dieu temps soit vraiment, comme le pense A.-J. Festugière (*La Révélation d'Hermès Trismégiste*, II[3], *Le Dieu cosmique*, Paris, 1949, p. 155 *sq.*), le signe de l'optimisme du IVe siècle. Nos allusions aux orateurs ne concernent que le temps historique, mais il serait intéressant d'étudier, dans les plaidoyers civils du IVe siècle, dans quelle mesure a disparu, avec les progrès de la technique commerciale, la vieille conception du temps, sorte de monstre qu'il est difficile d'enfermer dans un contrat. Cf. L. Gernet, « Le temps dans les formes archaïques du droit », in *Anthropologie de la Grèce antique* [2], Paris, 1976, p. 261-287.

τιν), le temps dont il s'agit, temps qui « avance » et se définit simplement par un passage de l'avant à l'après, ne peut être qu'un temps rectiligne[100]. De même, dans le *Théétète*, l'hypothèse de Protagoras : la science, c'est la sensation, engendre le mobilisme universel, autrement dit le devenir d'Héraclite sans l'intervention du *logos*[101]. Comme chez Héraclite également, le devenir est une chaîne de contraires. « Tout ce qui a naissance » est sujet à cette loi[102], dont Socrate comprend la vérité lorsque, dans sa prison, il éprouve tour à tour, après avoir été délivré de ses liens, douleur et plaisir. « Être simultanément côte à côte dans l'homme, tous deux s'y refusent, mais qu'on poursuive l'un et qu'on l'attrape, on est presque contraint d'attraper toujours l'autre aussi comme si c'était à une tête unique que fût attachée leur double nature[103]. » Il est impossible, cependant, de fonder sur cette séquence une science. L'Un participant au temps du *Parménide* s'immobilise dans l'instant, où il est à la fois plus vieux et plus jeune que lui-même[104]. Portant en lui toutes les contradictions et participant au temps, donc changeant, il ne peut le faire que « dans cette nature étrange de l'instantané[105] (ἡ ἐξαίφνης αὕτη φύσις ἄτοπος), hors du temps ». L'analyse du temps linéaire aboutit donc à cette simultanéité des contraires, à cette « dyade indéfinie du grand et du petit », qui est pour Platon l'équivalent de la matière[106], c'est-à-dire de l'inconnaissable. Le temps linéaire, c'est la mort du temps. Platon nous le dit expressément : « Supposons qu'il existe un

100. *Parménide* 155 e *sq.* C'est ce qu'a très bien noté F. M. Cornford, *Plato and Parmenides*, Londres, 1939, *ad loc.*
101. *Théétète*, 155 b-c.
102. *Phédon*, 70 d.
103. *Ibid.*, 60 b, trad. Robin.
104. *Parménide*, 152 b *sq.* Cf. aussi *Théétète*, 155 b-c.
105. *Parménide*, 156 d-e. La « troisième hypothèse », dont je tire ce texte, n'est, rappelons-le avec F. M. Cornford (*Plato and Parmenides*, *op. cit.*) et L. Brisson (« L'instant, le temps et l'éternité dans le *Parménide* 155e-157b de Platon », *Dialogue*, 9, 1970-1971, p. 389-396), qu'un appendice à la seconde, dont les conclusions (s'il y a de l'Un, il participe à tous les contraires, notamment à ceux provoqués par le temps) sont reprises en tête.
106. Aristote, *Métaphysique*, A 6, 987 *sq.* Cf. *Philèbe*, 24 c-d ; *Timée*, 52 d. Ce raisonnement vient d'Héraclite (cf. Diels-Kranz, 22 [12], A 22).

devenir en ligne droite (εὐθεῖά τις εἴη ἡ γένεσις) allant de l'un des contraires vers celui seulement qui lui fait face et sans retourner en sens inverse vers l'autre ni faire le tournant ; alors, tu t'en rends compte, toutes choses finalement se figeraient en la même figure, le même état s'établirait en toutes et elles s'arrêteraient de devenir [107]. » En fait, c'est dès le niveau de la sensation qu'apparaît l'exigence d'un temps cyclique. Dans le *Phédon*, c'est alors que l'entretien n'a pas dépassé le niveau dialectique de l'image, que l'espoir d'immortalité n'est encore qu'un pari, qu'il ne s'appuie que sur des « incantations » et de « vieilles traditions » (en l'occurrence pythagoriciennes), que Socrate affirme l'existence nécessaire d'une « éternelle compensation des générations, quelque chose comme un cercle de leur révolution [108] ». C'est ce postulat qui donne au philosophe et au législateur leur sécurité. Le philosophe convaincra ses semblables dans cette existence ou dans l'autre. « Faible laps de temps », lui dit-on ironiquement. « Ce délai n'est rien, comparé à la totalité du temps [109] » (εἰς οὐδὲν μὲν οὖν ὥς γε πρὸς τὸν ἅπαντα). Le mot du sage à l'athée : « Mon fils, tu es jeune, le progrès du temps (προϊὼν ὁ χρόνος) te fera changer d'opinion sur bien des points et penser au rebours de ce que tu penses maintenant [110] », doit se comprendre non seulement à la lumière des « camps de réflexion [111] » (*sôphronistèria*), mais encore à celle du grand mythe où est décrit l'éternel « changement des

107. *Phédon*, 72 b. V. Goldschmidt a pu montrer, d'autre part (« Le problème de la tragédie d'après Platon », *Revue des études grecques*, 59, 1948, repris dans *Questions platoniciennes*, *op. cit.*, p. 103-104), que la critique de la tragédie, imitation de la vie humaine, « faite de paroles irrévocables, d'actions irréparables et d'événements dont l'enchaînement rigoureux est déterminé par la causalité mécanique du devenir » (p. 58), suppose une critique du temps linéaire. Suggérons à V. Goldschmidt que la tragédie visée est moins celle de Sophocle ou d'Eschyle, chez qui la scène finale remet l'action dans le temps des dieux (voir, par exemple, la fin de *Prométhée* ou celle d'*Œdipe à Colone*), que la tragédie « humaniste » d'Euripide.

108. *Phédon*, 70 c, 77 e, 72 a-b. Cf. V. Goldschmidt, *Les Dialogues de Platon. Structure et méthode dialectique*, Paris, 1963, p. 183-185.

109. *République*, 498 d.

110. *Lois*, 888 a-b (trad. Diès).

111. *Ibid.*, 908 e, « maison de correction » (Diès) me paraît un peu faible.

êtres animés selon l'ordre et la loi du destin [112] ». La peine de mort elle-même, prévue pour les athées irréductibles [113], ne peut pas être le « châtiment suprême ». Un monde fait d'une alternance réglée de contradictions est donc une donnée explicite de la conscience platonicienne, mais, comme toute donnée, celle-ci ne peut être valorisée que par le détour de l'essence. Alors seulement le cycle des grands mythes eschatologiques deviendra marche du monde. Tout devenir est « en vue de l'essence [114] » (οὐσίας ἕνεκα). Le devenir organisé ainsi, le cycle des saisons est « devenir orienté vers l'essence [115] » (γένεσις ἐις οὐσίαν). Tel est aussi le cas du temps proprement dit tel que le définit un passage célèbre du *Timée* [116]. Le temps est une création, c'est-à-dire un mixte, il « naît » de la joie du démiurge devant le monde qu'il a fabriqué et qu'il veut rendre encore plus semblable à son modèle. Ainsi apparaît — avec le ciel — « une certaine image mobile de l'éternité [...] qui progresse suivant la loi des nombres ». Le temps est ce par quoi la *génésis* est susceptible de se rapprocher du monde des idées. Le temps dérive ontologiquement de l'âme du monde, principe automoteur, il est donc mouvement, mais ce mouvement est mesuré et par là même nié [117]. Les planètes sont créées pour définir les nom-

112. *Ibid.*, 904 c.

113. *Ibid.*, 909 a-c. Telle est du moins la pensée de Platon à partir de *La République*. Ni le mythe d'Er (*République*, 614 b *sq.*) ni celui du *Phèdre* (246 a *sq.*) ne prévoient soit le salut définitif (c'est-à-dire, dans le cas du *Phèdre*, la certitude pour l'âme ayant retrouvé des ailes de ne pas retomber), soit le châtiment éternel qu'admettent le *Phédon* (114 d) et le *Gorgias* (614 c *sq.*) : l'arrachement au temps a donc cessé d'être possible aux yeux de Platon (voir cependant *République*, 615 d).

114. *Philèbe*, 54 c. Et non de l'existence, comme comprennent Diès et Robin. L'*ousia* a été précédemment définie comme αὐτὸ καθ' αὑτό (53 d).

115. *Philèbe*, 26 a-b. Tel est bien le sens de cette expression (cf. L. Robin, *Platon*, p. 155).

116. *Timée*, 37 c-d *sq.* Texte qu'il ne faut pas aborder sans montrer ce qui, dans le platonisme, permet de le comprendre. Cf. le commentaire de L. Brisson, *Le Même et l'Autre dans la structure ontologique du « Timée » de Platon*, Paris, 1963, p. 392-393.

117. Cette dépendance n'apparaît pas dans le *Timée*, du fait de la fiction démiurgique. Dans les *Lois* (898 d), « l'âme mène la ronde de toutes choses » (trad. Robin). Mouvement circulaire évidemment (κατ' ἀριθμὸν κυκλούμενον [38 a]) ; il n'est nullement besoin de réfuter

bres du temps. Temps multiple, du reste. Chaque astre est indicateur du temps, chaque espèce « a son cercle [...] à l'intérieur duquel elle se meut [118] ». Mais cette multiplicité est hiérarchie. A mesure qu'on descend l'échelle des êtres, la part de matière augmente, et les cercles des âmes subissent « toutes les brisures et tous les troubles possibles, et c'est à peine si leur rotation a pu demeurer continue [119] ». Le temps sort donc de ses gonds. Cette hiérarchie est enfin dominée par une mesure commune, la grande année, achevée lorsque tous les cercles ont repris ensemble leur mouvement initial et que le mouvement a, par conséquent, été annulé [120]. Ainsi peuvent s'expliquer, dans le monde comme dans la vie humaine, les faits qui paraissent relever du temps linéaire... Le monde est à la fois très vieux et très jeune, puisqu'une déviation périodique des orbes des planètes engendre des catastrophes [121]. Si les vieillards sont plus sages que les enfants, c'est parce que la révolution du cercle du même l'emporte chez eux sur le cercle de l'autre [122]. Mais ce progrès a lieu « avec le temps » (ἐπιόντος τοῦ χρόνου), c'est-à-dire en imitant l'éternité. Dans le mixte qu'est l'homme, comme tout être vivant, le temps sera cyclique dans l'exacte mesure où le divin l'emportera sur le matériel. C'est ce qui apparaît avec une totale clarté dans les *Lois*. Le discours des trois vieillards,

---

A.E. Taylor (*A commentary of the Timaeus*, Oxford, 1928, *ad loc.*, et p. 678-691), qui parle de temps newtonien, et Ch. Mugler (*Deux Thèmes de la cosmogonie grecque. Développement cyclique et pluralité des mondes*, *op. cit.*, p. 59 *sq.*) qui parle de temps « monodrome ». Cf. F. M. Cornford, *Plato's Cosmology*, Londres, 1937, *ad loc.*, et J. Moreau, « Compte rendu de Ch. Mugler, *Deux Thèmes* », *Revue des études grecques*, 68, 1955, p. 363-368.

118. *République*, 546 a.

119. *Timée*, 43 d-e (trad. Rivaud).

120. *Ibid.*, 39 d.

121. *Ibid.*, 22 d.

122. *Ibid.*, 43 b. Ce n'est qu'à cinquante ans que les philosophes de la *République* ont le droit de contempler le Bien (*République*, 540 a), c'est-à-dire de sortir du temps. Platon prend ainsi une attitude opposée à celle de Démocrite (fr. 183, Diels-Kranz, II, 68, [55] B, fr. 183) pour qui l'âge ne saurait nous rendre sages. « On sait que le problème de savoir "si le bonheur s'accroît avec le temps" était constamment débattu dans les écoles, bien avant que Plotin ne lui consacrât un traité » (V. Goldschmit, *Le Système stoïcien et l'Idée de temps, op. cit.*, p. 55).

dont un seul est philosophe — mais il ne le dit pas — et que leur âge à lui seul rend proches de la divinité, suit une courbe en spirale, faite de répétitions calquées sur celles d'une « musique » idéale [123]. La plus haute notion à laquelle puissent parvenir les non-philosophes de la cité des Magnètes est l'âme du monde, une âme coupée du modèle idéal, comme l'a montré J. Moreau [124], mais qui reste la source du temps cosmique. « La race humaine a une affinité naturelle avec l'ensemble du temps qu'elle accompagne et accompagnera toujours à travers la durée ; c'est par là qu'elle est immortelle en laissant des enfants à ses enfants et ainsi grâce à la permanence de son unité toujours identique en participant par la génération à l'immortalité [125]. » Cette participation doit être réglée. Dans la cité des *Lois*, le temps cosmique s'inscrit dans la Constitution, dans la vie religieuse et sur le sol même de la cité, comme s'il s'inscrivait sur la tombe des soldats de Chéronée. Les citoyens sont répartis en douze tribus réparties entre les douze grands dieux, le sol divisé en douze sections, tant dans la ville que dans le plat pays. Il n'y a pas moins de trois cents cérémonies par an. Enfin, le culte suprême sera le culte des astres [126]. Entre le cycle cosmique et l'agitation de la matière, l'histoire platonicienne sera réglée d'une manière rigoureusement parallèle au temps. A première vue, le temps de l'histoire n'est que hasard et désordre. Platon constate que « tout marche à la dérive » (φερόμενα

123. *Lois*, 659 c-d ; cf. M. Van Houtte, *La Philosophie politique de Platon dans les « Lois »*, Louvain, 1953, p. 24. Sur la fonction des vieillards dans la dernière œuvre de Platon, cf. R. Schaerer, « L'itinéraire dialectique des *Lois* et sa signification philosophique », *Revue philosophique*, 143, 1953, p. 379-412.

124. J. Moreau, *L'Ame du monde, de Platon aux stoïciens*, Paris, 1939, p. 68.

125. *Lois*, 721 c (trad. des Places) ; cf. *Banquet*, 207 a *sq.*

126. *Lois*, 828 b-c, 745 b-e, 967 a *sq.* ; cf. O. Reverdin, *La Religion de la cité platonicienne*, Paris, 1945, p. 62-73, et P. Boyancé, « La religion astrale de Platon à Cicéron », *Revue des études grecques*, 65, 1952, p. 312-350 ; cf. aussi P. Lévêque et P. Vidal-Naquet, *Clisthène l'Athénien. Essai sur la représentation de l'espace et du temps dans la pensée politique grecque de la fin du VIe siècle à la mort de Platon*[3], Paris, 1983, p. 140-146, et P. Vidal-Naquet « Étude d'une ambiguïté : les artisans dans la cité platonicienne », in *Le Chasseur noir*, *op. cit.*, p. 289-316.

ὁρῶντα πάντῃ πάντως), « les États ne cessent d'aller par soubresauts de tyrannie en oligarchie et en démocratie »[127]. Temps contradictoire qui engendre la pire des contradictions : la guerre permanente[128]. Mais on ne peut fonder sur le hasard — ni sur l'histoire — une philosophie de l'histoire. Les naturalistes, héritiers de Critias, de Démocrite et de Protagoras, se trompent qui expliquent par le hasard la création du monde et par l'art humain — l'invention — la législation des hommes[129]. Les prisonniers de la caverne s'exercent à « discerner les objets qui passent », « à se rappeler le plus exactement ceux qui passaient régulièrement les premiers ou les derniers, ou ensemble », et se croient par là les plus habiles à deviner ce qui va arriver[130]. Chez les ombres, Thucydide exerce donc une sorte de royauté. Hérodote est mis également à sa place. L'histoire est immense, mais c'est une histoire cyclique, rythmée par des catastrophes périodiques auxquelles l'Égypte échappe, non parce que humaine par excellence, mais parce que proche entre toutes de la divinité[131]. Pour qui embrasse la longueur « infinie, incommensurable » du temps, il est évident que « des milliers et des milliers de villes se sont succédé, et que non moins nombreuses, dans le même ordre de grandeur, furent celles qui disparurent. N'ont-elles pas aussi, de façon répétée, connu toutes les formes de Constitutions ? Parfois de petites sont devenues grandes, de grandes sont devenues petites, du meilleur est sorti le pire et du pire le meilleur[132] ». Tel est le cadre dans lequel s'inscrit l'histoire platonicienne. A l'intérieur, celle-ci ne sera ni une histoire du bien — un progrès — ni une histoire du

127. *Lettre* VII, 325 e-326 d (trad. Souilhé).
128. *Lois*, 626 a.
129. *Lois*, 889 b-e.
130. *République*, 516 c-d (trad. Chambry).
131. *Timée*, 21 e-22 b. Le fameux entretien de Solon et du prêtre de Saïs est parallèle à l'entretien d'Hécatée et du prêtre d'Ammon à Thèbes chez Hérodote.
132. *Lois*, 676 b-c (trad. des Places modifiée). Hérodote, lui, ne croit pas qu'une évolution soit réversible : « J'avancerai dans la suite de mon récit, parcourant indistinctement les grandes cités des hommes et les petites; car de celles qui, jadis, étaient grandes, la plupart sont devenues petites ; et celles qui étaient grandes de mon temps étaient petites autrefois » (I, 5).

mal — une décadence. Si les livres VIII et IX de *La République* peignent à la manière d'Hésiode l'évolution de la cité idéale vers la tyrannie, si le mythe du *Politique* affirme que sous le règne de Zeus (nouvelle allusion à Hésiode) les hommes sont en marche vers la « région » de la dissemblance [133], ces textes ne se comprennent que replacés dans leur contexte. La décadence de la cité idéale est le pendant de sa construction qui a lieu hors du temps. Au bien pur succède le mal pur. Le cycle de Zeus est le pendant du cycle de Cronos, autre symbole de l'éternité [134]. Dans un cas comme dans l'autre, le temps de l'histoire est décomposé, cesse d'être un mixte [135]. Il y a bien un ordre dans la série des cités, mais cet ordre n'est pas un ordre historique [136]. Pourtant, même dans le cadre d'une histoire proprement humaine, le philosophe reste libre, et on ne saurait chercher chez Platon un sens de l'histoire, alors que l'histoire n'appartient pas au domaine de ce qui a un sens. Le livre III des *Lois* illustre à merveille cet état de choses. Les grands thèmes de l'histoire humaniste des sophistes du ve siècle, et notamment celui du progrès technique et politique, celui des inventions humaines, y réap-

133. *Politique*, 273 d. Cf. aussi in *Le Chasseur noir*, *op. cit.*, « Athènes et l'Atlantide », p. 39, n. 72 (repris dans *La Grèce ancienne*, 1, *Du mythe à la raison*, *op. cit.*, p. 163, n. 73), et « Le mythe platonicien du *Politique* : les ambiguïtés de l'âge d'or et de l'histoire », p. 371 (repris dans *ibid.*, p. 186).

134. Les hommes du cycle de Cronos naissent vieillards et meurent enfants.

135. Cf. V. Goldschmit, *La Religion de Platon*, *op. cit.*, repris dans *Platonisme et Pensée contemporaine*, Paris, 1970, p. 118-120; et L. Robin, *Platon*, *op. cit.*, p. 278.

136. Aristote a fait semblant, sur ce point comme sur tant d'autres, de prendre Platon à la lettre (*Politique*, VII [V], 1316 a *sq.*). Il a été suivi dans cette voie par K. R. Popper, *La Société ouverte et ses ennemis*, trad. fr. J. Bernard et Ph. Monod, I, *L'Ascendant de Platon*, Paris, 1979. Ce livre vigoureux, qui a fait de Platon un précurseur de Hegel, Marx et Hitler, a soulevé toute une polémique parfois brillante, presque toujours inutile (cf. G. J. de Vries, *Antisthenes Redivivus, Popper's attack on Plato*, Leyde, 1953, R. Bambrough, *Plato, Popper and Politics, Some contributions to a modern controversy*, ed. by R. B., Cambridge, 1967, et R. C. Levinson, *In Defense of Plato*, Cambridge, Mass., 1953, ainsi que la bibliographie rassemblée dans L. Brisson, *Platon 1958-1975 = Lustrum*, 20, 1977 [1979]).

paraissent [137]. Platon reprend même la distinction entre temps mythique et temps historique qu'avait, en somme, brouillée Isocrate [138]. Progrès mécanique qui fait passer l'humanité de la famille à la bourgade, de la bourgade à la ville, de la ville au peuple dès qu'apparaît la *polis*, et avec elle la *phronèsis* ; on voit naître aussi « abondance de vices et abondance de vertus [139] ». Platon offre alors à ses personnages à tout moment, avec l'aide de la *tuchè*, bonne ou mauvaise, la possibilité de bifurquer vers le bien ou vers le mal. Le bien, ce sera la Constitution de Sparte avec sa triple chance historique : la double royauté, Lycurgue, le créateur de l'éphorat [140]. Le mal, c'est le choix par les rois d'Argos et de Messène d'une Constitution tournée uniquement vers la guerre, c'est-à-dire celle de Sparte et de la Crète au dire du Crétois Clinias et du Lacédémonien Mégille [141]. Double visage d'une même réalité ! Le récit « historique » des *Lois* se termine par la décision de construire une cité idéale. Le temps des hommes n'aura donc eu de signification que dans la mesure — bien peu probable — où son terme sera une cité tout entière construite autour du temps des dieux. Et pourtant, et ceci est un trait fondamental de la dernière philosophie platonicienne, ce qu'a fait le temps est sacré. Ce qui a duré procède à sa manière de l'éternité. « Seul un changement léger et précautionneux, qui répartit les progrès sur un long espace de temps [142] », peut éviter la catastrophe que serait, pour une vieille cité, la rentrée dans le cycle des contraires.

D'Homère à Platon, les dieux et les hommes n'ont donc cessé de jouer un jeu singulièrement compliqué. Jeu gratuit,

137. *Lois*, 677 b *sq*. Dans le mythe du *Politique* (274 c-d), les inventions humaines sont décrites en termes de dons divins. Il s'agit de la transcription d'une même réalité sur deux registres différents. Peignant dans le *Politique* une décadence irrémédiable, Platon insiste sur la dépendance totale de ses « primitifs ». Mais, dans une perspective platonicienne, une « invention » n'a de sens que dans la mesure où elle s'inspire d'un modèle divin.
138. *Ibid.*, 683 a.
139. *Ibid.*, 678 a.
140. *Ibid.*, 691 d *sq*.
141. *Ibid.*, 686 a *sq*., 625 c *sq*.
142. *Ibid.*, 736 d.

lui-même dépourvu de sens ? Le problème vaudrait qu'on lui consacrât une autre étude, plus étendue — et plus complexe — que celle-ci. Le fait le plus frappant à notre sens est la scission qui se produit au ve siècle entre la « science » et l'« histoire ». D'un côté, l'affirmation d'une cosmogonie qui, pour rendre compte du changeant, ne pouvait que prendre une forme cyclique ; de l'autre, le sentiment que l'humanité s'arrache peu à peu spirituellement et matériellement à l'enfance. Est-ce un hasard si ce sentiment est contemporain de la période la plus éclatante de la civilisation grecque ? Le pessimisme est déjà sensible chez Thucydide. C'est avec lui que l'idée de répétition réapparaît dans l'histoire. Contemporain de la crise de la cité — l'oiseau de Minerve ne prend son vol que la nuit —, Platon résume et intègre l'apport de ses prédécesseurs tout en réagissant violemment dans un sens archaïque. Mais la pensée platonicienne, si elle marque un tournant, n'est pas un terme.

5

Le fleuve Amélès *et la* mélétè thanatou [1]

Jean-Pierre Vernant

La République s'achève sur l'évocation d'un paysage infernal : au terme de son voyage dans l'au-delà, Er le Pamphylien découvre la plaine où, par une chaleur suffocante, les âmes campent en dernière étape avant d'être renvoyées sur terre pour une nouvelle incarnation. Le tableau est conforme à toute une tradition dont Platon s'inspire très directement : il n'a inventé ni la plaine desséchée d'Oubli, *Lèthè*, ni les âmes assoiffées, ni l'eau fraîche qui s'écoule d'une source aux pouvoirs surnaturels. Cependant, le nom d'*Amélès*, que Platon a donné au fleuve souterrain où les âmes viennent boire et où elles perdent tout souvenir, ne se retrouve, à notre connaissance, dans aucune autre description du monde des morts antérieure à *La République*. Quelle est la signification exacte de ce terme ? Comment se justifie sa présence dans le récit platonicien ? Quel lien unit le fleuve *Amélès* de *La République* à la fontaine d'Oubli, qui figure dans la littérature mystique [2], et dont l'âme doit savoir se détourner pour puiser au lac de Mémoire l'eau qui, la libérant de la roue des naissances, lui apporte la grâce d'une immortalité bienheureuse en compagnie des héros et des dieux ?

En traduisant *Amélès* par Sans-Souci, Léon Robin semble n'admettre entre *améleia* et *lèthè* qu'un rapport somme

1. *Revue philosophique*, 1960, p. 163-179, repris dans *Mythe et Pensée chez les Grecs*, *op. cit.*, p. 137-152.
2. Cf. Diels-Kranz, I, p. 15 *sq.*

toute assez lâche : si l'oubli submerge les âmes qui ont bu sans mesure dans le fleuve *Amélès*, c'est qu'en elles toute « inquiétude » a disparu [3]. Contentes désormais de leur vie terrestre, à l'aise dans la prison du corps où elles ont été jetées, elles ne désirent rien au-delà et se satisfont d'une ignorance dont elles n'ont plus même conscience. Dans le cadre de la pensée platonicienne où il nous faut la situer, l'*améleia* se définirait ainsi comme le contraire de cette inquiétude spirituelle, de ce trouble de l'âme que le philosophe, à l'imitation de Socrate, a pour mission de susciter.

Il n'est pas sûr cependant que le sens du terme soit bien celui-là. On peut se demander si le rapport entre la plaine du *Lèthè* et le fleuve *Amélès* n'est pas plus direct et si, sur ce point encore, Platon n'a pas tant innové que recueilli et transposé une tradition qui associait très étroitement les thèmes de la *mélétè* et de l'*améleia* aux mythes de Mémoire et d'Oubli [4].

Pausanias nous livre les noms qu'auraient portés, suivant la tradition la plus ancienne, les Muses de l'Hélicon, au temps où elles n'étaient encore que trois. On les appelait : *Mélétè*, *Mnèmè*, *Aoidè* : Exercice, Mémoire et Chant [5]. On sait le patronage que *Mnèmosunè*, mère des Muses, a exercé sur la fonction poétique et la place tenue dans les confréries d'aèdes par des exercices de mémoire préparant cette « vision inspirée » qu'exige, dans la poésie orale, une forme de composition qui unit la récitation à l'improvisation [6]. On ne s'étonnera donc pas de voir associées au chant, dans la dénomination des Muses, la mémoire et une *mélétè* où il nous faut

3. « Inquiétude morale, écrit Léon Robin, ou inquiétude intellectuelle qui provoque la réminiscence, impression de déficience qui fait naître l'amour » (cf. Platon, *Œuvres complètes*, Paris, Bibl. de la Pléiade, 1940, I, p. 1376.

4. Sur ces mythes, cf. P.-M. Schuhl, *Essai sur la formation de la pensée grecque*², *op. cit.*, p. 241 *sq.*

5. Pausanias, IX, 29, 2-3. Nous remercions M. Detienne qui a attiré notre attention sur ce texte de Pausanias. Cf. B. A. Van Groningen, « Les trois Muses de l'Hélicon », *L'Antiquité classique*, 1948, p. 287-296.

6. « La formation de la pensée positive dans la Grèce archaïque », in *Mythe et Pensée chez les Grecs*, *op. cit.*, p. 387 (repris dans *La Grèce ancienne*, 1, *Du mythe à la raison*, *op. cit.*, p. 212).

reconnaître la pratique d'un exercice mental, d'une discipline de mémoire nécessaire à l'apprentissage de la technique poétique. Cette *mélétè*, nous la retrouvons, unie toujours au culte des Muses [7], dans les confréries du type de la secte pythagoricienne, où s'élabore la pensée philosophique. Dans ce milieu nouveau, elle a acquis une valeur plus large : elle n'est plus limitée à la conquête d'un savoir particulier; elle forme l'excellence humaine en général, l'*arétè*. Elle a pris un double caractère : sur le plan individuel c'est une *askèsis* apportant le salut par la purification de l'âme; sur le plan de la cité, une *paideia* formant la jeunesse à la vertu et préparant les plus dignes à l'exercice d'une souveraineté conforme à la justice. Cette double orientation rapproche la « discipline » philosophique, d'une part de la règle de vie religieuse prônée dans les sectes mystiques, qui ne se préoccupent que du salut individuel et ignorent le domaine politique [8], et, d'autre part, du dressage collectif, essentiellement fondé sur les épreuves et les exercices militaires, αἱ τῶν πολεμικῶν μελέται [9], qui, dans les sociétés guerrières de la Grèce, ont constitué un premier système d'éducation visant à sélectionner les jeunes en vue de leur habilitation au pouvoir [10]. Cependant, ce qui caractérise la *mélétè* philosophique, c'est qu'à l'observance rituelle comme à l'exercice militaire elle substitue un entraînement proprement intellectuel, un dressage mental qui met l'accent avant tout, comme dans le cas de la *mélétè* poétique, sur une discipline de mémoire. Vertu virile, la *mélétè* philosophique, comme la *mélétè* guerrière, implique énergie tendue, constante attention, *épiméleia*, dur effort,

7. Cf. P. Boyancé, *Le Culte des Muses chez les philosophes grecs*, Paris, 1936.

8. Il y a, entre la pensée religieuse des sectes et la réflexion philosophique, une analogie de thèmes frappante. Mais, différence essentielle, la « sagesse » du philosophe prétend régler l'ordre dans la cité, alors que tout souci d'organisation politique demeure étranger à l'esprit des sectes.

9. Thucydide, II, 39; Platon, *Lois*, IX, 865 *a*.

10. Dans la *paideia* lacédémonienne, écrit Thucydide, l'ἀνδρεῖον est obtenu, chez les νέοι, par une ἐπιπόνῳ ἀσκήσει, une πόνων μελέτῃ (*ibid.*).

ponos[11]. Dans une représentation de l'*arétè* qui est devenue traditionnelle et dont on trouve l'écho dans le mythe d'Héraclès au carrefour du Vice et de la Vertu, elle s'oppose au relâchement, au défaut d'entraînement, *améleia* et *amélétèsia*, à la paresse, *argia*, à la mollesse, *malachia*, au plaisir, *hèdonè*[12]. Mais exercices et discipline concernent l'âme et l'intelligence, non plus le corps. Plus précisément, pour reprendre les expressions mêmes de Jamblique définissant l'*askèsis* pythagoricienne, il s'agit d'une γυμνασία καὶ ἐπιμέλεια μνήμης, d'un exercice et d'un entraînement de la mémoire[13]. A deux reprises, Jamblique souligne la valeur éminente que revêt, aux yeux des pythagoriciens, pour la conquête de la sagesse, l'effort de remémoration. Une première fois, il présente l'*anamnèsis* des vies antérieures, dont la légende attribuait le pouvoir à Pythagore, comme la source et le principe de son enseignement[14]. Un peu plus loin, il rappelle que les pythagoriciens avaient obligation de tout retenir en mémoire, de ne rien perdre de ce qu'ils avaient appris, vu ou entendu, et il donne à l'examen quotidien de conscience, qui était de règle dans la secte, la portée d'un exercice mnémonique[15].

Sur cet examen de conscience les *Vers dorés* apportent d'intéressantes précisions : il ne faut pas céder le soir à la douceur du sommeil, mais, avant de s'endormir, dénombrer toutes les actions accomplies dans la journée, en commençant par la première et en les parcourant toutes, à trois reprises, jusqu'au bout[16]. Entreprise difficile, à laquelle le disciple est

11. Sur l'opposition, dans une conception de la vertu fortement teintée d'esprit militaire, entre l'*améleia* d'une part et la *mélétè* associée à l'*épiméleia* de l'autre, cf. Xénophon, *Économique*, spécialement XII, 6 *sq.* ; XX, 3 *sq.*

12. Cf. Charles Picard, « Nouvelles remarques sur l'apologue dit de Prodicos », *Revue archéologique*, 42, 1953, p. 10-41. *Améleia* est associée à *malachia* dans Thucydide, I, 122, 4 ; à *argia* dans Platon, *République*, 421 *d*.

13. Jamblique, *De Vita Pythagorica*, 164.

14. *Ibid.*, 63.

15. *Ibid.*, 164 et 165.

16. Μηδ' ὕπνον μαλακοῖσιν ἐπ' ὄμμασι προδέξασθαι πρὶν τῶν ἡμερινῶν ἔργων τρὶς ἕκαστον ἐπελθεῖν (v. 40-41, éd. P. C. Van der Horst, Leyde, 1932).

invité en ces termes : « Ταῦτα πόνει, ταῦτ' ἐκμελέτα..., il te faut faire cet effort, accomplir cet exercice. » Le texte poursuit : « Il te faut l'aimer, et il te conduira sur les traces de la divine vertu [17]... ; tu n'espéreras plus l'inespérable et rien ne te sera caché, μήτε τι λήθειν. »

Dans son commentaire, Hiéroclès note que le poète nous exhorte à faire porter l'examen sur tous les actes de la journée, y compris les plus modestes, en allant par ordre des premiers aux derniers, sans omettre aucun intermédiaire : c'est que, dit-il, cette *anamnèsis* des événements de la vie quotidienne constitue un exercice propre à nous rappeler en mémoire nos vies antérieures, une μελέτη τῶν προβεβιωμένων ἀναπολήσεως. Poursuivant sa glose, Hiéroclès fait reposer l'ἄσκησις τῆς ἀρετῆς des pythagoriciens sur trois puissances, *dunameis*, de l'âme : le *ponos*, la *mélétè*, l'*érôs* — la *mélétè* étant définie comme une discipline imposée à la partie rationnelle de l'âme, celle dont la fonction est de *noein*. Dans son dialogue sur l'*Éducation des enfants*, Plutarque est lui aussi amené à insister sur l'importance de la *mélétè*, associée au *ponos*, dans la *paideia* [18]. Le passage a valeur polémique : Plutarque combat ceux qui, dans l'*arétè*, accordent plus à la nature qu'à l'étude et à l'exercice : ils s'imaginent qu'un mauvais tempérament ne peut être redressé par une μελέτη ὀρθὴ πρὸς ἀρετήν ; en quoi ils se trompent du tout au tout : l'*améleia* ruine la meilleure âme comme elle fait de la meilleure terre et du corps le plus robuste ; mais l'*épiméleia* et le *ponos* sont choses fécondes et productrices ; grâce à eux, ce qui était contraire à la nature finit par l'emporter sur ce qui était selon la nature : « Même les choses faciles abandonnent ceux qui ne s'exercent pas, alors que les difficiles sont obtenues à force de soins appliqués [19]. » C'est la banalité du texte de Plutarque qui fait son intérêt. Plutarque développe un lieu commun qui se rapporte au thème bien

17. Τῆς θείης ἀρετῆς εἰς ἴχνια ; cf. Proclus, *Hymne aux Muses*, 6-7 : les Muses nous enseignent à faire diligence pour retrouver la trace, ἴχνος, sur le flot profond de l'oubli, ὑέρ βαθυχεύμονα λήθην.
18. Plutarque, *De l'éducation des enfants*, 2 a-e.
19. Καὶ τὰ μὲν ῥάδια τοὺς ἀμελοῦντας φεύγει, τὰ δὲ χαλεπὰ ταῖς ἐπιμελείαις ἁλίσκεται.

souvent discuté des avantages respectifs de la nature et de l'étude. Or, sur ce problème, une ligne de démarcation a dû très tôt se dessiner, opposant les philosophes aux milieux traditionnels de poésie. Les poètes — non seulement Pindare, mais déjà Homère — mettent l'accent sur les dons personnels et sur l'inspiration au détriment de l'apprentissage et de l'étude. Par contre un Épicharme, dont on connaît les attaches avec la pensée pythagoricienne, soutient le point de vue opposé en une sentence dont le texte de Plutarque apparaît comme le commentaire : « ἁ δὲ μελέτα φύσιος ἀγαθᾶς πλέονα δωρεῖται, φίλοι ». L'exercice donne plus qu'un bon naturel [20]. Cet éloge de la *mélétè* et de ses fruits va de pair chez Épicharme avec une exaltation du *ponos*, une mise en garde contre les dangers de la mollesse, *malachia*, et des plaisirs [21].

Il semblera d'autant plus légitime de penser ici à des thèmes d'inspiration pythagoricienne que, chez Plutarque, le dialogue se poursuit par un paragraphe dont on trouve l'équivalent exact dans le discours de Pythagore à la jeunesse tel que Jamblique le rapporte. Tous les biens, écrit Plutarque, sont pour l'homme instables et inconstants ; seule la *paideia* constitue un acquis définitif qui demeure en nous « immortel et divin », car l'esprit seul se renforce en vieillissant et le temps qui détruit et disperse toutes choses ajoute le savoir au vieil âge [22]. La même opposition entre biens fixes et biens fugaces se retrouve dans Jamblique : faisant l'éloge, devant les *nèoi*, de la *paideia*, Pythagore aurait comparé les biens corporels et l'*épiméleia* du corps aux mauvais amis qui nous délaissent à la première occasion ; au contraire, les fruits de la *paideia* durent jusqu'à la mort et même apportent à quelques-uns, au-delà de la mort, une gloire éternelle. Alors que les autres biens, pour être transmis, doivent être du même coup abandonnés de qui les possède, la *paideia* ne s'épuise pas en s'échangeant ; elle est, de toutes les choses humaines, la seule qui puisse être définitivement acquise et conservée : κτήσασθαι [23].

20. Diels-Kranz, I, p. 203, 10.
21. *Ibid.*, I, p. 203, 18-21 et p. 204, 16 *sq.*
22. Plutarque, *De liberis educandis*, 5 d.
23. Jamblique, *De Vita Pythagorica*, 42-43.

Que ce thème d'un bien susceptible d'être thésaurisé, en dépit du flux destructeur du temps, se trouve lié à la conception qui fait de l'effort de mémoire la base de la discipline intellectuelle, on le voit chez Plutarque qui conclut cette partie de son exposé en présentant la mémoire comme le cellier, ταμιεῖον, de la *paideia*, et en indiquant que si on a fait de *Mnèmosunè* la mère des Muses, c'est qu'il n'y a rien dans le monde de susceptible, comme elle, de γεννᾶν καὶ τρέφειν, de faire croître et de nourrir[24]. Cette image d'une Mémoire, inépuisable grenier de sagesse, qui défie l'atteinte du temps et où l'âme puise sa nourriture d'immortalité, on l'imaginerait née de la fantaisie de Plutarque si on ne la retrouvait chez Empédocle dans un contexte qui évoque directement les thèmes platoniciens de l'*anamnèsis*, de la *lèthè* et de l'*améleia*. « Bienheureux, proclame Empédocle, qui a acquis, ἐκτήσατο, la richesse de *prapides* divines[25]. » *Olbios*, *Ploutos*, *Ektèsato*, ces termes associés à l'idée du divin ne pouvaient manquer d'évoquer, dans l'esprit d'un Grec, la figure du Zeus qui porte le triple épithète de *Ktèsios*, *Plousios* et *Olbios*[26] et qui, dans le cellier précisément, trône[27] sous la forme d'un récipient, ἀγγεῖον, d'un petit tonneau, καδίσκος, toujours rempli d'*ambrosia*, liqueur d'immortalité[28]. Symbole de santé et d'abondance inaltérables, le tonnelet de *Zeus Ktèsios* veille sur les biens domestiques et conserve intactes toutes les richesses de la maison. Or, ce vaste « trésor » de *prapides*, un homme divin l'aurait, d'après Empédocle, possédé, en qui les Anciens ont pu reconnaître Pythagore et son pouvoir de conserver en mémoire, sans rien en perdre, le souvenir de tous les événements de ses vies antérieures : « Cet homme, nous dit en effet Empédocle, quand il tendait ses

24. Plutarque, *Ibid.*, 9 c.

25. Ὄλβιος, ὃς θείων πραπίδων ἐκτήσατο πλοῦτον (H. Diels-Kranz, I, p. 365, 5 *sq.*).

26. Cf. L. Farnell, *Cults of the Greek States*, Oxford, 1896, I, p. 55.

27. Harpocr., *s.v.* κτησίου Διὸς, citant Hypéride et Ménandre (p. 184-185, Dindorf) : κτήσιον Δία ἐν τοῖς ταμιείοις ἱδρύοντο.

28. Athénée, 473 b : καδίσκος ἀγγεῖόν ἐστι ἐν ᾧ κτησίους Δίας ἐγκαθιδρύουσιν...

prapides[29], distinguait facilement chacune de toutes les choses qui appartiennent à dix et même à vingt vies humaines. »

A la suite de Louis Gernet[30], nous avons insisté sur ce que laisse deviner de pratiques et de croyances anciennes ce texte d'Empédocle qui se sert, pour désigner l'intelligence, du terme archaïque de *prapides* signifiant originellement le diaphragme. Dans l'emploi d'une formule comme « tension du diaphragme » nous avons cru reconnaître le souvenir d'une discipline de type yoga, appuyée sans doute sur une technique de contrôle du souffle respiratoire ; ainsi s'expliquerait l'étrange privilège, attribué aux Mages par la légende, de pouvoir à volonté rendre libre leur *psuchè*, de lui faire quitter le corps gisant sans souffle et sans vie dans un sommeil cataleptique pour un voyage dans l'au-delà dont elle rapporte, comme l'âme d'Épiménide, la connaissance du passé. Sous l'influence des préoccupations et des idées nouvelles qui se font jour dans les confréries philosophiques, cette discipline d'extase se serait transformée en un entraînement spirituel, une *mélétè* unissant étroitement l'effort de remémoration poussé aussi loin que possible dans les vies antérieures, la purification de l'âme et sa séparation du corps, l'évasion du flux temporel par l'accès à une vérité parfaitement stable. N'est-ce pas un entraînement de cette sorte que Platon évoque, dans le *Phédon*, avant d'exposer sa théorie de l'*anamnèsis*, quand il définit la philosophie, conformément à ce qu'il appelle une très ancienne tradition, comme une *mélétè thanatou*[31], une discipline ou un exercice de mort, consistant à purifier l'âme, en la concentrant, en la ramassant sur elle-même à partir de tous les points du corps, de façon qu'ainsi rassemblée et isolée elle puisse se délier du corps et s'en évader[32]. Purifica-

29. Diels-Kranz, I, p. 364, 4 : Οππότε γὰρ πάσῃσιν ὀρέξαιτο πραπίδεσσιν. Cf. Jamblique, *V. P.*, 67 et Diogène Laërce, VIII, 54.

30. L. Gernet, « Les origines de la philosophie » (1945), *Anthropologie de la Grèce antique*², Paris, 1976, p. 426.

31. *Phédon*, 67 e et 81 a.

32. *Ibid.*, 67 c ; cf. aussi 65 c, 70 a, 81 e et c, 83 a. C'est le même exercice de « concentration », au sens propre, que nous retrouvons chez Porphyre, *Lettre à Marcella*, 10 : « si tu t'exerces à rentrer en toi-même rassemblant à part du corps tous tes membres spirituels dispersés et réduits à une multitude de parcelles découpées dans une unité qui jouissait

tion, concentration, séparation de l'âme : autant de termes qui signifient aussi bien pour Platon remémoration, *anamnèsis*. La *mélétè thanatou* garde le caractère d'une *mélétè mnèmès*, comme l'atteste le texte du *Phèdre* où Platon, déplorant l'invention de l'écriture, indique qu'en substituant à l'effort propre de la remémoration la confiance en des empreintes extérieures à l'esprit, elle permettra à l'oubli de s'introduire dans l'âme par *amélétesia mnèmès*, par l'absence d'exercice de la mémoire [33]. Au reste, c'est bien ainsi que Proclus dans son commentaire interprète l'*améleia* : « L'âme qui a bu sans mesure dans le fleuve *Amélès*, écrit-il, oublie tout de ses vies antérieures ; car devenue amoureuse du devenir elle cesse d'évoquer les principes immuables et les oublie δι' ἀμελετησίαν καὶ ἀργίαν. » Et il ajoute : « En effet, nous avons besoin d'un exercice nous renouvelant sans cesse la mémoire de ce que nous avons connu, δεῖ γὰρ τῆς μελέτης ἀνανεούσης ἡμῖν ἀεὶ τὴν μνήμην ὧν ἔγνωμεν » [34]. Bien entendu, dans la perspective de Platon, cet exercice de mort est en fait une discipline d'immortalité ; en se libérant d'un corps auquel Platon applique les mêmes images de flux et de courant qu'au devenir [35], l'âme émerge du fleuve du temps pour conquérir une existence immuable et permanente, proche du divin autant qu'il est permis à l'homme. En ce sens, l'*anamnèsis* platonicienne, par l'intermédiaire des exercices de mémoire du pythagorisme, prolonge le vieux thème mythique de *Mnèmosunè*, source de vie inépuisable, fontaine d'immortalité. Et lorsque Platon fait figurer, dans la plaine de *Lèthè*, un fleuve *Amélès* « dont aucun récipient ne peut retenir l'eau, ἀγγεῖον οὐδὲν τὸ ὕδωρ στέγει », il reste fidèle à l'interprétation qui était donnée aux mythes de mémoire

---

jusqu'alors de toute l'ampleur de sa force » (trad. Festugière). Le texte grec dit : εἰ μελετῴης εἰς ἑαυτὴν ἀναβαίνεν, συλλέγουσα ἀπὸ τοῦ σώματος πάντα τὰ διασκεδαθέντα μέλη... Cf. aussi Porphyre, *Sententiae*, 34.

33. *Phèdre*, 275 a ; cf. aussi *Théétète*, 153 b.

34. Proclus, *In Platonis Rempublicam*, p. 349, éd. W. Kroll.

35. Cf. Harold W. Miller, « Flux of Body in Plato's Timaeus », *Transactions and Proceedings of the American Philological Association*, LXXXVIII, 1957, p. 103-113.

et d'oubli dans les cercles philosophiques de la Grande Grèce.

En effet, si rien ne peut retenir cette eau, c'est que, faite pour s'écouler toujours, elle fuit, φεύγει, elle abandonne tous les récipients dans lesquels on la verse, comme quittent les humains, selon Pythagore, les biens corporels, comme se dissipe en eux cette *épiméleia* du corps — c'est-à-dire cette *améleia* de l'âme — que le sage opposait à l'acquis définitif obtenu par la *mélétè mnèmès* sur laquelle repose sa *paideia*. Certes, chez Platon, le fleuve *Amélès* a acquis une signification proprement métaphysique : outre le relâchement d'une âme qui s'abandonne au gré du plaisir au lieu de s'imposer la dure discipline de mémoire, le fleuve symbolise chez lui, comme le note Proclus, le flux et le reflux sans fin du devenir dont aucun récipient, aucun être ne peut retenir le terrible écoulement, τὴν δεινὴν ἐκροήν [36]. Cependant, le pythagoricien Paron déjà, au témoignage d'Aristote, avait intimement associé la *lèthè* au temps et, blâmant ceux qui font de Chronos une divinité très sage, il l'avait au contraire proclamé la source de toute ignorance [37].

Mais peut-être peut-on préciser davantage les origines de l'image mythique du fleuve *Amélès*. Cette eau qu'aucun récipient ne peut retenir rappelle les *amuètoi* du *Gorgias* dont les récipients troués ne peuvent non plus retenir l'eau qui s'écoule au fur et à mesure qu'ils la puisent [38]. Ces récipients criblés de trous, ce sont, nous dit Socrate, les âmes de ces malheureux qui, par oubli et par manque de foi, *pistis*, ne peuvent rien retenir. Et il ajoute que, suivant l'auteur du mythe, italique ou sicilien, les *pithoi* désignent la partie de l'âme où sont les désirs parce qu'elle est docile et crédule, *pithanon* et *peisticon*. Cette fable, dans l'esprit de Socrate, doit convaincre de son erreur Calliclès proclamant que ce qui

36. Proclus, *In Platonis Rempublicam*, p. 122; cf. aussi p. 51 : il est évident que la plaine de *Lèthè* signifie la génération, τὴν γένεσιν, et le fleuve d'Oubli, πᾶσαν τῆν ῥύσιν τῶν ἐνύλων καὶ τὸ ῥόθιον κύτος ἡμῶν, lesquels font sans cesse déborder nos âmes d'oubli à l'égard des réalités toujours immuables.

37. Aristote, *Physique*, Δ, 13, 222 b 17 (Diels-Kranz, I, p. 217, 10 *sq.*); cf. P.-M. Schuhl, *op. cit.*, p. 251.

38. *Gorgias*, 493 a *sq.*

fait le prix de la vie, c'est l'écoulement incessant, le flux abondant des plaisirs. Vie terrible, monstrueuse, *deinon*, répond Socrate, et qui plutôt devrait être appelée mort. Et pour illustrer le même thème des deux genres de vie, deux *bioi*, entre lesquels l'homme doit savoir choisir celui seul digne de sa confiance, il rappelle une autre comparaison qui procède, dit-il, du même *gumnasion* que le précédent : le sage est semblable à un homme possédant des tonneaux en bon état pleins de choses nécessaires à la vie, et certains remplis de liquides rares et précieux, difficiles à se procurer, même au prix de beaucoup d'efforts [39] ; une fois remplis, ces tonneaux restent toujours pleins. L'insensé, cet incontinent que l'auteur du mythe appelait *amuètos*, ne disposerait pour ces liquides que de tonneaux pourris et crevés qu'il devrait sans cesse remplir sous peine des pires souffrances.

L'allusion à la vie qui est peut-être la mort, le jeu de mot *sôma-sèma* nous orientent dans une direction que confirment les précisions géographiques apportées par Platon : Italie, Sicile. On pourrait penser qu'il s'agit d'un récit pythagoricien sur les deux *bioi*, en rapport avec le thème des biens fugaces et des biens fixes. Cependant, plusieurs détails du texte de Platon suggèrent une référence plus précise à Empédocle. D'abord l'opposition de *Peithô* et de *Pistis*, rapportées à deux parties différentes de l'âme. La *Peithô* appartient en effet à cette partie de l'âme où sont les désirs que l'auteur du mythe représente comme un *pithos*. La *Pistis* appartient à une autre partie de l'âme, symbolisée cette fois par un crible, *koskinon*, dont les trous laissent tout fuir par défaut de mémoire, certes, par oubli, *lèthè*, mais aussi par absence de foi, *apistia*. Il faut donc reconnaître entre la *Peithô*, condamnée, et la *Pistis*, recommandée, une différence de valeur et de plan. Puissance ambiguë, qui peut aussi bien se tourner dans un sens que dans un autre [40], *Peithô*, associée à *Hédonè* et à *Pothos*, symbolise la séduction du plaisir, spécialement sans doute du plaisir physi-

39. *Ibid.*, 493 e : μετὰ πολλῶν πόνων καὶ χαλεπῶν.
40. Cf. 493 a : ἀναπείθεσθαι καὶ μεταπίπτειν ἄνω κάτω.

que[41]. *Pistis* représente une confiance d'un autre type, la foi en une divinité supérieure dont il faut que l'homme accepte les révélations et suive les enseignements. Au reste, les formules à double sens dont se sert Platon se rapportent à un vocabulaire de mystère : un mot comme *amuètoi* désigne à la fois ce qui est non fermé, non clos, et les non-initiés qui ne savent « retenir », *stegein*, le secret.

Or, la même opposition *Peithô-Pistis* se retrouve dans Empédocle. Dans son traité *De la nature*, il présente son enseignement comme la révélation faite à son disciple Pausanias d'un secret de type mystérique qui lui permettra de commander au vent et de ramener l'âme d'un mort du royaume des ténèbres. Le poème débute sur le thème de la *Pistis* : l'entendement et le destin des hommes sont étroitement bornés, leur vie est ignorance et malheur ; à qui accorder sa confiance ? Les hommes se laissent « persuader », πεισθέντες, au gré de leurs désirs ; ils sont ballottés de tous côtés[42]. Pausanias ne doit pas accorder sa *pistis* à la légère[43]. Est-ce à dire qu'il doit la refuser ? Nullement, mais il lui faut chercher plus haut, vers ce qui est supérieur à l'homme, vers ce qui a sur lui pouvoir et autorité, *kratos*. Car refuser sa confiance, *apistein*, à plus haut que soi — c'est-à-dire à une inspiration ou à un enseignement divins — c'est proprement le fait des méchants, *kakoi*[44]. Pausanias devra donc écouter les *pistômata*, les preuves fiables, de la Muse d'Empédocle[45] ; enfin, ultime

41. Cf. *Aphrodite-Peithô* ; sur l'ambiguïté de *Peithô* et ses rapports avec *Pistis*, cf. M. Untersteiner, *I sofisti*, 1948, trad. anglaise sous le titre *The Sophists*, Oxford, 1954, p. 102 *sq.* ; cf. aussi A. Setti, « La memoria e il canto. Saggio di poetica arcaïca greca », *Studi italiani di Filologia classica*, n.s., XXX, 2, 1958, p. 129-171 ; et surtout le très suggestif article d'A. Rostagni, « Un nuovo capitolo nella storia della retorica e della sofistica », *Studi italiani di Filologia classica*, n.s., II, 1922, p. 148-201.

42. Diels-Kranz, I, p. 309, 5.

43. *Ibid.*, t. I, p. 310, 9 *sq.* : γυίων πίστιν ἔρυκε.

44. *Ibid.*, t. I, p. 311, 6 : ἀλλὰ κακοῖς μὲν κάρτα μέλει κρατέουσιν ἀπιστεῖν. Suivant Clément, *Stromates*, V, 18, l'habitude des méchants c'est, pour Empédocle, de vouloir κρατεῖν τῶν ἀληθῶν διὰ τοῦ ἀπιστεῖν. Vouloir commander à qui nous domine, refuser sa *pistis* à qui détient la vérité, tel est, pour l'âme méchante, le retournement ἄνω κάτω du *Gorgias*.

45. *Ibid.*, t. I, p. 311, 7.

recommandation, il lui faudra conserver secret l'enseignement ainsi révélé, le « retenir », στέγειν, au creux de son cœur muet [46].

Un autre fragment qui appartient à la fin du poème éclaire la signification de ces concordances, trop nombreuses et trop précises pour être dues au hasard. Empédocle y place Pausanias au carrefour de deux *bioi* entre lesquelles il lui faut choisir. S'il recherche ces myriades de choses viles auxquelles les hommes accordent d'ordinaire leur confiance [47], alors, très vite, avec le déroulement du temps, elles l'abandonneront [48], car elles désirent, ποθέοντα, rejoindre leur propre espèce. Au contraire, si avec des πραπίδες bien serrés il fixe solidement les enseignements qu'il a reçus, s'il se laisse initier, ἐποπτεύσηις, par de saints exercices, καθαρῆισι μελέτηισιν [49], alors ces biens lui seront éternellement présents, et même à partir d'eux il pourra en acquérir beaucoup d'autres [50], car d'eux-mêmes ils croissent chacun selon sa nature.

Les *prapides* bien serrés et les saints exercices rappellent, dans *Les Purifications*, les *prapides* tendus de Pythagore et les exercices qui lui permettent de se remémorer tout le détail de ses vies antérieures. Or, il nous a semblé qu'à l'arrière-plan du texte des *Purifications* se dessinait, symbole d'un trésor d'inaltérable sagesse, l'image de *Zeus Ktèsios* sous la forme du récipient, du tonnelet qui retient la précieuse liqueur d'immortalité. Au bienheureux, qui a su acquérir une vertu d'initié comparable à l'incorruptible *ambrosia*, s'opposeraient ainsi, chez Empédocle, les hommes qui n'ont souci que des biens corporels, ces biens qui les traversent sans se fixer en eux, qui les abandonnent aussitôt pour courir rejoindre les éléments semblables, l'eau allant à l'eau, le feu au feu, l'air à l'air. Et si le sage, qui « retient » au fond de son cœur un

46. *Ibid.*, t. I, p. 311, 13 : στεγάσαι φρενὸς ἔλλοπος εἴσω.
47. *Ibid.*, t. I, p. 353, 1-2 à rapprocher de t. I, p. 309, 2.
48. *Ibid.*, t. I, p. 353, 3 : ἦ σ'ἄφαρ ἐκλείψουσι περιπλομένοιο χρόνοιο.
49. *Ibid.*, t. I, p. 352, 20-21.
50. *Ibid.*, t. I, p. 352, 22-23 : δι'αἰῶνος παρέσονται, ἄλλα τε πόλλ'ἀπὸ τῶνδ' ἐκτήσεαι αὐτὰ γὰρ αὔξει...

enseignement, source de vie éternelle, évoque l'image du tonneau de *Zeus Ktèsios*, en contrepartie les hommes de l'*épiméleia* du corps, attachés à des biens qui ne cessent de s'écouler à travers eux comme un fleuve, suggéreront d'autant plus facilement celle du *pithos* percé qu'il s'agit d'un objet déjà chargé d'une signification religieuse, symbole, dans le culte funéraire, d'une existence fauchée par la mort avant d'avoir pu s'accomplir, et dans les milieux de mystères, des infortunés qui n'ont pas connu l'initiation [51].

Empédocle avait-il développé ce mythe dans la forme où nous le trouvons chez Platon ? Avait-il explicitement comparé l'âme des incontinents à des tonneaux crevés et associé cette image à celle d'un fleuve infernal dont l'eau, qu'aucun récipient ne peut retenir, apporte, à ceux qui y boivent l'oubli de leur ancienne nature, la chute dans le *kuklos génèseôs* et l'incarnation dans un corps ? Le problème est évidemment insoluble. On doit cependant souligner une dernière et très frappante convergence [52]. Chez Empédocle la chute des *daimones* les précipite au creux d'une caverne ténébreuse [53], dans la prairie d'*Atè*, qui s'oppose à leur lieu d'origine, la prairie d'*Alètheia*, comme chez Platon la plaine du *Lèthè* s'oppose à la plaine d'*Alètheia* [54]. *Atè*, *Lèthè*, deux réalités

51. Cf. Jane Harrison, *Prolegomena to the Study of Greek Religion*, Cambridge, 1903, p. 613-623, 4e éd. 1957 ; Ch. Picard, « L'éleusinisme et la disgrâce des Danaïdes », *Revue de l'histoire des religions*, 1929, p. 57-59.

52. Que marque déjà Proclus, dans son commentaire au *Timée* (39 b), quand il écrit : Platon appelle fleuve du *Lèthè* l'ensemble de la nature où il y a génération, dans laquelle réside l'oubli et, suivant Empédocle, la prairie d'*Atè*.

53. On notera que le paysage infernal tel que Plutarque, dans *Les Délais de la justice divine*, le fait décrire à Thespesios à son retour de l'Hadès, est différent de celui de *La République*. *Lèthè* n'y apparaît pas sous la forme d'un fleuve ni d'une plaine : c'est une caverne profonde, semblable aux antres de Dionysos. Cette caverne symbolise le monde humide de la génération, la douceur et la suave mollesse du plaisir. Devant elle l'âme de Thespesios sent sa force l'abandonner, tandis que naissent en elle la souvenance du corps et le désir de la génération. C'est donc *Hèdonè* qui est présente dans la sombre caverne de *Lèthè*. Or, en un autre texte, Plutarque souligne que *Hèdonè* a été précipitée sur terre en compagnie d'*Atè* (*Sur les oracles de la Pythie*, 397).

54. Cf. M. Detienne, « La notion mythique d'*Alètheia* », *Revue des études grecques*, 73, 1960, p. 27-35. Sur *Lèthè*, *Alètheia*, chez Platon, cf. Proclus, *In Platonis Rempublicam*, II, p. 346, 19, éd. W. Kroll.

qui pour l'imagination mythique facilement se recouvrent : elles ont même origine, toutes deux de la descendance de Nuit, *Nux* [55] ; même apparentement à l'Obscurité, *Scotos* : toutes deux expriment le sombre nuage qui s'abat sur l'esprit humain, l'enveloppe tout à coup de ténèbres, lui dérobe la voie droite de la vérité et de la justice et l'entraîne à sa perte [56]. Autant qu'Oubli et Esprit d'erreur, elles sont l'Égarement criminel, ἁμάρτημα, et aussi bien la souillure, le châtiment, la mort qui en résultent [57]. Dans *Les Purifications*, l'âme, errant en exil dans la prairie d'*Atè*, est un *daimôn* qui, par égarement criminel, ἁμαρτήσας, s'est chargé d'une terrible souillure : il a versé le sang ou fait un faux serment [58]. Dans les deux cas, la signification de la « faute » est la même : une discorde, *Neikos*, s'est élevée dans le monde des dieux qui ne doit connaître que pure amitié. Ceux qui ont cédé à *Neikos*, voués momentanément à la haine, sont précipités dans cette prairie d'*Atè* où tous les éléments se haïssent les uns les autres [59] ; Empédocle lui-même, s'il lui faut errer loin des dieux, c'est pour s'être laissé persuader par la Discorde furieuse [60].

Ce texte s'éclaire si on le rapproche de la *Théogonie* d'Hésiode [61]. Dans la descendance de *Nux*, figurent en effet, comme enfants d'*Éris Stugérè*, aux côtés de *Lèthè* et d'*Atè*, d'une part Meurtres et Disputes, *Neikea*, et d'autre part *Horkos*, Serment, le plus grand fléau des humains. A la fin de la *Théogonie*, *Horkos* apparaît comme l'eau du fleuve infernal *Styx*, *stugérè théos*, divinité de haine pour les Immortels [62]. Cette eau qui tombe d'un rocher abrupt et s'écoule à travers la noire nuit, c'est « le grand serment des dieux »

55. Hésiode, *Théogonie*, 227 et 230.
56. Cf., par exemple, Pindare, *Olympiques*, VII, 82 *sq.* : cependant, parfois, s'avance insensiblement le nuage de l'Oubli et il dérobe à l'esprit la voie droite.
57. Sur *atè* et *hamartèma*, cf. L. Gernet, *Recherches sur le développement de la pensée juridique et morale en Grèce*, Paris, 1917, p. 310-330.
58. Diels-Kranz, I, p. 357, 15 *sq.*
59. *Ibid.*, p. 358, 6 : στυγέουσι πάντες.
60. *Ibid.*, p. 358, 8 : νείκει μαινομένωι πίσυνος.
61. Hésiode, *Théogonie*, 226 *sq.*
62. *Ibid.*, 775 *sq.*

auquel ils ont recours, en dépit de l'horreur qu'elle leur inspire, chaque fois que s'élèvent entre eux un conflit et une discorde, ἔρις καὶ νεῖκος. Ils font quérir alors, pour départager leur querelle, l'eau du *Styx*, et celui qui se parjure au moment où, selon le rite, il répand à terre l'eau de serment, tombe aussitôt, privé de souffle, et reste ainsi gisant tout au long d'une grande année. Ses lèvres ne connaissent plus la nourriture d'immortalité, l'*ambrosia* ni le *nectar* ; il gît sans respiration et sans voix ; une torpeur cruelle l'enveloppe[63]. Cette épreuve terminée, une autre plus dure encore l'attend : il demeure éloigné pour neuf grandes années de la société des dieux ; ce n'est qu'au terme de ce cycle qu'il peut enfin reprendre sa place chez les Immortels. L'errance dans la prairie d'*Atè* des *daimones* qui se sont parjurés à la suite d'une discorde apparaît ainsi chez Empédocle comme la transposition d'un thème mythique où l'eau du *Styx*, source de torpeur et d'exil pour les dieux coupables de faux serment, occupait une place centrale.

Qu'à propos du fleuve *Amélès* Platon se soit, pour sa part, souvenu de l'eau du *Styx*, on peut à bon droit le supposer, puisque, dans *La République*[64], les âmes, aussitôt après avoir bu l'eau du fleuve, s'endorment en un *coma* analogue à celui qui enveloppe d'obscurité les dieux fautifs de la *Théogonie* : malgré tonnerre et tremblement de terre, elles ne s'en éveilleront pas durant le voyage qui les entraîne, comme des étoiles filantes, vers la génération. Il y a plus. Après Hérodote, Pausanias décrit une eau qu'il a vue dans les sauvages montagnes d'Arcadie et que les Grecs dénomment eau du *Styx*[65]. Entre Pheneos et Nonacris, elle s'écoule du haut d'un immense roc à pic avant d'aller rejoindre la rivière Crathis. C'est une eau de mort : aucun être vivant, ni homme ni animal, ne peut y boire impunément. Telle est sa puissance de destruction qu'elle brise et transperce tous les récipients faits de main d'homme — qu'ils soient de verre, de cristal, de pierre ou de terre cuite —, qu'elle corrompt et dissout ceux

63. *Ibid.*, 795 *sq.* : κεῖται νήυτμος, ἀνάπνυστος, ... κακὸν δέ ἑ κῶμα καλύπτει.
64. *République*, 621 b.
65. Pausanias, VIII, 17, 6 et 18.

de métal. Elle attaque l'or même, incorruptible pourtant comme le sont les dieux. Seule la corne du sabot d'un cheval peut vaincre cette force de ruine et retenir l'eau versée, sans doute parce que le sabot du cheval s'apparente lui-même au domaine néfaste de l'impur [66].

A proximité du *Styx* on trouve une grotte où, suivant la légende, les filles de Proïtos se terrèrent quand elles furent possédées du furieux délire de la *mania* ; c'est là que Mélampos vint les prendre pour les guérir de leur souillure par des purifications de caractère secret qu'il leur administra en un lieu appelé *Lousoi*, les Bains, dans le sanctuaire d'Artémis, Hémérasia, celle qui apaise. Précisément, il y a, un peu plus loin, une autre source d'eau fraîche auprès de laquelle pousse un platane et que Pausanias associe explicitement à la première en les opposant comme le bien au mal, le remède à la souffrance [67]. Celui qu'un chien enragé a rendu furieux — et plus généralement celui qui est en proie au délire de la *Lyssa*, c'est-à-dire à l'accès de folie frénétique — trouve en buvant cette eau sa guérison. Aussi appelle-t-on cette source Ἄλυσσος, celle qui écarte la furie.

Le musée d'antiquités que constitue l'Arcadie à l'époque de Pausanias nous livre ainsi, sinon l'origine du mythe des deux fontaines de Vie et de Mort, du moins une de ses versions les moins remaniées, très proche encore des réalités cultuelles. Mais, pour que le *Styx*, fleuve infernal chargé d'une puissance de souillure apportant à toute chose ici-bas la destruction, ait pu devenir le fleuve *Amélès*, symbole pour l'âme d'une existence enfoncée dans le corps et dans le flux temporel, il fallait que le travail de transposition, dont nous voyons chez Platon un aboutissement, ait été depuis longtemps engagé dans les confréries religieuses et dans les sectes philosophiques.

Le thème du *Styx* se prêtait d'ailleurs à ce renouvellement mythique : fleuve infernal, il avait sa place marquée d'avance dans les récits eschatologiques décrivant le périple des âmes

66. Cf. la représentation mythique d'*Empousa*, monstre infernal : elle a un pied en bronze, l'autre est un sabot équin.
67. Pausanias, VIII, 19, 2-3.

après la mort ; fleuve d'impureté contrastant avec une fontaine aux vertus cathartiques, il répondait aux préoccupations majeures des sectes religieuses, à leur hantise de la souillure, à leur soif de purification. Cependant, dans le cadre de la pensée mystique, le thème légendaire des deux sources devait être profondément remanié de façon à traduire cette recherche du salut qui était devenue, dans les sectes, l'objet même de la vie religieuse. C'est l'existence terrestre qui apparaît désormais comme une souillure, comme la mort de l'âme à la vie bienheureuse qu'elle partageait, à l'origine, avec les dieux ; réciproquement, l'eau de Vie, en purifiant du mal, ne confère plus sur cette terre vigueur et santé, elle ouvre à l'âme par-delà la mort l'accès à la véritable vie. Par ce retournement de perspective, la vie se charge des valeurs mythiques attachées à la mort, la mort de celles qui étaient attribuées à la vie. Du même coup les deux fontaines opposées de Mémoire et d'Oubli prennent dans les textes mystiques la place qu'occupaient, en Arcadie, selon Pausanias, le fleuve *Styx* et la source *Alussos*. Pour les mythes de réincarnation, la souillure qu'apporte l'eau de mort, c'est en effet, avec la chute dans une nouvelle existence corporelle, l'oubli des vies antérieures et l'ignorance du destin de l'âme ; la purification que consacre l'eau de Vie, c'est l'infaillible mémoire de l'initié concernant les choses de l'au-delà, cette sagesse qui va permettre son évasion définitive du cycle du devenir. Ainsi se trouvait ouverte, par le mythe, la voie dans laquelle allait s'engager la réflexion philosophique. Si *Lèthè* signifie retour à la génération, si la Vie impure est celle du devenir, c'est que le flux temporel est lui-même une force de ruine semblable au *Styx* arcadien, l'irrémédiable puissance de destruction qui anéantit toutes choses ici-bas, le monstrueux écoulement que rien ne peut retenir [68]. La

68. Dans un long passage du dialogue *Sur l'E de Delphes*, directement inspiré des textes d'Épicharme opposant la permanence du divin au changement incessant qui s'effectue dans l'homme (fr. 1 et 2), Plutarque, reprenant les formules mêmes de *La République*, écrit, au sujet du temps : « ...'Ρέον ἀεὶ καὶ μὴ στέγον, ὥσπερ ἀγγεῖον φθορᾶς καὶ γενέσεως. » Le temps s'identifie entièrement au *pithos* percé des Danaïdes. Plutarque ajoute que l'existence immuable s'appelle Apollon ; le flux du devenir, Pluton. Le premier est accompagné des Muses et de *Mnèmosunè*, le second de *Lèthè* et de *Siôpè*, Silence (392 *sq.*).

mélétè mnèmès, l'exercice de mémoire, peut prendre alors, dans les confréries philosophiques, la double signification d'une enquête intellectuelle visant au savoir le plus complet [69], et d'une discipline de salut apportant la victoire sur le temps et sur la mort.

Dans les dernières lignes de *La République*, Platon se félicite que le *muthos* d'Er le Pamphylien n'ait point péri : ceux qui gardent foi en lui auront chance d'être également sauvés : ils pourront franchir le fleuve *Amélès* sans « souiller » leur âme. Par cette remarque, Platon, mi-sérieux, mi-plaisant, s'acquitte au terme du dialogue de sa propre dette envers les thèmes légendaires qu'il a transposés et qui gardent de leur enracinement dans le passé religieux de la Grèce une incomparable valeur de suggestion. Certes, pour lui, la philosophie a détrôné le mythe et pris sa place ; mais si elle est valable, c'est aussi qu'elle a su sauver cette « vérité » qu'à sa façon le mythe exprimait.

69. Héraclite fait à la sagesse de Pythagore le reproche d'être une ἱστορία, une πολυμαθίη (fr. 409). Proclus (*In Platonis Timaeum*, 38 B) met en parallèle l'*anamnèsis* des vies antérieures des pythagoriciens, par laquelle l'âme trouve son accomplissement (τέλος) et l'ἱστορία des prêtres égyptiens conservant scrupuleusement, en remède à l'oubli produit par le temps, le souvenir de tout ce qui appartient au passé de leur peuple comme des autres peuples. Ces recherches, ajoute Proclus, imitent la permanence des principes immuables de la nature et assimilent à l'ordre du Tout.

L'exigence d'un savoir complet, total (retrouver le souvenir de *chacun* des événements de la journée, de *chacune* des choses qui composent dix ou vingt vies d'homme) rappelle, dans le rituel religieux, l'obligation de ne *rien* omettre.

6

Géométrie et astronomie sphérique dans la première cosmologie grecque [1]

Jean-Pierre Vernant

Le problème que je me propose d'aborder concerne moins l'histoire de la pensée scientifique, au sens propre, que les rapports entre certaines notions scientifiques de base — une certaine image du monde — et des faits d'histoire sociale. Au début du VIe siècle avant J.-C., la pensée astronomique, en Grèce, ne repose pas encore sur une longue suite d'observations et d'expériences ; elle ne s'appuie pas sur une tradition scientifique établie. S'il me fallait expliquer comment une découverte a été faite au XIXe ou au XXe siècle, je devrais me référer essentiellement au développement de la science elle-même, à l'état des théories et des techniques, en bref à la dynamique interne des recherches dans telle ou telle discipline scientifique. Mais dans la Grèce archaïque il n'y a pas encore de science constituée. Les quelques connaissances astronomiques que les Ioniens vont mettre en œuvre, ils ne les ont pas élaborées eux-mêmes ; ils les ont empruntées aux civilisations voisines du Proche-Orient, en particulier aux Babyloniens. Nous nous trouvons donc devant le paradoxe suivant : les Grecs vont fonder la cosmologie et l'astrono-

1. *La Pensée*, n° 109, 1963, p. 82-92. Texte d'une conférence à l'Université nouvelle, de Paris, dans le cadre d'un cycle consacré à une esquisse de l'histoire de la pensée scientifique, repris dans *Mythe et Pensée chez les Grecs*, *op. cit.*, p. 202-215.

mie. Ils vont leur donner une orientation qui va décider, pour toute l'histoire de l'Occident, du sort de ces disciplines. Dès le départ, ils vont leur imprimer une direction dont nous sommes encore en partie aujourd'hui tributaires. Et pourtant ce ne sont pas eux qui depuis des siècles s'étaient livrés à un travail minutieux d'observation des astres, qui avaient noté sur des tablettes, comme l'ont fait les Babyloniens, des éphémérides signalant les diverses phases de la lune, les levers et les couchers des étoiles dans le ciel. Les Grecs ont donc utilisé des observations, des techniques, des instruments que d'autres avaient mis au point. Cependant ils ont intégré les connaissances, qui leur étaient ainsi transmises, dans un système entièrement neuf. Ils ont fondé une astronomie nouvelle. Comment expliquer cette innovation ? Pourquoi les Grecs ont-ils situé les savoirs empruntés à d'autres peuples dans un cadre neuf et original ? Tel est le problème sur lequel je voudrais aujourd'hui réfléchir.

L'astronomie babylonienne, très développée, possède en gros trois caractères :

1. Elle reste intégrée à une religion astrale. Si les astronomes babyloniens observent avec beaucoup de soin l'astre que nous appelons Vénus, c'est parce qu'il s'agit pour eux d'une divinité importante : Isthar, et qu'ils sont convaincus que, suivant les positions de Vénus, le destin des hommes se tournera dans un sens ou dans un autre. Le monde céleste représente à leurs yeux des puissances divines. En l'observant, les hommes peuvent pénétrer les intentions des dieux.

2. Ceux qui ont pour rôle d'observer les astres appartiennent à la catégorie des scribes. Dans la société babylonienne les scribes ont pour fonction de noter par écrit et de conserver sous forme d'archives tout le détail de la vie économique. On peut dire qu'ils comptabilisent ce qui se passe dans le ciel comme ils comptabilisent ce qui se passe dans la société humaine. Dans les deux cas les scribes agissent au service de ce personnage qui domine toute la société babylonienne et dont la charge est religieuse autant que politique : le roi. Il est en effet essentiel pour le roi de savoir ce qui se passe dans le ciel. Son destin personnel et le salut du royaume en dépendent. Intermédiaire entre le monde céleste et le monde ter-

restre, il doit connaître exactement à quel moment il lui faut accomplir les rites religieux dont il a la charge. L'astronomie est donc liée à l'élaboration d'un calendrier religieux dont la mise au point est le privilège d'une classe de scribes travaillant au service du roi.

3. Cette astronomie a un caractère strictement arithmétique. Les Babyloniens, qui ont une connaissance précise de certains phénomènes célestes, qui peuvent empiriquement prévoir une éclipse, ne se représentent pas les mouvements des astres dans le ciel suivant un modèle géométrique. Ils se contentent de noter sur leurs tablettes les positions des astres à la suite les unes des autres, d'en tenir le compte exact. Ils établissent ainsi des recettes arithmétiques permettant de prédire si un astre apparaîtra à tel moment de l'année. L'astronomie n'est pas chez eux projetée dans un schéma spatial.

Sur ces trois points l'astronomie grecque marque dès l'origine une rupture radicale. En premier lieu, elle apparaît détachée de toute religion astrale. Les « physiciens » d'Ionie — un Thalès, un Anaximandre, un Anaximène — se proposent dans leurs écrits cosmologiques de présenter une *théôria*, c'est-à-dire une vision, une conception générale qui rende le monde explicable sans aucune préoccupation d'ordre religieux, sans la moindre référence à des divinités ou à des pratiques rituelles. Au contraire les « physiciens » ont conscience de prendre en beaucoup de points le contrepied des croyances religieuses traditionnelles.

Nous nous trouvons donc en présence d'un savoir qui d'emblée se rattache à un idéal d'intelligibilité. Les Ioniens font preuve sur ce plan d'une extraordinaire audace. Ce qu'ils veulent, c'est que tout homme puisse comprendre à l'aide d'exemples simples, souvent empruntés à la vie quotidienne et aux pratiques les plus familières, comment le monde s'est constitué à l'origine. Par exemple, ils expliqueront la formation du monde par l'image d'un crible que l'on agite ou par celle d'une eau boueuse qui tourne dans un récipient, les parties les plus lourdes restant au centre, les plus légères allant à la circonférence. Il y a chez eux un effort pour rendre raison de l'ordonnance de l'univers d'une façon purement positive et rationnelle.

En ce sens l'image du monde que proposent les premiers « physiciens » d'Ionie apparaît radicalement différente de celle qui existait auparavant, par exemple chez Homère ou chez Hésiode. Comparons la conception ancienne, l'image archaïque du monde au schéma que nous trouvons déjà bien dégagé chez Anaximandre. Vous verrez qu'il s'agit d'un changement dans la représentation même de l'espace. Pour faire comprendre ce que je veux dire, je prendrai un exemple plus familier, parce que plus récent. Pendant des siècles, pendant tout le Moyen Age à la suite de l'Antiquité, les hommes ont vécu en pensant que la terre reposait immobile au centre de l'univers. On sait quelle révolution intellectuelle a représentée l'abandon de cette conception au profit d'une théorie héliocentrique : la terre n'était plus immobile, elle n'était pas au centre du cosmos, le monde n'avait donc pas été fait pour un homme créé à l'image de Dieu. Cette nouvelle conception de l'espace entraînait ainsi une véritable transformation dans l'idée que l'homme se faisait de lui-même et de ses rapports avec l'univers.

La révolution intellectuelle dont j'ai à parler n'est pas moins radicale. Dans la conception d'Homère et d'Hésiode, la terre est un disque à peu près plat entouré par un fleuve circulaire, Océan, sans origine et sans fin parce qu'il se jette en lui-même[2]. On retrouve là un thème qui apparaît déjà chez les Babyloniens, dans ces grands États fluviaux où la terre cultivée a été péniblement gagnée sur les eaux, grâce à un système de digues et de canalisations. Aussi la genèse et la mise en ordre du monde sont-elles conçues comme un assèchement de la terre, émergeant peu à peu des eaux qui l'entourent. Au-dessus de la terre, comme un bol renversé reposant sur le pourtour de l'Océan, s'élève le ciel d'airain. S'il est dit d'airain, c'est pour exprimer son inaltérable solidité; domaine des dieux, le ciel est indestructible. Au-dessous de la terre, qu'y a-t-il? Pour le Grec archaïque, la terre est d'abord ce sur quoi on peut marcher en toute sécurité, une « assise solide et sûre », qui ne risque pas de tomber. Aussi

2. Cf. G. S. Kirk et J. E. Raven, *The Presocratic Philosophers*, Cambridge, 1960, p. 10-19 : « The naïve view of the world ».

imagine-t-on sous elle des racines qui garantissent sa stabilité. Où vont ces racines ? On ne le sait pas exactement. Elles s'enfoncent, dira Xénophane, à l'infini, sans limite[3]. Au reste, peu importe où descendent ces racines ; l'essentiel est qu'on soit assuré que la terre ne bougera pas. Au lieu de racines qui descendent sans fin, on peut imaginer, avec Hésiode, une immense jarre terminée par un col étroit d'où surgissent les racines du monde[4]. Dans la jarre, des tourbillons de vent soufflent dans tous les sens : c'est le monde du désordre, d'un espace non encore orienté. Les cosmogonies racontent précisément comment Zeus, devenu roi de l'univers, a bouclé pour toujours le col de la jarre : il a scellé à jamais cette ouverture pour que le monde souterrain du désordre — le monde où toutes les directions de l'espace sont mêlées en un chaos inextricable, dans la confusion du haut et du bas, de la droite et de la gauche —, ce monde-là ne puisse plus émerger à la lumière. Pourquoi une jarre dans cette image mythique du cosmos ? C'est que les ancêtres des Grecs enterraient dans le sol de leur cellier de grandes jarres contenant les fruits de la terre et aussi les cadavres des morts de la maison : le monde souterrain, que symbolise la jarre, c'est celui d'où montent les plantes, où germent les semences, où résident les morts.

Ce qui caractérise l'image mythique que je viens de dessiner, c'est qu'elle représente un univers à niveaux. L'espace d'en haut est complètement différent de celui du milieu et de celui d'en bas. Le premier est l'espace de Zeus et des dieux immortels, le second l'espace des hommes, le troisième l'espace de la mort et des dieux souterrains. Monde à étages et où l'on ne peut passer, sauf conditions spéciales, d'un étage à un autre. De même sur cette terre les directions de l'espace sont différentes : la droite est faste, la gauche est mauvaise. L'orient et l'occident ont des qualités religieuses qui ne sont pas les mêmes.

Comparons cette image mythique ancienne à celle que nous trouvons chez Anaximandre[5]. Pour Anaximandre la terre

3. Xénophane, *in* Diels-Kranz, I, p. 135, 16-17.
4. Hésiode, *Théogonie*, 726 *sq*.
5. Cf. Charles H. Kahn, *Anaximander and the Origins of Greek Cosmology*, New York, 1960.

est une colonne tronquée qui se trouve au milieu du cosmos. Et voici la façon dont il explique que la terre puisse demeurer immobile. Il expose que si la terre ne tombe pas, c'est parce que, étant à égale distance de tous les points de la circonférence céleste, elle n'a pas plus de raison d'aller à droite qu'à gauche, ni en haut qu'en bas. Nous avons donc déjà une conception sphérique de l'univers. Nous voyons la naissance d'un nouvel espace, qui n'est plus l'espace mythique avec ses racines ou sa jarre, mais un espace de type géométrique. Il s'agit bien d'un espace essentiellement défini par des rapports de distance et de position, un espace permettant de fonder la stabilité de la terre sur la définition géométrique du centre dans ses relations avec la circonférence. Un autre texte que la doxographie rapporte à Anaximandre montre bien qu'apparaît chez lui la conscience du caractère réversible de toutes les relations spatiales. Nous ne sommes plus dans un espace mythique où le haut et le bas, la droite et la gauche ont des significations religieuses opposées, mais dans un espace homogène constitué par des rapports symétriques et réversibles. Dans ce texte, Anaximandre admet l'existence des « antipodes » [6]. Et on est en droit de penser, d'après certains documents de la collection hippocratique, que, selon Anaximandre, ce qui nous apparaît comme le haut constitue pour les habitants des antipodes le bas, ce qui forme notre droite se trouve pour eux à gauche [7]. Autrement dit, les directions de l'espace n'ont plus de valeur absolue. La structure de l'espace, au centre duquel siège la terre, est de type véritablement mathématique.

Comment rendre compte de ce tournant dans la pensée astronomique, de cette mutation intellectuelle ? Un des meilleurs spécialistes de l'astronomie antique a pu écrire : « Ainsi l'astronomie babylonienne est purement arithmétique, alors que la cosmologie grecque est géométrique depuis son tout début [...] La seule explication que je peux trouver de ce phénomène, c'est que les Grecs étaient nés géomètres. » L'explication apparaît un peu courte. Je voudrais essayer de vous

6. *Ibid.*, p. 56.
7. *Ibid.*, p. 84-85.

en proposer une autre. Entre l'époque d'Hésiode et celle d'Anaximandre, toute une série de transformations se sont produites, sur le plan social et sur le plan économique. On en a souvent, et justement, souligné l'importance. Pour ma part, je voudrais mettre l'accent sur le point que je considère comme essentiel pour la compréhension précise du changement que nous avons à expliquer : il s'agit, selon moi, du phénomène politique, c'est-à-dire de l'avènement de la *polis* grecque. Nous cherchons en effet à rendre raison d'une certaine conception astronomique de l'univers ; nous sommes donc en présence d'une pensée qui se situe sur le plan de la conscience réfléchie, de la réflexion élaborée. Cette pensée s'exprime dans un vocabulaire défini, elle s'organise autour de certaines notions fondamentales ; elle se présente comme un système conceptuel cohérent et structuré. Ce vocabulaire, ces notions de base, ce système conceptuel sont nouveaux par rapport au passé. Pour saisir comment ils ont pu se constituer, il nous faut chercher sous quelle forme les transformations de la vie sociale se sont elles-mêmes traduites sur le plan conceptuel. Autrement dit, il nous faut chercher quel est le secteur de la vie sociale qui a servi d'intermédiaire, qui a joué le rôle de médiation par rapport aux constructions de la pensée, au renouvellement de certaines superstructures. Pour trouver ce chaînon médiateur entre la pratique sociale des Grecs et leur nouvel univers intellectuel, il faut rechercher comment l'homme grec du VIIe siècle avant notre ère, placé devant la crise que provoquaient l'extension du commerce maritime et les débuts d'une économie monétaire, a été conduit à repenser sa vie sociale pour tenter de la remodeler conformément à certaines aspirations égalitaires, comment par là il en a fait un objet de réflexion, comment il l'a conceptualisée. Ainsi nous comparerons des réalités qui sont effectivement comparables, des réalités homogènes ; nous mettrons en relation, pour souligner leur éventuelle correspondance, leur homologie de structure, deux systèmes mentaux, ayant chacun son vocabulaire, ses concepts de base, son cadre intellectuel — l'un de ces systèmes ayant été élaboré dans la pratique sociale, l'autre s'appliquant à la connaissance de la nature.

Or, de ce point de vue, la Grèce présente un phénomène remarquable, on pourrait même dire extraordinaire. Pour la première fois, semble-t-il, dans l'histoire humaine, se dégage un plan de la vie sociale qui fait l'objet d'une recherche délibérée, d'une réflexion consciente. Les institutions de la cité n'impliquent pas seulement l'existence d'un domaine « politique », mais aussi d'une « pensée politique ». L'expression qui désigne le domaine politique : τὰ κοινά, signifie : ce qui est commun à tous, les affaires publiques. Il y a en effet, pour le Grec, dans la vie humaine, deux plans bien séparés : un domaine privé, familial, domestique (ce que les Grecs appellent économie : οἰκονομία) et un domaine public qui comprend toutes les décisions d'intérêt commun, tout ce qui fait de la collectivité un groupe uni et solidaire, une *polis* au sens propre. Dans le cadre des institutions de la cité — cette cité qui surgit précisément entre l'époque d'Hésiode et celle d'Anaximandre —, rien de ce qui appartient au domaine public ne peut plus être réglé par un individu unique, fût-il le roi. Toutes les choses « communes » doivent être l'objet, entre ceux qui composent la collectivité politique, d'un libre débat, d'une discussion publique, au grand jour de l'*agora*, sous forme de discours argumentés. La *polis* suppose donc un processus de désacralisation et de rationalisation de la vie sociale. Ce n'est plus un roi prêtre qui, par l'observance d'un calendrier religieux, va faire, au nom du groupe et pour le groupe humain, tout ce qui est à faire, ce sont les hommes qui prennent eux-mêmes en main leur destin « commun », qui en décident après discussion (quand je dis les hommes, je parle bien entendu uniquement des citoyens car, comme on sait, ce système politique suppose que d'autres hommes sont voués à l'essentiel du travail productif). Mais, pour les citoyens, les affaires de la cité ne peuvent être réglées qu'au terme d'un débat public où chacun peut librement intervenir pour y développer ses arguments. Le *logos*, instrument de ces débats publics, prend alors un double sens. Il est d'une part la parole, le discours que prononcent les orateurs à l'assemblée ; mais il est aussi la raison, cette faculté d'argumenter qui définit l'homme en tant qu'il n'est pas simplement un animal mais, comme « animal politique », un être raisonnable.

A cette importance que prend alors la parole, devenue désormais l'instrument par excellence de la vie politique, correspond aussi un changement dans la signification sociale de l'écriture. Dans les royaumes du Proche-Orient, l'écriture était la spécialité et le privilège des scribes. Elle permettait à l'administration royale de contrôler en la comptabilisant la vie économique et sociale de l'État. Elle visait à constituer des archives toujours tenues plus ou moins secrètes à l'intérieur du palais. Cette forme d'écriture a existé dans le monde mycénien entre 1450 et 1200 avant J.-C. Mais elle disparaît dans la ruine de la civilisation mycénienne, et là où nous nous plaçons, c'est-à-dire au moment de la naissance de la cité, elle est remplacée par une écriture qui a une fonction exactement inverse. Au lieu d'être le privilège d'une caste, le secret d'une classe de scribes travaillant pour le palais du roi, l'écriture devient « chose commune » à tous les citoyens, un instrument de publicité. Elle permet de verser dans le domaine public tout ce qui, dépassant la sphère privée, intéresse la communauté. Les lois doivent être écrites ; par là elles deviennent véritablement la chose de tous. Les conséquences de cette transformation du statut social de l'écriture seront fondamentales pour l'histoire intellectuelle. Si l'écriture permet de rendre public, de placer sous les yeux de tous, ce qui dans les civilisations orientales restait toujours plus ou moins secret, il en résulte que les règles du jeu politique, c'est-à-dire le libre débat, la discussion publique, l'argumentation contradictoire, vont devenir aussi les règles du jeu intellectuel. Comme les affaires politiques, les connaissances, les découvertes, les théories sur la nature de chaque philosophe vont être mises en commun ; elles vont devenir choses communes : κοινά. Nous avons une lettre, apocryphe bien entendu, mais qui n'en est pas moins révélatrice d'une certaine psychologie collective : c'est la lettre que Diogène Laërce attribue à Thalès écrivant à Phérécyde, un contemporain d'Anaximandre, auteur, selon certains, du premier ouvrage publié en prose [8]. Thalès se félicite de la sage décision de Phérécyde de n'avoir pas gardé pour lui son savoir mais de

8. Diogène Laërce, I, 1, 15.

l'avoir versé ἐν κοινῷ, dans la communauté. Ce qui implique : en avoir fait l'objet d'une discussion publique. Autrement dit, que fait un philosophe comme Phérécyde quand il écrit un livre ? Il transforme un savoir privé en objet de débat analogue à celui qui s'instaure dans les questions politiques. De fait Anaximandre va discuter les idées de Thalès, Anaximène celles d'Anaximandre et c'est à travers ces débats et ces polémiques que va se constituer le domaine propre de l'histoire de la philosophie.

Il me semble que si la cosmologie grecque a pu se libérer de la religion, si le savoir concernant la nature s'est désacralisé, c'est parce que, dans le même temps, la vie sociale s'était elle-même rationalisée, que l'administration de la cité était devenue une activité, pour la plus grande part, profane. Mais il faut aller plus loin. En dehors de la forme rationnelle et positive de l'astronomie, il faut s'interroger sur son contenu et rechercher son origine. Comment les Grecs ont-ils formé leur nouvelle image du monde ? Ce qui caractérise, avons-nous dit, l'univers d'Anaximandre, c'est son aspect circulaire, sa sphéricité. Vous savez à quel point le cercle prend aux yeux des Grecs une valeur privilégiée. Ils y voient la forme la plus belle, la plus parfaite. L'astronomie doit rendre raison des apparences, ou, suivant la formule traditionnelle, « sauver les phénomènes », en construisant des schémas géométriques où les mouvements de tous les astres se feront suivant des cercles. Or on doit constater que le domaine politique apparaît aussi solidaire d'une représentation de l'espace qui met l'accent, de façon délibérée, sur le cercle et sur le centre, en leur donnant une signification très définie. On peut dire à cet égard que l'avènement de la cité se marque d'abord par une transformation de l'espace urbain, c'est-à-dire du plan des villes. C'est dans le monde grec, d'abord sans doute dans les colonies, qu'apparaît un plan de cité nouveau où toutes les constructions urbaines sont centrées autour d'une place qui s'appelle l'*agora*. Les Phéniciens sont des commerçants qui, plusieurs siècles avant les Grecs, sillonnent toute la Méditerranée. Les Babyloniens aussi sont des commerçants qui ont mis au point des techniques commerciales et bancaires plus perfectionnées que celles des Grecs. Ni chez les uns, ni chez les autres on ne rencontre d'*agora*. Pour qu'il y ait une *agora* il faut un système de vie sociale impliquant, pour toutes les affaires communes, un débat public. C'est pourquoi nous voyons apparaître la place publique seulement dans les villes ioniennes et grecques. L'existence de l'*agora* est la marque de l'avènement des institutions politiques de la cité.

D'où vient historiquement cette *agora* ? Elle a bien entendu un passé. Elle se rattache à certains usages caractéristiques des Grecs indo-européens, chez lesquels il existe une classe de guerriers séparée des agriculteurs et des pasteurs. On trouve chez Homère l'expression λαὸν ἀγείρειν, c'est-à-dire rassembler l'armée. Les guerriers se rassemblent en formation militaire : ils font le cercle. Dans le cercle ainsi dessiné se constitue un espace où s'engage un débat public, avec ce que les Grecs appellent ἰσηγορία, le droit de libre parole. Au début du chant II de l'*Odyssée*, Télémaque convoque ainsi l'*agora*, c'est-à-dire il rassemble l'aristocratie militaire d'Ithaque. Le cercle établi, Télémaque s'avance à l'intérieur et se tient ἐν μέσῳ, au centre ; il prend en main le sceptre et parle librement. Quand il a fini, il sort du cercle, un autre prend sa place et lui répond. Cette assemblée d'« égaux », que constitue la réunion des guerriers, dessine un espace circulaire et centré où chacun peut librement dire ce qui lui convient. Ce rassemblement militaire deviendra, à la suite d'une série de transformations économiques et sociales, l'*agora* de cité où tous les citoyens (d'abord une minorité d'aristocrates, puis l'ensemble du *démos*) pourront débattre et décider en commun des affaires qui les concernent collectivement. Il s'agit donc d'un espace fait pour la discussion, d'un espace public s'opposant aux maisons privées, d'un espace politique où l'on discute et où l'on argumente librement. Il est significatif que l'expression ἐν κοινῷ — dont nous avons dit la signification politique : rendre public, mettre en commun — a un synonyme dont la valeur spatiale est évidente. Au lieu de dire qu'une question est mise ἐν κοινῷ, qu'elle est débattue publiquement, on peut dire qu'elle est placée ἐν μέσῳ, qu'elle est mise au centre, déposée au milieu. Le groupe humain se fait donc de lui-même l'image suivante : à côté des maisons privées, particulières, il y a un centre où les affaires publiques sont débattues, et ce centre représente tout ce qui est « commun », la collectivité comme telle. Dans ce centre chacun se trouve l'égal de l'autre, personne n'est soumis à personne. Dans ce libre débat qui s'institue au centre de l'*agora*, tous les citoyens se définissent comme des ἴσοι, des égaux, des ὅμοιοι, des semblables. Nous voyons naître une société où le rapport de l'homme avec l'homme est pensé sous la forme d'une relation d'identité, de symétrie, de réversibilité. Au lieu que la société humaine forme, comme l'espace mythique, un monde à étages avec le roi au sommet et au-dessous de lui toute une hiérarchie de statuts sociaux définis en termes de domination et de soumission, l'univers de la cité apparaît constitué par des rapports égalitaires et réversibles où tous les citoyens se définissent les uns par rapport aux autres comme identiques sur le plan politique. On peut dire qu'en ayant accès à cet espace circulaire et centré de l'*agora*, les citoyens entrent dans le cadre d'un système politique dont la loi est l'équilibre, la symétrie, la réciprocité.

Pour comprendre les rapports entre les institutions politiques de la cité, le nouveau cadre urbain et l'avènement d'une nouvelle image du monde, il faut prêter attention à des personnages comme Hippodamos de Milet. Il est postérieur d'un siècle à Anaximandre mais il se rattache au même courant de pensée. Dans quelle direction s'exerce son activité ? C'est lui qui est chargé de rebâtir Milet après la destruction de la ville. Il la reconstruit selon un plan d'ensemble qui marque une volonté de rationaliser l'espace urbain. A la place d'une cité de type archaïque, comparable à nos villes médiévales, avec un dédale de rues dégringolant en désordre les pentes d'une colline, il choisit un espace bien dégagé, trace les rues au cordeau, se coupant à angle droit, crée une ville en damier, tout entière centrée sur la place de l'*agora*. De cet Hippodamos, nous disons qu'il est un architecte, le premier grand architecte urbaniste du monde grec. Mais Hippodamos est d'abord un théoricien politique qui conçoit l'organisation de l'espace urbain comme un élément, parmi d'autres, de la rationalisation des relations politiques. Il est aussi un astronome qui s'occupe de « météorologie », c'est-à-dire qui étudie les astres. On saisit ici sur le vif comment se recoupent, chez le même homme, des préoccupations astronomiques portant sur la sphère céleste, la recherche des meilleures institutions politiques et un effort pour construire une ville conformément à un modèle géométrique rationnel. L'auteur comique Aristophane pourrait nous fournir un second exemple. Il met en scène dans sa comédie *Les Oiseaux*, pour le ridiculiser, un astronome, Méton, dont nous savons qu'il avait réussi à faire coïncider le comput des mois lunaires et de l'année solaire. Aristophane nous le présente en train d'arpenter la ville tout en déclarant : « Je mesurerai avec une équerre droite que j'applique, pour que le cercle devienne carré et qu'au milieu se trouve l'*agora* ; des rues toutes droites y conduiront, convergeant vers le centre même, et, comme d'un astre lui-même rond, partiront en tous sens des rayons droits. » Propos qui provoquent cette exclamation admirative des spectateurs : « Cet homme est un Thalès ! » Méton essaie de résoudre le problème de la quadrature du cercle. Il prétend tracer le plan d'une ville circulaire dont les rues se coupent à angle droit tout en convergeant également vers le centre. Il faut que les rues se coupent à angle droit parce que c'est simple et rationnel ; mais il faut que toutes les rues convergent vers le centre parce qu'il n'y a point de cité humaine qui n'ait en son centre une place publique et parce que tout groupe humain constitue une sorte de cercle. Il faut noter de plus la référence à des considérations astronomiques, aux rayons du soleil : elles sont bien compréhensibles chez cet architecte qui est en même temps un astronome.

Ces deux exemples nous engagent à penser qu'il a pu y avoir des liens très étroits entre la réorganisation de l'espace social dans le cadre de la cité et la réorganisation de l'espace physique dans les nouvelles conceptions cosmologiques.

Reprenons les textes d'Anaximandre pour en serrer de plus près le vocabulaire, les concepts fondamentaux, l'organisation générale. Si la terre demeure immobile au centre de la circonférence céleste, c'est, dit Anaximandre, en raison de son ὁμοιότης, de sa similitude (nous dirions, nous, de son égalité de distance par rapport à tous les points de la circonférence) ; c'est à cause aussi de son ἰσορροπία, de son équilibre ou de sa symétrie ; Anaximandre ajoute que, ainsi située au centre, μέση, ἐπὶ τοῦ μέσου, περὶ τὸ τοῦ κόσμου μέσον, la terre n'est ὑπὸ μηδενὸς κρατουμένη, qu'elle n'est dominée par rien, au pouvoir de rien. Que vient faire dans ce schéma astronomique cette idée de « domination », qui est d'ordre « politique » et non d'ordre physique[9] ? C'est que, dans l'image mythique de l'univers, la terre, pour demeurer stable, devait s'appuyer sur quelque chose d'autre qu'elle et dont par conséquent elle dépendait. Le fait que la terre avait besoin d'une assise impliquait qu'elle n'était pas entièrement indépendante, qu'elle était au pouvoir d'une réalité plus forte. Au contraire chez Anaximandre la centralité de la terre signifie son « autonomie ». Or si nous prenons maintenant un texte de l'historien Hérodote, texte politique cette fois, nous allons retrouver exactement le même vocabulaire, les mêmes notions fondamentales et la même solidarité conceptuelle entre les idées de « centre », de « similitude », de « non-domination »[10]. Hérodote raconte qu'à la mort du tyran Polycrate, de Samos, le successeur qu'il avait désigné, Maiandrios, gagné à l'idéal démocratique, refuse de prendre entre ses mains le pouvoir. Il convoque donc l'assemblée. Il rassemble dans ce cercle privilégié, dans ce centre de la communauté humaine, tous les citoyens de la ville pour leur dire qu'il désapprouvait Polycrate régnant en tyran sur des hommes qui étaient ses ὅμοιοι, ses semblables ; dans ces conditions il décide de déposer le κράτος, le pouvoir, ἐν μέσῳ, au centre (c'est-à-dire de rendre à la communauté de tous les citoyens ce qui avait été usurpé par un individu) et de proclamer l'ἰσονομία. Ce remarquable parallélisme dans le vocabulaire, les concepts, la structure de la pensée, semble bien confirmer notre hypothèse que la nouvelle image sphérique du monde a été rendue possible par l'élaboration d'une nouvelle image de la société humaine dans le cadre des institutions de la *polis*.

Poussons l'analyse plus loin et essayons de soumettre notre thèse à une sorte de vérification expérimentale, dans les

9. Que l'expression κρατουμένη n'a pas seulement le sens de : étant soutenue, mais qu'elle a directement rapport avec l'idée de « pouvoir », c'est ce que prouve l'emploi du verbe κρατεῖν dans les écrits cosmologiques, médicaux ou techniques. Cf. Ch. H. Kahn, *op. cit.*, p. 80 et 130.

10. Hérodote, III, 142.

conditions que permet la recherche historique. Prenons, à un bout de la chaîne, la signification et les valeurs du centre dans l'image mythique de l'univers ; puis, à l'autre bout, la notion géométrique du centre dans la cosmologie d'Anaximandre. Examinons comment s'est effectivement opéré, sur ce point précis, le passage.

Deux termes désignent le centre dans la pensée religieuse des Grecs. L'un c'est *omphalos* qui signifie le nombril, l'autre c'est *hestia*, le foyer. Pourquoi *hestia* est-elle un centre ? La maison forme un espace domestique bien délimité, fermé sur lui-même, une étendue différente de celle des autres maisons : elle appartient en propre à un groupe familial, elle lui confère une qualité religieuse particulière. Aussi est-il nécessaire, lorsqu'un étranger pénètre dans la maison, de le conduire d'abord au foyer. Il touche le foyer ; il se trouve ainsi intégré à l'espace de la maison dont il est l'hôte. Le foyer, établi au centre de l'espace domestique, est, en Grèce, un foyer fixe, implanté dans le sol. Il constitue, comme l'*omphalos* de la maison, le nombril qui enracine la demeure humaine dans les profondeurs de la terre. Mais il est en même temps d'une certaine façon un point de contact entre le ciel et la surface du sol où vivent les mortels. Autour du foyer circulaire, dans la grande salle que les Grecs appellent *mégaron*, quatre petites colonnes ménagent dans le toit une ouverture, une lanterne par où s'échappe la fumée. Quand on allume le feu sur le foyer, la flamme en montant établit la communication entre la maison terrestre et le monde des dieux. Le « centre » du foyer est donc le point du sol où se réalise, pour une famille, un contact entre les trois niveaux cosmiques de l'univers. Il opère le passage de ce monde-ci aux autres mondes. Telle est l'image mythique du centre que représente *Hestia*. Et chaque centre domestique, chaque foyer de chaque maison, est différent des autres. Entre foyers il y a comme une sorte d'incompatibilité. Les divers foyers ne peuvent pas se « mélanger ».

Or que se passe-t-il à l'âge de la cité ? Quand on institue l'*agora*, cet espace qui n'est plus domestique, qui forme au contraire un espace commun à tous, un espace public et non privé, c'est cet espace qui devient, aux yeux du groupe, le véritable centre. Pour marquer sa valeur de centre, on y établit un foyer qui n'appartient plus à une famille particulière mais qui représente la communauté politique dans son ensemble : c'est le foyer de la cité, le Foyer commun, la ʽΕστία κοινή. Cette *Hestia* commune apparaît moins comme un symbole religieux que comme un symbole politique. Elle est désormais le centre autour duquel se rassemblent tous les hommes pour entrer en commerce et pour discuter rationnellement de leurs affaires. En tant que symbole politique *Hestia* doit figurer tous les foyers sans s'identifier à aucun. On pourrait dire que tous les foyers des diverses maisons sont en quelque sorte à la même distance du Foyer public qui les représente tous également sans se confondre avec l'un plus qu'avec l'autre. *Hestia* n'a donc plus pour fonction de différencier des maisons, ni d'établir le contact entre les niveaux cosmiques ; elle exprime maintenant la symétrie de toutes les relations qui, au sein de la cité, unissent les citoyens égaux. Symbole politique, *Hestia* définit le centre d'un espace constitué par des rapports réversibles. Le centre au sens politique va ainsi pouvoir servir de médiation, d'intermédiaire entre l'ancienne image mythique du centre et la conception nouvelle, rationnelle, du centre équidistant dans un espace mathématique fait de relations entièrement réciproques.

Les choses se sont-elles effectivement passées de cette façon ? Une observation semble en apporter ce que nous avons appelé la vérification expérimentale. Le nom que donnent les philosophes à la Terre, immobile et fixe au centre du cosmos, c'est précisément celui d'*Hestia*. Quand les astronomes et les auteurs de cosmologie ont voulu marquer la situation centrale de la terre dans la sphère céleste, ils ont dit que la terre constituait le Foyer de l'univers. Ils ont donc projeté sur le monde de la nature l'image même de la société humaine dans la forme que la *polis* lui avait conférée. A travers les transformations du symbolisme d'Hestia, nous saisissons donc le passage d'une image mythique à une notion politique et géométrique ; nous comprenons comment l'avènement de la cité, la discussion publique, le « modèle » social d'une communauté humaine constituée par des « égaux » ont permis à la pensée de se rationaliser, de s'ouvrir à une conception nouvelle de l'espace, s'exprimant à la fois sur toute une série de plans : dans la vie politique, dans l'organisation de l'espace urbain, dans la cosmologie et l'astronomie.

7

Espace et organisation politique en Grèce ancienne[1]

Jean-Pierre Vernant

A travers le personnage de *Clisthène l'Athénien*, P. Lévêque et P. Vidal-Naquet se sont attachés à définir le sens d'une mutation dans la vie sociale des Grecs[2]. Leur *Clisthène* n'est pas une biographie, qu'il eût été au reste impossible d'écrire faute de documents. Il ne se limite pas non plus à une discussion critique des réformes attribuées à l'Alcméonide et de leur chronologie. Pour comprendre la révolution clisthénienne, les auteurs ont été conduits à élargir le cadre de l'enquête et à situer les témoignages dont ils disposaient dans un contexte historique aux dimensions étendues et multiples. Leur étude a finalement pour objet la *polis* grecque des dernières années du VIe siècle, avec les transformations qui s'opèrent en elle à divers niveaux. Cependant ils ont su délimiter cette matière très ample en posant d'entrée de jeu les problèmes essentiels et en définissant les perspectives de recherche qui devaient leur permettre d'y répondre. Il s'agissait de repérer, puis d'explorer les secteurs de la vie sociale où les changements, associés au nom de Clisthène, s'attestent de la façon la plus nette, et où l'historien a chance de pouvoir en mesurer l'ampleur avec précision.

1. Paru dans *Annales ESC*, 20, 1965, p. 576-595, repris dans *Mythe et Pensée chez les Grecs*, *op. cit.*, p. 238-260.

2. Pierre Lévêque et Pierre Vidal-Naquet, *Clisthène l'Athénien*, Paris, 1964; réédition, Paris, 1983.

Les réformes de Clisthène se situent sur le plan des institutions. Elles ont fixé le cadre dans lequel s'est déroulée la vie politique de l'Athènes classique. Plus que d'une transformation, il faut même parler, à leur sujet, d'une instauration du politique, de l'avènement du plan politique, au sens propre, dans l'existence sociale des Grecs. De Solon à Clisthène, on constate que les conflits divisant la cité s'expriment en d'autres termes. Ils ne se sont pas seulement modifiés ; ils se sont déplacés : le centre de gravité des débats n'est plus le même, le jeu des forces antagonistes se déroule dans un contexte transformé. Soulignons le glissement le plus significatif à cet égard. On passe du domaine économique à celui des institutions civiques, la question des dettes et de la terre, au premier plan chez Solon, s'effaçant devant un autre problème : comment créer un système institutionnel permettant d'unifier des groupes humains encore séparés par des statuts sociaux, familiaux, territoriaux, religieux, différents ; comment arracher les individus aux anciennes solidarités, à leurs appartenances traditionnelles, pour les constituer en une cité homogène, faite de citoyens semblables et égaux, ayant les mêmes droits à participer à la gestion des affaires publiques.

Nous saisissons ici un tournant dans l'histoire des sociétés anciennes. Par la constitution clisthénienne, la cité se fait démocratie ; elle se réalise, en quelque sorte, de façon consciente. La notion d'*isonomia*, qui remonte à une époque où démocrates et oligarques, alliés contre le pouvoir des tyrans, n'étaient pas encore nettement distingués, prend alors un sens nouveau, une valeur politique clairement définie. Un trait souligne cette promotion du politique, conçu comme le jeu réglant l'exercice en commun de la souveraineté. Au temps de Solon, les cités en crise font appel à un personnage qualifié par certains dons exceptionnels : arbitre, législateur étranger souvent désigné par l'oracle, tyran. L'idéal d'isonomie implique au contraire que la cité résout ses problèmes grâce au fonctionnement normal de ses institutions, par le respect de son propre *nomos*.

Avec une rigueur dont on a souligné l'audace, Clisthène dessine le cadre politique dans lequel les Grecs de l'âge classique ont situé et exercé leur activité sociale. En faisant de l'homme essentiellement un citoyen, vouant le meilleur de lui-même à la vie publique, ce cadre a donné aux conduites, aux valeurs, à la psychologie humaine une physionomie particulière comme il a conféré à la vie du groupe son style propre.

Une mutation qui touche ainsi au cadre de la vie en société et qui oriente les activités humaines jugées les plus importantes, engage évidemment l'homme tout entier. Les auteurs l'ont bien compris qui se sont surtout attachés à marquer les aspects mentaux d'une réforme où ils voient un acte à la fois politique et intellectuel. Leur ouvrage porte en sous-titre : *Essai sur la représentation de l'espace et du temps dans la pensée politique grecque de la fin du VIe siècle à la mort de Platon*.

Glotz, déjà, avait noté l'esprit de géométrie qui préside aux réformes clisthéniennes [3]. Nous avons nous-même tenté de mettre en relation le caractère géométrique de la cosmologie et de la science hellènes — contrastant avec le caractère arithmétique de la pensée scientifique de l'Orient — avec l'organisation par la cité d'un espace politique homogène, où le centre seul a valeur privilégiée, précisément parce que, dans leur rapport avec lui, toutes les positions diverses qu'occupent les citoyens apparaissent symétriques et réversibles [4]. Les auteurs reprennent l'enquête avec les exigences d'historiens soucieux de n'admettre l'existence d'un lien entre deux faits de civilisation que dans la mesure où les documents permettent de saisir leur point d'attache dans la succession du concret historique. Cette volonté de précision, loin de limiter l'enquête, l'élargit. Si les réformes de Clisthène traduisent avant tout une profonde transformation de l'espace civique, elles mettent en jeu aussi d'autres catégories : l'organisation du temps, les systèmes de numération.

Espace, temps, nombre : les changements s'opèrent solidairement suivant des voies dont le parallélisme est manifeste. Face aux anciennes représentations spatiales, temporelles,

3. G. Glotz, *Histoire grecque*, I^4, Paris, 1948, p. 469.
4. J.-P. Vernant, *Les Origines de la pensée grecque*, Paris, 1962.

numériques, chargées de valeurs religieuses, s'élaborent les nouveaux cadres de l'expérience, répondant aux besoins d'organisation du monde de la cité, ce monde proprement humain où les citoyens délibèrent et décident eux-mêmes de leurs affaires communes.

Ce qui d'abord s'accuse dans les réformes clisthéniennes c'est la prééminence décisive du principe territorial sur le principe gentilice dans l'organisation de la *polis*. La cité se projette selon un schéma spatial. Tribus, trittyes, dèmes sont dessinés sur le sol comme autant de réalités qui peuvent s'inscrire sur une carte. Cet espace a un centre, la ville, qui constitue comme le cœur homogène de l'Attique, et où chaque tribu est représentée. Au centre de la ville elle-même, l'*agora*, réorganisée et remodelée, forme un espace public, nettement circonscrit, délimité désormais par des bornes. Sur l'*agora* on édifie le *Bouleutèrion*, siège de la *Boulè* des Cinq-Cents, composée des représentants de chaque tribu qui, à tour de rôle, exercent la prytanie, c'est-à-dire président les séances de l'*Ecclésia* avec le privilège de loger pendant ce temps au Foyer commun. Les changements dans la signification du centre qui, de symbole religieux (*Hestia*, déesse du foyer), devient symbole politique (foyer commun de la cité, *Hestia koinè*) se marquent ici, nous semble-t-il, de façon saisissante [5]. Au centre de la cité, la *Hestia koinè* retient le souvenir du foyer familial : l'autel domestique, fixé au sol, enracine la maison humaine en un point défini de la terre, différencie chaque *oikos* en lui donnant sa qualité religieuse particulière, enclot le groupe familial sur lui-même et le conserve pur de tout contact étranger [6]. En devenant *commun*, en s'édifiant sur l'espace public et ouvert de l'*agora*, non plus à l'intérieur des demeures privées, en abritant dans la personne des prytanes cette *Boulè* qui incarne le tout de la cité, le foyer exprime désormais le centre en tant que dénominateur commun de toutes les maisons constituant la *polis*. Le centre s'inscrit dans

5. Cf. Louis Gernet, « Sur le symbolisme politique en Grèce ancienne : le Foyer commun », *loc. cit.*

6. Cf. J.-P. Vernant, « Hestia-Hermès. Sur l'expression religieuse de l'espace et du mouvement chez les Grecs », *supra*, p. 47-99.

un espace composé, certes, de parties diverses, mais qui révèlent toutes leur similitude, leur symétrie, leur équivalence fondamentales par le rapport commun avec ce centre unique que forme la *Hestia koinè*. Le centre traduit dans l'espace les aspects d'homogénéité et d'égalité, non plus ceux de différenciation et de hiérarchie. Ajoutons que, par son contact avec les réalités politiques qu'il a charge maintenant d'exprimer, le symbole du centre se déprend des représentations religieuses auxquelles il était auparavant associé. P. Lévêque et P. Vidal-Naquet parlent à cet égard, comme nous avions pensé pouvoir le faire nous-même, de laïcisation. Le terme a été discuté [7]. On peut, de fait, se demander s'il ne souffre pas de quelque anachronisme. Les auteurs de *Clisthène l'Athénien*, après avoir écrit que la réforme clisthénienne est profondément laïque, ont donc raison d'ajouter : « dans la mesure où il peut y avoir un état laïc au VIe siècle ». Cependant, si notre vocabulaire est peu adapté, et si nos catégories contemporaines traduisent imparfaitement les rapports du politique et du religieux chez les Grecs, il n'en reste pas moins que la notion du centre, telle qu'elle apparaît dans le symbolisme politique du Foyer commun, a pris un caractère positif et abstrait très marqué. Le foyer a perdu ses accointances chthoniennes, ses implications cosmiques ; il exclut le mystère. « Les hommes, écrit L. Gernet, l'ordonnent à leur gré, aménagement mathématique d'un territoire qui peut être quelconque : le centre est arbitraire, sinon théorique ; un foyer se déplace à volonté [8]. » Si nous sommes, avec le Foyer commun, dans un contexte encore religieux, il s'agit d'une forme neuve de religion, d'une religion elle-même politique, et dans l'équilibre de ces deux termes, c'est le dernier qui pèse le plus, avec ce caractère « de rationnel et presque de planifié [9] » que les Grecs ont de bonne

7. Cf. Roland Crahay, « Structure politique de l'anthropologie religieuse dans la Grèce classique », *Diogène*, 1963, p. 53-71.
8. L. Gernet, *loc. cit.*, p. 42.
9. *Ibid.*, p. 43. M. Finley note très justement : « *Whereas in the Near East government and politics were a function of the religious organisation, Greek and Roman religion was a function of the political organisation* », « Between slavery and freedom », *Comparative Studies in Society and History*, VI, 3, avril 1964, p. 246.

heure conféré à ce qui touche au politique. Toute magistrature, fait-on observer — et on a raison de le faire —, conserve un caractère religieux. Cette vérité a sa contrepartie. Après Clisthène, certaines prêtrises, dont l'importance ne cessera pas d'augmenter au cours des Ve et IVe siècles, sont d'authentiques magistratures. Fait significatif, et que les auteurs relèvent à juste titre : c'est à Clisthène que semble bien remonter l'institution des prêtrises de tribus, prêtrises annuelles, tirées au sort dans la totalité du corps civique suivant le même système de désignation que les magistratures à fonction proprement politique et que nous dirions aujourd'hui profane. Ces prêtrises civiques font contraste avec les anciennes prêtrises gentilices, privilèges de certains *genè*, détenteurs de secrets religieux et liés à des cultes locaux. Si l'on ne tient pas compte, dans la religion grecque, de ces clivages, voire de ces oppositions, on ne peut plus comprendre le développement au Ve siècle de la sophistique, dont la pensée politique accuse un réalisme presque provocant, ni le rationalisme lucide dont fait preuve un historien comme Thucydide.

A l'élaboration d'un espace abstrait, lié à l'organisation politique, répond la création d'un temps civique, construit suivant les mêmes exigences. On est en droit de rattacher à Clisthène le calendrier prytanique qui tout au long de l'histoire athénienne s'opposera au calendrier religieux. Que ce calendrier ait établi une année de 360 jours (10 prytanies de 36 jours) ou de 366 jours (6 prytanies de 37 jours, 4 prytanies de 36), il se modèle toujours en fonction des 10 tribus territoriales qui doivent se succéder dans l'administration de la cité. Comme le notent les auteurs : « L'organisation du temps se calque sur celle de l'espace : avoir la prytanie, c'est, pour une tribu, à la fois occuper telle position dans le cours de l'année politique et déléguer 50 des siens au foyer commun qui est le cœur de la *polis* » (p. 23). Comme l'espace encore, ce temps civique (contrairement au temps religieux, rythmé par des fêtes qui découpent le cycle de l'année en tranches temporelles qualitativement diverses, parfois même nettement opposées) se caractérise par son homogénéité. Politiquement, toutes les périodes du temps civique sont équivalentes, interchangeables. Ce qui définit une prytanie, ce n'est pas une qualité temporelle particulière, mais son homologie par rapport à l'ensemble. On est passé d'un système temporel à un autre, qui en est, à bien des égards, le contraire.

Organisation politique, espace civique, temps prytanique sont ordonnés et mesurés par des nombres. 3 d'abord, expression de la totalité, mais surtout 5 et 10 qui jouent dans les réformes clisthéniennes un rôle privilégié. Quelle signification faut-il donner à ces préférences ? Doit-on ici admettre, comme Glotz le suggérait, une influence des spéculations politico-mystiques des pythagoriciens ? L'enquête des auteurs conclut sur le second point par la négative. Leur réponse nous paraît d'autant plus pertinente qu'ils proposent, pour leur part, une explication très convaincante. Le choix du 10 est pour notre problème d'un intérêt tout particulier, puisque, en fixant le nombre des tribus à dix, Clisthène se proposait délibérément, selon le témoignage d'Aristote, d'écarter le nombre douze, qui était auparavant celui des trytties, à l'intérieur desquelles se distribuait la totalité des citoyens. L'adoption d'un système décimal à la place d'un système duodécimal allait pourtant contre toute la tradition politique ionienne. Elle devait aussi heurter certaines habitudes de pensée enracinées dans la religion (les douze mois du calendrier religieux, les douze grands dieux du panthéon). Par contre, il existait, peut-être dès le début du VIe siècle, un système de numération acrophonique — dit conventionnellement hérodien — dont le caractère décimal et quinquénaire est manifeste. On peut penser que l'emploi de ce système numéral a répondu, pour une large part, à la diffusion de la monnaie et au besoin d'unc comptabilité écrite. Il faut ici rappeler le rôle que l'écriture a joué aux origines de la cité. Mise sous le regard de tous par le fait même de sa rédaction, la formule écrite sort du domaine privé pour se situer sur un autre plan : elle devient bien commun, chose publique ; elle concerne désormais directement la collectivité dans son ensemble ; elle participe en quelque façon du politique. La préférence de Clisthène pour 5 et pour 10 s'expliquerait alors très naturellement : l'homme d'État athénien utilise le système de numération que l'écriture avait déjà fait passer dans le domaine public et qui s'opposait au système duodécimal par son emploi dans la vie courante, par son caractère profane.

La cohérence des réformes clisthéniennes, maintes fois notée par les historiens sur le plan des institutions, n'apparaît donc pas moins frappante au niveau des structures mentales. La mutation politique est le signe d'un changement dans l'univers intellectuel. Deux ordres de problèmes se posent alors. Quels sont, dans le domaine social, les facteurs qui ont pu jouer un rôle déterminant dans ces transformations ? Dans quelle mesure peut-on, en second lieu, établir un lien entre le nouvel idéal politique d'*isonomia*, impliquant une vision géométrique de la cité, et d'autres créations du génie grec dans des secteurs différents de la culture ?

La réponse au premier problème engageait toute l'histoire économique et sociale de l'Athènes archaïque. Il va sans dire que les auteurs ne pouvaient traiter ni même aborder une question aussi vaste. Ils ont limité leur ambition à mieux définir la place et le rôle particuliers des Alcméonides dans cette Athènes du VIe siècle où le jeu politique se trouvait dominé par la rivalité de grands *génè* nobles. Famille aristocratique, s'il en fût, que ces Alcméonides, mais d'une certaine façon « en marge » et presque constamment opposée aux autres grandes lignées. Depuis le meurtre de Cylon, dans la deuxième moitié du VIIe siècle, pèse sur eux une malédiction religieuse dont leurs adversaires se chargent de raviver périodiquement le souvenir, et qui les voue, dans la cité naissante, à ce que les auteurs appellent la fonction d'hérésie. Le statut spécial de cette grande famille hérétique, ses exils, les liens qu'elle noue avec Delphes, sa politique de prestige et d'alliance à l'étranger, autant de faits qui éclairent le double caractère de la réforme clisthénienne : alors même qu'elle fonde, de façon si neuve, la démocratie, elle conserve par fidélité à des traditions familiales certaines des structures anciennes d'esprit aristocratique, comme l'Aréopage ou les classes censitaires. Les auteurs pensent même pouvoir pousser l'analyse plus loin. Quand Hérodote emploie à propos de Clisthène la formule : « il attache le peuple (*dèmos*) à son hétaïrie [10] », son

10. Hérodote, V, 66 ; cf. P. Lévêque et P. Vidal-Naquet, *Clisthène l'Athénien*, *op. cit.*, p. 42.

vocabulaire même souligne combien la politique clisthénienne se situe encore dans le cadre du jeu traditionnel des *génè* aristocratiques. Cependant ce *dèmos* que l'Alcméonide s'efforce ainsi d'attacher à sa cause n'est déjà plus le même que connaissait Pisistrate et sur lequel il appuyait son pouvoir : les habitants des dèmes ruraux par opposition aux citadins de l'*astu*. Entre Pisistrate et Clisthène, un *dèmos* urbain s'est développé qui s'est constitué en « classe politique » ; c'est ce *dèmos* urbain que Clisthène veut rallier et qu'il intégrera dans l'État par des réformes qui donnent à la ville, comme telle, plus de poids dans l'équilibre des forces politiques. Cette position de commandement qu'occupe désormais la ville au centre du nouvel espace civique n'était pas faite cependant pour ruiner la puissance de toutes les anciennes familles. Les Eupatrides, on le sait, ont pu se définir comme ceux qui résident en ville par opposition aux ruraux. Aux Vᵉ et IVᵉ siècles encore, les nobles habiteront effectivement les dèmes urbains. Ce sont donc surtout les « seigneurs » locaux qui sont visés par la nouvelle organisation politique et leur particularisme qui est brisé. Les Eupatrides de la ville ne sont pas exclus de l'État ; ils sont eux-mêmes intégrés à la démocratie.

Ces remarques, concernant l'apparition d'un *dèmos* urbain, fait d'artisans et de commerçants, à côté de la noblesse citadine, sont certainement fondées. Peut-être faut-il cependant ajouter, pour les placer dans leur éclairage exact, que la constitution clisthénienne se propose précisément de dépasser l'opposition de la campagne et de la ville et d'édifier un État qui ignore de façon délibérée, dans l'organisation des tribunaux, des assemblées et des magistratures, toute distinction entre urbains et ruraux. Tel est bien le sens du « mélange » que Clisthène a voulu réaliser de tous les anciens éléments dont la cité était auparavant composée. Même si, à cette époque, la ville sert déjà de résidence à des artisans et des commerçants formant un *dèmos* urbain, même si elle implique un genre de vie et des modes d'activité particuliers, ce qui la définit dans le principe, ce n'est pas une forme spéciale d'habitat ni une catégorie à part de citoyens, mais le fait qu'au centre du territoire elle rassemble comme en un même point tous les édifices, civils et religieux, qui sont liés à la vie commune du groupe, tout ce qui est public par opposition au privé. Dans le cadre de la constitution clisthénienne, pas plus le citadin comme tel que le rural comme tel n'a de place dans la représentation de la *politeia*.

Dans un ouvrage qui s'attache tout spécialement à définir les aspects intellectuels d'une réforme politique, le second problème — les rapports de la révolution clisthénienne avec d'autres changements mentaux — revêtait une importance particulière. Les auteurs l'ont abordé par diverses voies tout en formulant très explicitement les difficultés que soulève sa solution dans la perspective propre aux historiens.

Dans notre essai sur *Les Origines de la pensée grecque*, nous avions souligné la concordance frappante entre deux modèles : le modèle cosmologique qui règle l'ordonnance de l'univers physique chez les premiers philosophes d'Ionie, spécialement chez Anaximandre où il est le plus net ; le modèle politique qui préside à l'organisation de la cité et qui trouve dans la *politeia* clisthénienne son expression achevée. Dans les deux cas nous avions constaté une même orientation géométrique, un schéma spatial analogue, où le centre et la circularité se trouvent valorisés en tant qu'ils fondent, entre les divers éléments aux prises dans le cosmos naturel ou humain, des relations de caractère symétrique, réversible, égalitaire. Cette analogie de structure était confirmée par l'emploi, dans la pensée physique et politique, du même vocabulaire, le recours à un même outillage conceptuel. Notre analyse était structurale ; elle comparait des modèles ; elle les prenait là où nous pouvons les saisir sous leur forme la mieux élaborée. Cependant les modèles auxquels nous nous référions appartenaient à des périodes distinctes (première moitié et fin du VIe siècle) et à des secteurs différents du monde grec (Milet et Athènes). Cette double distance ne nous paraissait pas mettre en cause le rapprochement que nous avions tenté : d'une part, en effet, un texte d'Hérodote, rapportant une proposition de Thalès à l'assemblée panionienne, montrait que le géométrisme de la pensée physique des Milésiens avait des implications directement politiques[11]; d'autre part, chez un Alcméon, la notion politique d'*isonomia* servait à exprimer, entre des forces physiques opposées, ce même équilibre sur lequel repose, selon Anaximandre, l'ordre de l'univers. Enfin, si nous comparions, aux deux bouts de la chaîne, la cosmologie d'Anaximandre et la constitution clisthénienne, nous indiquions des chaînons médiateurs : le texte politique, concernant l'*isonomia*, que nous rapprochions pour le vocabulaire, les notions de base, la conception générale, des fragments cosmologiques d'Anaximandre, n'appartient pas à l'Athènes clisthénienne : il est mis, par Hérodote, dans la bouche de Maiandrios s'adressant, vers 510, à ses concitoyens de Samos[12].

Cependant ces précisions, valables, nous semble-t-il, au niveau d'une analyse socio-psychologique, ne pouvaient satisfaire des historiens soucieux de mieux cerner, dans la trame des faits historiques, le cheminement effectif des influences. « Le problème, écrivent les auteurs, est de savoir si l'isonomie clisthénienne et la représentation du cosmos telle qu'elle apparaît chez les Milésiens sont deux phénomènes parallèles peut-être, mais sans point d'attache l'un avec l'autre, ou si, au contraire, l'univers mental qui est celui d'Anaximandre était susceptible d'être compris du fondateur de la cité nouvelle » (p. 80). P. Lévêque et P. Vidal-Naquet reprennent donc l'enquête et la poursuivent sur plusieurs plans. Dans une première démarche ils recherchent quels ont été en fait les modèles de l'homme d'État athénien. Plus que de son aïeul et homonyme, le tyran de Sicyone, l'Alcméonide semble s'inspirer de certains aspects de la *Rhètra* de Lycurgue, avec ses divisions locales, ses *obai*, servant de cadre à l'armée des *Égaux*. Mais deux épisodes paraissent aux auteurs caractéristiques du climat intellectuel et politique dans lequel il faut situer la génération de Clisthène. Le premier est précisément celui que nous rapportions d'après Hérodote, et qui concerne

11. Hérodote, I, 170; *Les Origines de la pensée grecque, op. cit.*, p. 124.
12. Hérodote, III, 142; *Les Origines de la pensée grecque, op. cit.*, p. 123.

la proposition faite par Thalès à l'Assemblée du Panionion, vers 547, de créer à Téos un *Bouleutérion* unique, parce que cette île est « au centre de l'Ionie [13] », μέσον 'Ιωνίης. Le texte même d'Hérodote impose le rapprochement avec Clisthène puisqu'il emploie, pour désigner le nouveau statut qu'occuperaient les diverses cités par rapport à ce centre désormais unique des Ioniens, le terme de dèmes, au sens qu'il avait pris après les réformes de l'Alcméonide. Le deuxième fait que les auteurs versent au dossier nous vient encore d'Hérodote. C'est vers 550 que les Cyrénéens, sur le conseil de Delphes, demandèrent à Démonax de leur donner une constitution. Démonax restreignit les prérogatives royales au domaine purement religieux et plaça toutes les autres attributions « au milieu pour le peuple », ἐς μέσον τῷ δήμῳ [14]. La réforme est un exemple, parmi d'autres, des expériences qui furent tentées dans ces sortes de laboratoires politiques que constituèrent, au VIe siècle, les cités coloniales et dont la forme la plus radicale se trouve sans doute dans le régime communiste établi au début du siècle aux îles Lipari par les survivants de l'expédition guidée par Pentathlos. Entre l'entreprise de Clisthène et une entreprise coloniale, le parallélisme est d'autant plus frappant que l'Alcméonide, dont on sait le concours qu'il a trouvé à Delphes, donne, dans la religion civique qu'il réorganise, une place spécialement importante aux dix héros fondateurs, les dix Archégètes, que la Pythie avait désignés comme éponymes des dix tribus, parmi les cent noms de héros proposés. Or l'archégète tantôt distinct, tantôt confondu avec l'œciste, joue dans la fondation des colonies et dans leur culte civique un rôle de premier plan. On peut donc admettre qu'à l'époque où la colonisation archaïque disparaît Clisthène en a transposé certaines valeurs pour les adapter à Athènes. Cette conclusion des auteurs prend tout son poids quand on rappelle que, au témoignage d'Élien, Anaximandre avait lui-même dirigé la fondation d'une colonie milésienne à Apollonie, dans le Pont [15].

13. Hérodote, I, 170.
14. Hérodote, IV, 161. Comme le notent les auteurs, Aristote fait lui-même le rapprochement entre les réformes de Clisthène et l'établissement de la démocratie à Cyrène, *Politique*, VII, 1319 b 18-22 ; P. Lévêque et P. Vidal-Naquet, *Clisthène l'Athénien, op. cit.*, p. 67.
15. Élien, *Hist. var.*, III, 17.

Une seconde démarche conduit, par une voie tout autre, à des résultats convergents. Le rationalisme géométrique des Milésiens compte parmi ses œuvres les plus caractéristiques la réalisation des premières cartes du monde habité. Sur la surface de la terre, délimitée par le cours circulaire du fleuve Océan, l'*oikouménè* s'inscrit dans un quadrillage régulier ; en dépit de leur apparent désordre, les terres, les mers, les fleuves apparaissent, sur la carte, groupés et distribués suivant des rapports rigoureux de correspondance et de symétrie. Ces cartes qui plaçaient sous les yeux du public une image, toute rationalisée, de l'*oikouménè* ont pu avoir une fonction politique. Vers 500, Aristagoras de Milet, recherchant des alliés contre le Grand Roi, emporta avec lui une carte de ce type, gravée sur le bronze, et la montra dans Sparte à Cléomène, pour le convaincre d'intervenir. N'ayant pas réussi, il s'en vint à Athènes où il plaida sa cause, non plus cette fois devant un roi, mais devant le peuple assemblé. On peut penser que, comme à Sparte, il fit voir sur sa carte la position des territoires de l'Empire perse, du littoral ionien jusqu'à Suse. Contrairement à Sparte, Athènes décida l'envoi de dix navires. A ces comportements antithétiques des deux cités il y a évidemment des raisons politiques et circonstancielles. Mais ces divergences politiques correspondent aussi à deux mentalités différentes.

Dernier palier enfin de l'enquête. L'art d'un Anténor, dont le rôle auprès de Clisthène est analogue à celui de Phidias auprès de Périclès, témoigne, dans ses innovations, d'un changement de mentalité qui évoque le rationalisme géométrique des Milésiens. Les archéologues ont souligné, dans l'œuvre d'Anténor, le souci de rigueur quant à l'ordonnance spatiale, la volonté d'équilibrer toute la composition autour et en fonction d'un motif central, l'art « de meubler rationnellement le cadre de l'espace tympanal et de garder aux personnages médians une échelle en rapport avec les personnages interchangeables [16] ».

Cet « excès de logique et de discipline » [17], qu'on a pu

16. E. Lapalus, *Le Fronton sculpté en Grèce*, Paris, 1947, p. 145 ; P. Lévêque et P. Vidal-Naquet, *Clisthène l'Athénien*, *op. cit.*, p. 88.
17. E. Lapalus, *op. cit.*, p. 148.

reprocher à Anténor, ne doit-il pas être imputé, lui aussi, à l'esprit nouveau qu'on sent alors à Athènes et qui apparaît très largement ouvert aux suggestions de la pensée ionienne.

Au terme de leur analyse les auteurs pensent donc pouvoir admettre une coïncidence entre la vision géométrique du monde, propre à un Anaximandre, et la vision politique d'une cité gouvernée par l'*isonomia*, telle que Clisthène s'efforce de la réaliser à Athènes. Unité d'atmosphère intellectuelle, correspondance entre espace physique et espace civique, solidarité de la philosophie et de la vie publique : tous ces traits sont propres au VIe siècle. Au Ve, cette cohérence interne de la culture, cette intégration réciproque des divers domaines de la pratique sociale et de la réflexion théorique disparaissent. Le monde des géomètres et des astronomes se sépare de celui de la cité. Avec Parménide, la philosophie acquiert son autonomie. Chaque type de discipline, aux prises avec ses problèmes, doit constituer son propre mode de réflexion, édifier son vocabulaire, élaborer sa logique. Ainsi se consomme entre l'espace des mathématiciens et celui de la communauté politique une rupture que les auteurs estiment très profonde. Avec la découverte par Hippase, au milieu du Ve siècle, des incommensurables, avec la publication des premiers éléments de géométrie d'Hippocrate de Chios, l'espace géométrique, entièrement indifférencié, ne peut plus comporter de point central privilégié. Au contraire, par une sorte de retournement, l'espace de la cité dans son double aspect de structure politique et de plan architectural s'oriente dans la voie d'une différenciation très poussée. Dans les théories des réformateurs politiques comme dans les entreprises des urbanistes, la cité apparaît composée de parties multiples dont les fonctions sont différentes les unes des autres. L'œuvre d'Hippodamos est à cet égard particulièrement instructive puisque le Milésien aurait été à la fois le premier urbaniste et le premier théoricien politique au sens propre. Sa réflexion sur l'espace civique couvre donc à la fois les deux plans de la *polis* : l'organisation de la cité, la configuration de la ville. Or, de même qu'il distingue dans le groupe social des classes fonctionnelles spécialisées (selon Aristote, il aurait même inventé cette division des cités par classes, qui devait connaître une si remarquable fortune dans les théories politiques ultérieures), de même il délimite à l'avance dans le tracé des villes de grandes zones fonctionnelles différenciées correspondant aux divers types d'activité : politique et administrative, religieuse, économique. L'espace civique centré de Clisthène visait à intégrer indifféremment tous les citoyens dans la Polis. L'espace politique et l'espace urbain d'Hippodamos ont en commun un même trait fondamental : leur différenciation.

Cependant les progrès mêmes des mathématiques allaient permettre, au IVe siècle, à la géométrie et à la politique de se rencontrer de nouveau. Ce serait dans les cercles pythagoriciens qui, avec Archytas, parviennent au pouvoir à Tarente qu'auraient pris naissance les premières tentatives pour appliquer les notions mathématiques aux problèmes sociaux posés par la crise de la cité. A la notion simple de l'égalité, qui apparaissait dans l'idéal d'*isonomia*, se substituent des conceptions plus savantes : on distingue, on oppose égalité arithmétique et égalité géométrique ou harmonique. En fait, la notion fondamentale est devenue celle de proportion. Elle justifie une conception hiérarchique de la cité en même temps qu'elle permet de voir dans les institutions de la Polis l'image « analogique » d'un ordre supérieur à l'homme, cosmique ou divin. Cette nouvelle rencontre du géométrique et du politique ne doit donc pas faire illusion ; il ne s'agit pas d'un retour au passé. Tout l'équilibre des notions se trouve modifié. Au IVe, l'essentiel était de définir et de promouvoir un ordre proprement humain. On pourrait dire que le philosophe, quand il se représentait l'ordre du monde, gardait les yeux fixés sur la cité. Au VIe, le philosophe a les yeux tournés vers le divin ; il contemple le ciel, les astres, leurs mouvements réguliers. C'est à partir d'eux, à leur image qu'il conçoit l'ordre de la cité alors même que l'histoire en a déjà ruiné les structures traditionnelles.

Le problème, pour Clisthène, était la refonte des institutions athéniennes; pour Platon, le fondement de la cité. Quand on passe de l'effort d'organisation de la cité réelle à la théorie ou à l'utopie de la cité idéale, les rapports du mathématique et du politique se renversent. La cité ne joue plus le rôle de modèle ; le politique ne constitue plus ce domaine privilégié où l'homme s'appréhende comme capable de régler lui-même, par une activité réfléchie, les problèmes qui le concernent au terme de débats et de discussions avec ses pairs. Ce sont les mathématiques qui ont valeur de modèle, parce que, dans la tête de cet être exceptionnel qu'est le philosophe, elles reflètent la pensée divine. Aussi les auteurs peuvent-ils écrire, après une analyse de la cité platonicienne telle que le philosophe, dans le *Timée*, le *Critias* et *Les Lois*, a voulu la présenter « incarnée », qu'en dépit de tous les éléments que Platon a empruntés aux États de son temps, sa cité théorique, loin de représenter la vérité de la cité classique, en est à bien des égards l'opposé. Ce ne sont plus tant les hommes que les dieux qui la dirigent, et l'effort de Platon ne vise pas à trouver les institutions qui permettent aux citoyens de se gouverner eux-mêmes, mais à établir une cité qui sera dans toute la mesure du possible entre les mains des dieux. Quant à l'espace et au temps civiques, créés par Clisthène, « ils deviennent tout naturellement le reflet des réalités sidérales de manière à faire participer le microcosme de la cité au macrocosme de l'Univers » (p. 146).

L'intérêt d'un livre ne tient pas seulement aux résultats et aux idées neuves qu'il apporte ; il se mesure aussi au nombre de problèmes qu'il fait naître, aux réflexions, voire aux objections qu'il suscite. Formulée de façon volontairement radicale, la thèse des auteurs sur le « retournement » qui se produirait au Ve siècle dans la conception de l'espace civique soulève une série de questions qui mettent en cause certains des traits essentiels de la cité et de la pensée politique, aux époques archaïque et classique. Nous avons dit notre accord avec les conclusions de P. Lévêque et de P. Vidal-Naquet au sujet des réformes clisthéniennes, de leur portée intellectuelle, de l'organisation spatiale qu'elles impliquent. Doit-on parler, pour le Ve siècle, d'une rupture, d'un renversement des perspectives touchant à l'espace social ? Ne s'agit-il pas plutôt d'un simple déplacement d'accent, dans le cadre d'un même type de pensée politique ?

Remarquons d'abord que l'exemple d'Hippodamos, retenu

par les auteurs, n'est pas favorable à l'hypothèse d'un divorce qui s'établirait au cours du Ve siècle entre l'espace des astronomes et l'espace de la cité. S'il est bien exact qu'Hippodamos se présente comme un théoricien politique doublé d'un urbaniste, il nous est surtout donné par les Anciens comme un « savant dans les choses de la nature », comme un « météorologue »[18]. Sur ce plan, son personnage s'inscrit dans la ligne de la tradition ionienne : il continue très directement un Thalès et un Anaximandre. Philosophe cherchant à expliquer la nature, Hippodamos ne se détourne pas pour autant de la vie civique ; il apparaît intégré à l'univers de la cité. Sa pensée ne sépare pas espace physique, espace politique, espace urbain ; elle les unit dans un même effort de réflexion.

Reste le problème fondamental : le caractère différencié, et non plus homogène, de l'espace hippodamien. Avant d'apprécier la portée de ce trait et de rechercher dans quelle mesure il marque un retournement de la perspective clisthénienne, il nous faut dégager quelques-unes de ses implications. Si Hippodamos conçoit l'univers physique et le monde humain comme des totalités dont les éléments constitutifs, n'étant pas entièrement homologues, ne s'ordonnent pas selon des relations d'équivalence, mais s'ajustent les uns aux autres suivant des rapports de proportion, de façon à produire, par leur divergence même, une unité d'« harmonie », il s'ensuit que dès le Ve siècle la pensée politique avait élaboré un modèle hiérarchique de la cité et cherchait à le justifier par des considérations empruntées à l'astronomie et aux mathématiques. Les premières tentatives d'appliquer les notions de nombre, de proportion, d'harmonie aux schémas d'organisation de la *polis* pourraient donc remonter au-delà d'Archytas — même si ce dernier leur a donné une forme plus précise — et appartenir au pythagorisme ancien. L'absence de témoignages contemporains rend évidemment cette conclusion, comme tout ce qui touche au premier pythagorisme, purement hypothétique. Elle apparaît cependant assez probable dès lors qu'on rapproche deux faits bien assurés. En premier

18. Aristote, *Politique*, II, 1267 b 28 ; Hésychius et Photius appelleront Hippodamos *meteôrologos*, spécialiste des phénomènes célestes.

lieu, l'existence d'un modèle hiérarchique de la cité, tant chez un homme comme Solon (qui s'efforce de réaliser l'*eunomia* en attribuant à chacun, en fonction de sa valeur, de son *arétè*, la part exacte qui lui revient au sein de la *polis*) que dans les institutions elles-mêmes avec le système des classes censitaires. En second lieu, les Anciens s'accordent à attribuer à Pythagore la théorie suivant laquelle tout dans l'Univers est réglé par les nombres, ou même est nombre. Au reste, P. Lévêque et P. Vidal-Naquet, dans les pages qu'ils consacrent à l'action du groupe pythagoricien à Crotone, notent fort justement qu'entre la prédication populaire, visant au renouvellement politique, et la réflexion géométrique et astronomique, il n'y avait, pour les membres de la secte, aucune différence de nature. Certes, on accordera aux auteurs qu'on ne saurait sans anachronisme attribuer à la politique pythagoricienne l'étiquette d'aristocratique ou de démocratique : le problème ne se pose pas encore en ces termes. Cependant, dans l'ensemble, les pythagoriciens sont attachés à une conception hiérarchique ou harmonique de la cité : de même que Solon distingue dans le corps civique ceux qu'il appelle les nobles et les vilains (au sens à la fois moral et social de ces mots), Pythagore, dans les couples d'opposés dont les catalogues nous ont été transmis, ne place pas sur le même plan les termes antinomiques mais distingue chaque fois une valeur positive et une valeur négative, la seconde devant rester soumise à la première dans le mélange qu'elle forme avec elle.

Hippodamos avait-il subi l'influence du pythagorisme ? Ses théories montrent en tout cas que le courant de pensée auquel se rattache la politique pythagoricienne s'est prolongé au cours du ve siècle avant de s'exprimer au ive chez un Archytas et chez un Platon. Pour toute cette tradition, l'ordre, dans la nature et dans la société, implique différenciation et hiérarchie. Ne faut-il pas en conclure, avec les auteurs, que l'espace civique d'Hippodamos, et plus encore de Platon, est en opposition absolue avec le modèle spatial de Clisthène ?

Il nous semble que cette affirmation devrait pourtant être nuancée. Comparant Clisthène et Pythagore, les auteurs ont insisté sur ce qu'ils appellent les ambiguïtés de la politique pythagoricienne. Le problème est de savoir s'il n'y a pas dans la conception même que les Grecs se sont faite de la *politeia* une ambiguïté assez fondamentale pour marquer, à des degrés divers, toute leur pensée politique [19]. Les Grecs n'ont pas clairement séparé, comme nous le faisons, État et société, plan politique et plan social. L'opposition se situe pour eux entre le privé et le public. Ce qui n'est pas du domaine privé se trouve rattaché au domaine public, au commun, c'est-à-dire finalement à la sphère politique (pour nous, au contraire, la plus grande part de nos activités sociales, qui nous mettent en rapport avec autrui, ne sont ni du domaine purement privé, ni du domaine proprement politique). Pour les Anciens, toute société humaine apparaît composée de parties multiples, différenciées par leurs fonctions ; mais en même temps, pour que cette société forme une *polis*, il faut qu'elle s'affirme sur un certain plan comme une et homogène. La *politeia* désignant à la fois le groupe social pris dans son ensemble (la société) et l'État au sens strict, il est difficile d'en faire une théorie entièrement cohérente puisque, selon la perspective où l'on se place, cette *politeia* se présente tantôt comme multiple et hétérogène (différenciation des fonctions sociales), tantôt comme une et homogène (aspect égalitaire et commun des prérogatives politiques définissant, comme tel, le citoyen). L'embarras d'un Aristote en la matière est significatif : polémiquant contre Platon auquel il reproche de vouloir réaliser par son régime communautaire l'unité la plus complète de l'État, Aristote écrit qu'à force de s'unifier la cité cesserait d'être une cité, puisque la *polis* (comme groupe humain) est par sa nature pluralité (πλῆθος), et qu'elle ne peut naître à partir d'individus semblables (ἐξ ὁμοίων) [20] ; ce qui ne l'empêche pas d'affirmer quelques lignes plus loin que, la *polis* (comme État) reposant sur l'égalité et la réciprocité, le pouvoir doit être partagé également entre tous les citoyens qui l'exerceront à tour de rôle et qui seront considérés, hors de leurs charges, comme semblables (ὡς ὁμοίους) [21]. Sa conclusion ne parvient pas à lever cette anti-

19. Cf. V. Ehrenberg, *The Greek State*, 1960, p. 89.
20. Aristote, *Politique*, 1261 a 18 et 24.
21. *Ibid.*, 1261 b 1-5.

nomie. Quand il écrit : « La *polis*, qui est pluralité, doit être faite, par l'éducation, commune et une[22] », il se borne à formuler le problème que toute la pensée politique a cherché à résoudre et qui tient à la double nature de la *politeia*, entendue au sens strict : elle ne se confond pas entièrement avec la vie du groupe ; il y a des activités qu'on peut dire sociales — parce qu'elles sont indispensables à la vie en groupe et qu'elles mettent les hommes en relation les uns avec les autres — qui lui restent extérieures ; mais cependant, définissant ce qui est commun par opposition à ce qui est privé, la *politeia* exprime l'essence même de toute vie sociale ; celui qui est hors de la *politeia* est d'une certaine façon aussi hors société. Législateurs, hommes d'État, philosophes apporteront à ce problème des réponses diverses, mais ils le poseront toujours dans les mêmes termes, ce qui confère à la pensée politique grecque, par-delà ses dissonances ou ses contradictions, une orientation commune. Que la *politeia* ait été étendue à l'ensemble du corps social formé par les hommes libres d'une cité ou limitée à un groupe plus restreint, qu'il y ait ou non chez les membres de la cité des distinctions quant à leur droit d'exercer en commun le pouvoir, il s'est toujours agi de constituer les citoyens en une collectivité véritablement une, en dépit de toutes les différences opposant les uns aux autres les individus qui la composent.

La solution clisthénienne a effectivement une signification exemplaire ; elle représente un des pôles extrêmes de la pensée politique. Les réformes visent à constituer un espace civique homogène dans le cadre duquel tous les Athéniens, quelles que soient leur famille, leur profession, leur résidence, puissent apparaître équivalents les uns aux autres, en tant que citoyens d'un même État. La *polis* tend donc à prendre la forme d'un univers sans étage ni différenciation. On peut, il est vrai, faire observer qu'en ne supprimant pas les classes censitaires Clisthène conserve une place, dans son système, à un élément de hiérarchie. L'objection cependant ne nous paraît pas décisive, car, pour définir l'esprit de la révolution clisthénienne, il faut considérer, non ce qu'elle a laissé sub-

22. *Ibid.*, 1263 b 35-37.

sister du passé, mais ce qui caractérise l'ensemble des innovations qu'elle a opérées. On doit donc admettre qu'en remodelant l'État Clisthène a obéi à un idéal de cité égalitaire où tous les citoyens se situeraient sur un même plan et occuperaient par rapport à un centre commun des positions symétriques et réversibles. Par contre, il faut dire que les valeurs d'égalité et d'indifférenciation apparaissent chez lui d'autant plus accentuées qu'il se propose précisément de remédier à un état de fait marqué par la séparation et la division : il s'agit, pour l'homme d'État athénien, d'unifier une cité déchirée par les factions, les clientèles, les rivalités locales. L'établissement d'un cadre politique homogène est la condition d'une fusion en un même tout des éléments différenciés du corps civique.

Dans un contexte historique déjà modifié, les préoccupations d'Hippodamos ne laissent pas de paraître assez voisines. L'*isonomia* de type clisthénien n'a pas réussi à supprimer les antagonismes sociaux. Bien des cités au Vᵉ, et plus encore au IVᵉ siècle, sont divisées par des luttes intestines, où les considérations d'intérêt — ce que nous appellerions l'économique — ont pris une importance qu'elles n'avaient pas à l'époque de Clisthène. Ces contradictions ne cesseront de s'aggraver, et Platon pourra dénoncer, derrière l'apparente unité de l'État démocratique, le combat des riches et des pauvres, rangés en deux camps ennemis. Dans l'esprit de leurs partisans, les théories des classes fonctionnelles — qui semblent bien reprendre la tradition indo-européenne relative à l'organisation tripartie de la société — ne visent à institutionnaliser la différenciation des classes sociales que pour mieux assurer l'unité et l'homogénéité complètes de l'État. Au reste, la solution d'Hippodamos est encore assez proche de Clisthène. Hippodamos distingue dans le corps social trois classes qui restent chacune enfermée dans sa fonction propre : guerrière, artisanale, agricole ; il divise le territoire en trois secteurs : domaine sacré, réservé aux dieux ; public, réservé aux guerriers ; privé, attribué aux agriculteurs. Mais toutes les classes se retrouvent unies et égales sur le plan proprement politique : elles composent ensemble un seul et même *dèmos* qui élit ses magistrats. Le système hippodamien, s'il implique une image différenciée de la société humaine, n'institue pas de hiérarchie dans la sphère politique au sens propre. Hippodamos distingue et classe les divers types d'activités qui apparaissent nécessaires à la vie du groupe, mais qui restent cependant extérieurs au politique compris comme l'exercice en commun du pouvoir de commandement. Ce qui est nouveau chez lui et qui constitue la pièce maîtresse de son système, c'est la spécialisation de la fonction militaire, confiée à une classe de guerriers professionnels. Or la fonction guerrière, contrairement aux activités artisanales et agricoles, ressortit aux yeux des Grecs au domaine public ; elle concerne la communauté dans son ensemble ; elle est intégrée au politique. C'est en ce sens qu'il y a, malgré tout, une certaine disparité dans le statut des trois classes sociales. Pourquoi cette situation particulière des guerriers dans la *polis* ? Il s'agissait, pour Hippodamos, en isolant la fonction militaire, proche par sa nature du politique, de la purifier de tout contact avec la vie économique, avec cette sphère d'intérêts privés qui apparaît maintenant comme un facteur de division et d'opposition entre les citoyens. Les militaires n'ont pas de propriété personnelle. Ils sont nourris, comme à Sparte, aux frais de l'État sur la terre commune. Parce que leur spécialité, en tant que classe fonctionnelle, est de prendre en charge un secteur qui appartient au domaine commun ou public, ils ne peuvent rien posséder de particulier ; leur activité sociale ne doit revêtir aucun caractère privé.

La même conception se retrouve, au siècle suivant, sous une forme radicale et systématique, chez Platon. Dans la cité platonicienne la différenciation des classes donne lieu à une véritable ségrégation fondée sur une différence de nature entre les membres des diverses catégories fonctionnelles qui ne doivent sur aucun plan se trouver mêlées. Tel est, en particulier, le sens du mythe des métaux. Chaque classe est assimilée à un métal. Pour les classes les meilleures comme pour les métaux les plus précieux, un mélange ne saurait aboutir qu'à un alliage inférieur, à l'impureté. A cet égard Platon apparaît bien comme un anti-Clisthène puisque l'Alcméonide se proposait de réaliser sur le plan politique le « mélange » de tous les Athéniens, sans tenir compte de leurs diverses fonctions professionnelles. Cependant le but final de Platon reste celui-là même que se fixait Clisthène : constituer un État qui soit véritablement un et homogène. Mais, pour le philosophe, cet idéal implique une condition impérieuse : ceux qui forment l'État ne peuvent être politiquement semblables que s'ils le sont aussi dans l'ensemble de leur vie sociale. Pour que dirigeants et gardiens puissent accomplir leur charge et veiller au bien général, il faut que tout entre eux soit effectivement égal et commun. Cela n'est possible que s'ils renoncent à toute activité d'ordre professionnel ou économique pour se consacrer entièrement et exclusivement à leur fonction politique. Autrement dit la réalisation du modèle clisthénien d'une *politeia* homogène suppose une épuration de la sphère politique, par expulsion de tous ceux qui sont engagés, à quelque titre que ce soit, dans la vie professionnelle. Dans une cité où la spécialisation des fonctions et des métiers a divisé le groupe contre lui-même, l'unité et l'homogénéité de l'État ne peuvent être rétablies qu'en faisant de l'activité politique une spécialité à part, un métier opposé à tous les métiers, en ce sens qu'il relève du public et non, comme les autres, de l'intérêt privé.

Alors même qu'il prend le contre-pied de la constitution clisthénienne, Platon reste donc à certains égards fidèle à l'idéal politique qui l'a inspirée. Aussi n'est-il pas étonnant de trouver chez le philosophe de l'Académie la tentative la plus rigoureuse pour tracer le cadre territorial de la cité conformément aux exigences d'un espace social homogène. Dans *Les Lois*, Platon passe de la législation idéale, réalisant la communauté complète des femmes, des enfants et des biens, à ce qu'il appelle la cité seconde ou troisième, c'est-à-dire à des constitutions qui, tenant compte des défauts de la nature humaine, sont plus proches de la réalité. La cité des *Lois* admettra donc le partage du sol et des maisons au lieu de l'exploitation en commun de la terre : chaque citoyen bénéficiera d'un lot déterminé. Cependant, pour que la cité soit encore relativement une, il faut que chaque lot apparaisse moins comme une propriété personnelle que comme le bien de la cité tout entière ; il faut aussi que l'ordre de répartition fixé à l'origine demeure à jamais immuable. Platon est donc conduit à évoquer les conditions locales les plus favorables à la réalisation de son projet et à préciser les modes d'organisation de l'espace que sa législation va projeter sur le terrain [23]. Il ne cache pas que son plan a une valeur idéale : dans la pratique il sera sans doute impossible de réunir toutes les conditions exigées. Nous avons donc affaire — et Platon le dit expressément — à un modèle. Ce modèle est à la fois géométrique et politique. Il représente l'organisation de la cité sous la forme d'un schéma spatial. Il la figure dessinée sur le sol. En quoi cet espace civique de Platon est-il contraire, en quoi est-il semblable au modèle clisthénien ?

Selon Platon, le fondateur de la cité des *Lois* établit d'abord au centre (ἐν μέσῳ) du pays une enceinte circulaire clôturée, nommée Acropole. A partir de là il organise le territoire pour le former en un cercle qui s'étend régulièrement autour de l'Acropole. Toute la terre est divisée en douze portions — correspondant aux douze tribus — de façon que chaque part soit équivalente aux autres du point de vue du rendement. Il distribue alors, toujours suivant le même principe d'équité, les 5 040 lots de terre pour les 5 040 foyers constituant la *polis*. Mais chaque lot, attribué à un foyer, est divisé en deux parties, une à proximité de la ville, l'autre dans les zones périphériques, vers les frontières. Comme il n'est pas possible de disposer tous les demi-lots sur un même cercle, le fondateur procède de la façon suivante : qui possède un demi-lot attenant immédiatement à la ville aura comme demi-lot complémentaire un terrain touchant directement à la frontière ; qui aura, à partir de la ville, un demi-lot situé après le premier, aura le demi-lot suivant aussi à la frontière, et ainsi de suite, de sorte que les demi-lots les plus éloignés de la ville, se trouvant à mi-distance du territoire, seront contigus à leur demi-lot complémentaire appartenant à la zone périphérique. Ainsi chaque foyer sera attaché à un lot de terre qui, dans la moyenne de ses deux composantes, se trouvera exactement à même distance du centre que tous les autres. Enfin la zone proprement urbaine sera divisée à son tour en douze secteurs comme le reste du territoire. Chaque citoyen

23. Platon, *Lois*, 745 b-e.

aura deux habitations, une en zone urbaine, près du centre, une autre dans le secteur rural, à la périphérie.

Circulaire, centré comme celui de Clisthène, l'espace politique de Platon s'en distingue sur plusieurs points essentiels. Ce n'est plus l'*agora* qui occupe la position centrale, mais l'acropole, consacrée aux divinités tutélaires de la cité, Zeus et Athéna. Aussi le siège d'Hestia, contrairement à l'usage de toutes les cités grecques, se trouve-t-il situé, non sur l'*agora*, mais sur l'acropole. Ce déplacement du centre est significatif. L'acropole s'oppose à l'*agora* comme le domaine du sacré (les *hiera*) au domaine du licite ou du profane (les *hosia*), comme le divin à l'humain. La cité platonicienne — P. Lévêque et P. Vidal-Naquet ont eu raison de le noter — se construit autour d'un point fixe qui, par son caractère sacré, amarre en quelque sorte le groupe humain à la divinité ; elle s'organise selon un schéma circulaire qui reflète l'ordre céleste. Il est donc normal que Platon, parcourant en sens inverse le chemin suivi par Clisthène, revienne à un système duodécimal dont la valeur religieuse apparaît chez lui sans équivoque : chaque tribu est assignée comme son lot à un des douze dieux du panthéon. Possesseurs de l'espace, les dieux sont aussi maîtres du temps : chacun des douze mois est attribué à un dieu. Si les divisions du temps et de l'espace se correspondent, c'est qu'espace et temps se modèlent l'un et l'autre sur l'ordre divin du cosmos.

Le plan politique, que Clisthène avait dégagé, Platon le réintègre donc dans la structure d'ensemble de l'univers. Mais en même temps, l'espace de la cité, tout chargé qu'il soit de significations religieuses, est rendu de façon plus systématique encore que chez Clisthène parfaitement homogène et indifférencié. Par d'ingénieuses dispositions, le législateur platonicien entend donner à toutes les portions du territoire qu'il a distinguées une exacte équivalence, une complète symétrie par rapport au centre commun. Ce n'est plus seulement en tant que citoyens, sur le plan politique, que les membres de la cité apparaissent égaux et semblables. L'aménagement du sol les rend identiques et interchangeables dans leur tenure foncière, leur habitat, leur lieu de résidence. L'espace de la cité est organisé de telle sorte que disparaît toute distinction entre urbains et ruraux. Tout citoyen est à la fois et aussi bien citadin que campagnard. Au moment où s'accuse, dans la vie réelle, l'opposition de la ville et de la campagne, la théorie du philosophe trace le plan d'une cité où serait entièrement réalisé le « mélange » que souhaitait Clisthène. En ce sens la *polis* platonicienne, qui est bien à certains égards, comme les auteurs l'ont montré, le contraire de la cité classique, en est aussi la vérité. C'est sans doute dans les *Lois* que le modèle d'un espace politique géométrisé, qui caractérise la civilisation grecque, se trouve dans ses traits spécifiques le plus fermement dessiné.

Table

Avertissement de l'éditeur 7

Présentation par Pierre Vidal-Naquet 9

Abréviations utilisées dans les notes 13

1. Aspects mythiques de la mémoire, *par Jean-Pierre Vernant* 15

2. Hestia-Hermès. Sur l'expression religieuse de l'espace et du mouvement chez les Grecs, *par Jean-Pierre Vernant* 47

3. Valeurs religieuses et mythiques de la terre et du sacrifice dans *l'Odyssée, par Pierre Vidal-Naquet* 101

4. Temps des dieux et temps des hommes, *par Pierre Vidal-Naquet* 135

5. Le fleuve *Amélès* et la *mélétè thanatou*, *par Jean-Pierre Vernant* 165

6. Géométrie et astronomie sphérique dans la première cosmologie grecque, *par Jean-Pierre Vernant* 185

7. Espace et organisation politique en Grèce ancienne, *par Jean-Pierre Vernant* 203

Des mêmes auteurs

Mythe et Tragédie en Grèce ancienne
t. 1, Paris, Maspero, 1972,
et t. 2, Paris, La Découverte, 1986

Principaux ouvrages de Jean-Pierre Vernant

Les Origines de la pensée grecque
Paris, P.U.F., 1962, et coll. « Quadrige », 1990

Mythe et Pensée chez les Grecs, Étude de psychologie historique
Paris, Maspero, 1965, et Paris, La Découverte, 1985

Mythe et Société en Grèce ancienne
Paris, Maspero, 1974, et Paris, La Découverte, 1988

Les Ruses de l'intelligence. La mètis des Grecs
(en collaboration avec Marcel Detienne)
Paris, Flammarion, 1974, et coll. « Champs », 1978

Religions grecques, religions antiques
Paris, Maspero, 1976

Religions, histoires, raisons
Paris, Maspero, 1979

La Cuisine du sacrifice en pays grec
(sous la direction de Marcel Detienne
et Jean-Pierre Vernant)
Paris, Gallimard, 1979

La Mort dans les yeux. Figures de l'autre en Grèce ancienne
Paris, Hachette, 1985

L'Individu, la Mort, l'Amour,
Soi-même et l'autre en Grèce ancienne
Paris, Gallimard, 1989

Mythe et Religion en Grèce ancienne
Paris, Éd. du Seuil, 1990

Figures, idoles, masques
Paris, Julliard, 1990

Principaux ouvrages de Pierre Vidal-Naquet

L'Affaire Audin
Paris, Éd. de Minuit, 1958

La Raison d'État
Paris, Éd. de Minuit, 1962

Clisthène l'Athénien
(en collaboration avec Pierre Lévêque)
Paris, Les Belles-Lettres, 1964
rééd. Paris, Macula, 1983

Le Bordereau d'ensemencement dans l'Égypte ptolémaïque
Bruxelles, Fondation égyptologique Reine Elizabeth, 1967

Journal de la Commune étudiante
(en collaboration avec Alain Schnapp)
Paris, Éd. du Seuil, 1969 et 1988

La Torture dans la République
Paris, Éd. de Minuit, 1972;
rééd. Paris, Maspero, 1975, puis
Paris, La Découverte, 1983

Économies et Sociétés en Grèce ancienne
(en collaboration avec M. Austin)
Paris, Armand Colin, 1972

Les Crimes de l'armée française
Paris, Maspero, 1975

Les Juifs, la mémoire et le présent, I
Paris, Maspero, 1981
rééd. Paris, La Découverte, 1991

Le Chasseur noir
Paris, Maspero, 1981
et Paris, La Découverte, 1983

Les Assassins de la mémoire
Paris, La Découverte, 1987

L'Affaire Audin, 1957-1978
Paris, Éd. de Minuit, 1989

Face à la raison d'État. Un historien dans la guerre d'Algérie
Paris, La Découverte, 1989

La Démocratie grecque vue d'ailleurs
Paris, Flammarion, 1990

Les Juifs, la mémoire et le présent, II
Paris, La Découverte, 1991

COMPOSITION : CHARENTE-PHOTOGRAVURE À L'ISLE-D'ESPAGNAC (16340)
IMPRESSION : AUBIN IMPRIMEUR À LIGUGÉ (86240)
DÉPÔT LÉGAL NOVEMBRE 1991. N° 13138 (L 38807)

Collection Points

SÉRIE ESSAIS

1. Histoire du surréalisme, *par Maurice Nadeau*
2. Une théorie scientifique de la culture
   par Bronislaw Malinowski
3. Malraux, Camus, Sartre, Bernanos, *par Emmanuel Mounier*
4. L'Homme unidimensionnel, *par Herbert Marcuse* (épuisé)
5. Écrits I, *par Jacques Lacan*
6. Le Phénomène humain, *par Pierre Teilhard de Chardin*
7. Les Cols blancs, *par C. Wright Mills*
8. Littérature et Sensation. Stendhal, Flaubert, *par Jean-Pierre Richard*
9. La Nature dé-naturée, *par Jean Dorst*
10. Mythologies, *par Roland Barthes*
11. Le Nouveau Théâtre américain, *par Franck Jotterand* (épuisé)
12. Morphologie du conte, *par Vladimir Propp*
13. L'Action sociale, *par Guy Rocher*
14. L'Organisation sociale, *par Guy Rocher*
15. Le Changement social, *par Guy Rocher*
16. Les Étapes de la croissance économique, *par W. W. Rostow*
17. Essais de linguistique générale, *par Roman Jakobson* (épuisé)
18. La Philosophie critique de l'histoire, *par Raymond Aron*
19. Essais de sociologie, *par Marcel Mauss*
20. La Part maudite, *par Georges Bataille* (épuisé)
21. Écrits II, *par Jacques Lacan*
22. Éros et Civilisation, *par Herbert Marcuse* (épuisé)
23. Histoire du roman français depuis 1918
    par Claude-Edmonde Magny
24. L'Écriture et l'Expérience des limites, *par Philippe Sollers*
25. La Charte d'Athènes, *par Le Corbusier*
26. Peau noire, Masques blancs, *par Frantz Fanon*
27. Anthropologie, *par Edward Sapir*
28. Le Phénomène bureaucratique, *par Michel Crozier*
29. Vers une civilisation des loisirs ?, *par Joffre Dumazedier*
30. Pour une bibliothèque scientifique
    par François Russo (épuisé)
31. Lecture de Brecht, *par Bernard Dort*
32. Ville et Révolution, *par Anatole Kopp*
33. Mise en scène de Phèdre, *par Jean-Louis Barrault*
34. Les Stars, *par Edgar Morin*
35. Le Degré zéro de l'écriture
    suivi de Nouveaux Essais critiques, *par Roland Barthes*
36. Libérer l'avenir, *par Ivan Illich*
37. Structure et Fonction dans la société primitive
    par A. R. Radcliffe-Brown
38. Les Droits de l'écrivain, *par Alexandre Soljenitsyne*
39. Le Retour du tragique, *par Jean-Marie Domenach*

41. La Concurrence capitaliste
par Jean Cartell et Pierre-Yves Cossé (épuisé)
42. Mise en scène d'Othello, *par Constantin Stanislavski*
43. Le Hasard et la Nécessité, *par Jacques Monod*
44. Le Structuralisme en linguistique, *par Oswald Ducrot*
45. Le Structuralisme : Poétique, *par Tzvetan Todorov*
46. Le Structuralisme en anthropologie, *par Dan Sperber*
47. Le Structuralisme en psychanalyse, *par Moustapha Safouan*
48. Le Structuralisme : Philosophie, *par François Wahl*
49. Le Cas Dominique, *par Françoise Dolto*
51. Trois Essais sur le comportement animal et humain
par Konrad Lorenz
52. Le Droit à la ville, *suivi de* Espace et Politique
par Henri Lefebvre
53. Poèmes, *par Léopold Sédar Senghor*
54. Les Élégies de Duino, *suivi de* Les Sonnets à Orphée
par Rainer Maria Rilke (édition bilingue)
55. Pour la sociologie, *par Alain Touraine*
56. Traité du caractère, *par Emmanuel Mounier*
57. L'Enfant, sa « maladie » et les autres, *par Maud Mannoni*
58. Langage et Connaissance, *par Adam Schaff*
59. Une saison au Congo, *par Aimé Césaire*
61. Psychanalyser, *par Serge Leclaire*
63. Mort de la famille, *par David Cooper*
64. A quoi sert la Bourse ?, *par Jean-Claude Leconte* (épuisé)
65. La Convivialité, *par Ivan Illich*
66. L'Idéologie structuraliste, *par Henri Lefebvre*
67. La Vérité des prix, *par Hubert Lévy-Lambert* (épuisé)
68. Pour Gramsci, *par Maria-Antonietta Macciocchi*
69. Psychanalyse et Pédiatrie, *par Françoise Dolto*
70. S/Z, *par Roland Barthes*
71. Poésie et Profondeur, *par Jean-Pierre Richard*
72. Le Sauvage et l'Ordinateur, *par Jean-Marie Domenach*
73. Introduction à la littérature fantastique
par Tzvetan Todorov
74. Figures I, *par Gérard Genette*
75. Dix Grandes Notions de la sociologie
par Jean Cazeneuve
76. Mary Barnes, un voyage à travers la folie
par Mary Barnes et Joseph Berke
77. L'Homme et la Mort, *par Edgar Morin*
78. Poétique du récit, *par Roland Barthes*
Wayne Booth, Wolfgang Kayser et Philippe Hamon
79. Les Libérateurs de l'amour, *par Alexandrian*
80. Le Macroscope, *par Joël de Rosnay*
81. Délivrance, *par Maurice Clavel et Philippe Sollers*
82. Système de la peinture, *par Marcelin Pleynet*
83. Pour comprendre les média, *par M. McLuhan*

84. L'Invasion pharmaceutique
par Jean-Pierre Dupuy et Serge Karsenty
85. Huit Questions de poétique, *par Roman Jakobson*
86. Lectures du désir, *par Raymond Jean*
87. Le Traître, *par André Gorz*
88. Psychiatrie et Antipsychiatrie, *par David Cooper*
89. La Dimension cachée, *par Edward T. Hall*
90. Les Vivants et la Mort, *par Jean Ziegler*
91. L'Unité de l'homme, *par le Centre Royaumont*
1. Le primate et l'homme
par E. Morin et M. Piattelli-Palmarini
92. L'Unité de l'homme, *par le Centre Royaumont*
2. Le cerveau humain
par E. Morin et M. Piattelli-Palmarini
93. L'Unité de l'homme, *par Centre Royaumont*
3. Pour une anthropologie fondamentale
par E. Morin et M. Piattelli-Palmarini
94. Pensées, *par Blaise Pascal*
95. L'Exil intérieur, *par Roland Jaccard*
96. Semeiotiké, recherches pour une sémanalyse
par Julia Kristeva
97. Sur Racine, *par Roland Barthes*
98. Structures syntaxiques, *par Noam Chomsky*
99. Le Psychiatre, son « fou » et la psychanalyse
par Maud Mannoni
100. L'Écriture et la Différence, *par Jacques Derrida*
101. Le Pouvoir africain, *par Jean Ziegler*
102. Une logique de la communication
par P. Watzlawick, J. Helmick Beavin, Don D. Jackson
103. Sémantique de la poésie, *par T. Todorov, W. Empson*
J. Cohen, G. Hartman, F. Rigolot
104. De la France, *par Maria-Antonietta Macciocchi*
105. Small is beautiful, *par E. F. Schumacher*
106. Figures II, *par Gérard Genette*
107. L'Œuvre ouverte, *par Umberto Eco*
108. L'Urbanisme, *par Françoise Choay*
109. Le Paradigme perdu, *par Edgar Morin*
110. Dictionnaire encyclopédique des sciences du langage
par Oswald Ducrot et Tzvetan Todorov
111. L'Évangile au risque de la psychanalyse (tome 1)
par Françoise Dolto
112. Un enfant dans l'asile, *par Jean Sandretto*
113. Recherche de Proust, *ouvrage collectif*
114. La Question homosexuelle, *par Marc Oraison*
115. De la psychose paranoïaque dans ses rapports
avec la personnalité, *par Jacques Lacan*
116. Sade, Fourier, Loyola, *par Roland Barthes*
117. Une société sans école, *par Ivan Illich*

118. Mauvaises Pensées d'un travailleur social
par Jean-Marie Geng
119. Albert Camus, *par Herbert R. Lottman*
120. Poétique de la prose, *par Tzvetan Todorov*
121. Théorie d'ensemble, *par Tel Quel*
122. Némésis médicale, *par Ivan Illich*
123. La Méthode
1. La nature de la nature, *par Edgar Morin*
124. Le Désir et la Perversion, *ouvrage collectif*
125. Le Langage, cet inconnu, *par Julia Kristeva*
126. On tue un enfant, *par Serge Leclaire*
127. Essais critiques, *par Roland Barthes*
128. Le Je-ne-sais-quoi et le Presque-rien
1. La manière et l'occasion, *par Vladimir Jankélévitch*
129. L'Analyse structurale du récit, Communications 8
ouvrage collectif
130. Changements, Paradoxes et Psychothérapie
par P. Watzlawick, J. Weakland et R. Fisch
131. Onze Études sur la poésie moderne, *par Jean-Pierre Richard*
132. L'Enfant arriéré et sa mère, *par Maud Mannoni*
133. La Prairie perdue (Le Roman américain), *par Jacques Cabau*
134. Le Je-ne-sais-quoi et le Presque-rien
2. La méconnaissance, *par Vladimir Jankélévitch*
135. Le Plaisir du texte, *par Roland Barthes*
136. La Nouvelle Communication, *ouvrage collectif*
137. Le Vif du sujet, *par Edgar Morin*
138. Théories du langage, Théories de l'apprentissage
par le Centre Royaumont
139. Baudelaire, la Femme et Dieu, *par Pierre Emmanuel*
140. Autisme et Psychose de l'enfant, *par Frances Tustin*
141. Le Harem et les Cousins, *par Germaine Tillion*
142. Littérature et Réalité, *ouvrage collectif*
143. La Rumeur d'Orléans, *par Edgar Morin*
144. Partage des femmes, *par Eugénie Lemoine-Luccioni*
145. L'Évangile au risque de la psychanalyse (tome 2)
par Françoise Dolto
146. Rhétorique générale, *par le Groupe* μ
147. Système de la mode, *par Roland Barthes*
148. Démasquer le réel, *par Serge Leclaire*
149. Le Juif imaginaire, *par Alain Finkielkraut*
150. Travail de Flaubert, *ouvrage collectif*
151. Journal de Californie, *par Edgar Morin*
152. Pouvoirs de l'horreur, *par Julia Kristeva*
153. Introduction à la philosophie de l'histoire de Hegel
par Jean Hyppolite
154. La Foi au risque de la psychanalyse
par Françoise Dolto et Gérard Sévérin
155. Un lieu pour vivre, *par Maud Mannoni*

156. Scandale de la vérité, *suivi de* Nous autres Français
par Georges Bernanos
157. Enquête sur les idées contemporaines
par Jean-Marie Domenach
158. L'Affaire Jésus, *par Henri Guillemin*
159. Paroles d'étranger, *par Élie Wiesel*
160. Le Langage silencieux, *par Edward T. Hall*
161. La Rive gauche, *par Herbert R. Lottman*
162. La Réalité de la réalité, *par Paul Watzlawick*
163. Les Chemins de la vie, *par Joël de Rosnay*
164. Dandies, *par Roger Kempf*
165. Histoire personnelle de la France, *par François George*
166. La Puissance et la Fragilité, *par Jean Hamburger*
167. Le Traité du sablier, *par Ernst Jünger*
168. Pensée de Rousseau, *ouvrage collectif*
169. La Violence du calme, *par Viviane Forrester*
170. Pour sortir du XXe siècle, *par Edgar Morin*
171. La Communication, Hermès I, *par Michel Serres*
172. Sexualités occidentales, Communications 35
ouvrage collectif
173. Lettre aux Anglais, *par Georges Bernanos*
174. La Révolution du langage poétique, *par Julia Kristeva*
175. La Méthode
2. La vie de la vie, *par Edgar Morin*
176. Théories du symbole, *par Tzvetan Todorov*
177. Mémoires d'un névropathe, *par Daniel Paul Schreber*
178. Les Indes, *par Édouard Glissant*
179. Clefs pour l'Imaginaire ou l'Autre Scène
par Octave Mannoni
180. La Sociologie des organisations, *par Philippe Bernoux*
181. Théorie des genres, *ouvrage collectif*
182. Le Je-ne-sais-quoi et le Presque-rien
3. La volonté de vouloir, *par Vladimir Jankélévitch*
183. Le Traité du rebelle, *par Ernst Jünger*
184. Un homme en trop, *par Claude Lefort*
185. Théâtres, *par Bernard Dort*
186. Le Langage du changement, *par Paul Watzlawick*
187. Lettre ouverte à Freud, *par Lou Andreas-Salomé*
188. La Notion de littérature, *par Tzvetan Todorov*
189. Choix de poèmes, *par Jean-Claude Renard*
190. Le Langage et son double, *par Julien Green*
191. Au-delà de la culture, *par Edward T. Hall*
192. Au jeu du désir, *par Françoise Dolto*
193. Le Cerveau planétaire, *par Joël de Rosnay*
194. Suite anglaise, *par Julien Green*
195. Michelet, *par Roland Barthes*
196. Hugo, *par Henri Guillemin*
197. Zola, *par Marc Bernard*

198. Apollinaire, *par Pascal Pia*
199. Paris, *par Julien Green*
200. Voltaire, *par René Pomeau*
201. Montesquieu, *par Jean Starobinski*
202. Anthologie de la peur, *par Éric Jourdan*
203. Le Paradoxe de la morale, *par Vladimir Jankélévitch*
204. Saint-Exupéry, *par Luc Estang*
205. Leçon, *par Roland Barthes*
206. François Mauriac
1. Le sondeur d'abîmes (1885-1933), *par Jean Lacouture*
207. François Mauriac
2. Un citoyen du siècle (1933-1970), *par Jean Lacouture*
208. Proust et le Monde sensible, *par Jean-Pierre Richard*
209. Nus, Féroces et Anthropophages, *par Hans Staden*
210. Œuvre poétique, *par Léopold Sédar Senghor*
211. Les Sociologies contemporaines, *par Pierre Ansart*
212. Le Nouveau Roman, *par Jean Ricardou*
213. Le Monde d'Ulysse, *par Moses I. Finley*
214. Les Enfants d'Athéna, *par Nicole Loraux*
215. La Grèce ancienne, tome 1
par Jean-Pierre Vernant et Pierre Vidal-Naquet
216. Rhétorique de la poésie, *par le Groupe* μ
217. Le Séminaire. Livre XI, *par Jacques Lacan*
218. Don Juan ou Pavlov
par Claude Bonnange et Chantal Thomas
219. L'Aventure sémiologique, *par Roland Barthes*
220. Séminaire de psychanalyse d'enfants (tome 1)
par Françoise Dolto
221. Séminaire de psychanalyse d'enfants (tome 2)
par Françoise Dolto
222. Séminaire de psychanalyse d'enfants
(tome 3, Inconscient et destins), *par Françoise Dolto*
223. État modeste, État moderne, *par Michel Crozier*
224. Vide et Plein, *par François Cheng*
225. Le Père : acte de naissance, *par Bernard This*
226. La Conquête de l'Amérique, *par Tzvetan Todorov*
227. Temps et récit, tome 1, *par Paul Ricœur*
228. Temps et récit, tome 2, *par Paul Ricœur*
229. Temps et récit, tome 3, *par Paul Ricœur*
230. Essais sur l'individualisme, *par Louis Dumont*
231. Histoire de l'architecture et de l'urbanisme modernes
1. Idéologies et pionniers (1800-1910), *par Michel Ragon*
232. Histoire de l'architecture et de l'urbanisme modernes
2. Naissance de la cité moderne (1900-1940), *par Michel Ragon*
233. Histoire de l'architecture et de l'urbanisme modernes
3. De Brasilia au post-modernisme (1940-1991), *par Michel Ragon*
234. La Grèce ancienne, tome 2, *par J.-P. Vernant et P. Vidal-Naquet*
235. Quand dire, c'est faire, *par J. L. Austin*